新潮文庫

日日平安

山本周五郎著

版

1699

目次

解説　木村久邇典

日日平安

城中の霜

一

安政六年十月七日の朝、掃部頭井伊直弼《かもんのかみいいなおすけ》は例になく早く登城をして、八時には既に御用部屋へ出ていた。今年になって初めての寒い朝であった。大老の席は老中部屋の上座にあり太鼓張りの障子で囲ってあるし、御間焙《あぶ》りという大きな火鉢のほかに、側《そば》近く火桶《ひおけ》を引寄せてあるが、冴《さ》えかえった朝の寒気は部屋全体にしみ徹《とお》って、手指、足の爪先《つまさき》など痛いように凍えを感じた。

然《しか》し冴えかえっているのは寒気だけではなかった。常には賑《にぎ》やかな若年寄の部屋もひっそりとしているし、脇坂安宅《わきさかやすおり》、太田資始《おおたすけもと》、間部詮勝《まなべあきかつ》以下の居並んでいる老中部屋も、破れたギヤマンの角を思わせるような、鋭く澄徹った沈黙に蔽《おお》われていた。後に安政大獄と呼ばれた大疑獄が、まさに終段に入りつつある時だった。遽《あわただ》しく出入する御同朋頭《どうぼうがしら》や御部屋坊主《ぼうず》たちも、みんな蒼《あお》ずんだ顔をしていたし、往来する老中、若年寄の人々も落着きのない眼を光らせていた。間部詮勝と脇坂安宅の前には、書類のはみ溢《あふ》れた御用箱があって、扇が（済んだ書類を挟んで次へ廻すもの）休む間もなく次から次へと動いている……これらの眼まぐるしい活動は、圧《お》しつけられるような静かさのなかで、然も極めて忍びやかに繰り返されているのだが、それにも拘《かかわ》らず、老中部屋の空気は、まるで巨大な樹木が眼に見えぬ旋風に挑みかかるかのように震撼《しんかん》していた。

隔ての障子の中では、井伊直弼が頻《しき》りに、右の襟首《えりくび》へ手をやっては眉《まゆ》を顰《しか》めていた。肥満した、脂肪質の彼は、二三日まえから襟首に出来ている面皰《めんぼう》が、着物の衿《えり》に触れては不快な感じを伝えるので、そのたびに手をやって揉《も》み出そうとするのだが、小豆《あずき》ほどもある脂肪の塊を包んだ皮膚は、指で圧迫する毎《ごと》に鋭く痛むだけで、いっかな口を明こうとしないのである。……九時の土圭《とけい》が鳴った。そして間もなく、御同朋頭が町奉行石谷因幡守《いしがやいなばのかみ》の参入を報じた……直弼は頷《うなず》いて、引寄せてあった火桶を押しやった。因幡守穆清《あつきよ》は蒼白い痙攣《ひきつ》ったような表情をしていた。彼が大老の前に着座すると共に、若年寄の部屋も老中部屋も、廊下の隅々までがひっそりとなり、今までの静けさとは違った更に底寒い沈黙に包まれるのが感じられた。

「御裁決の罪人の処刑を終りました」

「……御苦労」

「飯泉喜内《いいずみきない》、頼三樹三郎《らいみきさぶろう》」

そこで穆清は口を噤《つぐ》んだ。直弼は太い眉の下にある大きな眼で、ひたと穆清の顔を見下ろしたまま黙っていた……然しその息詰るような沈黙は、間もなく直弼の韻の深い声で破られた。

「それだけか、もう一人あった筈《はず》だ」

「………」因幡守は眼を伏せた。

「越前《えちぜん》の橋本左内はどうした」

穆清は唇を顫《ふる》わせながら面《おもて》をあげた。

「今朝、死罪と御達しがございましたが、橋本左内は既に遠島と決定しておりますので、若《も》しやなにかの御手違いかと……」

「死罪だ、橋本左内は死罪だ」直弼は圧しつけるように云《い》った。

絶望の色を浮べたまま穆清は退出した。……その遽しいすり足の音は、老中、若年寄、御部屋係の凡《すべ》ての人々の注意を集めながら消えて行った。直弼は再び火桶を引寄せながら、

「坊……茶を持て」と声高に命じた。

茶を汲《く》んで来た御部屋坊主は、常々直弼に愛されている男であったが、今朝は人が違ったように怯々《おずおず》して、天目《てんもく》を進める手は見えるほど震えていた。直弼は茶を啜《すす》りながら、のしかかって来る強大な、おそろしい拡《ひろ》がりをもった眼に見えぬ敵を、自分の全身でがっちり受止めようとするかの如《ごと》く、その幅の広い肩をあげ、眼を瞠《ひら》いてじっ

と空を睨《にら》んでいた。

十時少し過ぎてから、再び因幡守穆清が参入した……今度は落着いていたが、それはどこか虚脱したような力の無いものだった。

「左内の処刑を終りました」

「……御苦労」

「まことにあっぱれな最期《さいご》でございました、従容《しょうよう》として辞世の詩を認《したた》め、静かな微笑さえ見せながら、帰するが如く」

「あれもか、あれも……従容として……」直弼が相手の言葉を遮って、まるで憎悪《ぞうお》に堪えぬもののように低く呟《つぶや》いた、「莞爾《かんじ》と笑い……辞世の詩を詠《よ》んでか、あの男もそんな……そのような」

「まことに見事な死にざまでございました」

穆清はそう云って退《さが》った。直弼の顔に表われた侮蔑《ぶべつ》の表情は、なかなか消えなかった。彼はなんども口のなかで……莞爾と笑い、従容として、帰するが如く。などと呟きながら、極めて不愉快そうに、その大きな唇をひき歪《ゆが》めた。それから再び手をあげて、襟首の面皰を揉み出そうとした。指に力を籠《こ》め、歯を食いしばりながら……太い眉毛がきりきりと顰《ひそ》んだ。

二

因幡守穆清が役所へ退って来ると、囚獄奉行の石出直胤《いしでなおたね》が待っていた。

「……御首尾如何《いかが》でございました」

「事実は申せなかった」穆清は吐き出すように云った、「……橋本左内は従容として辞世の詩を詠み、静かに笑って死んだと申した、そのもともその心得で、みなの者に申し含めて貰《もら》いたい」

「自分もそのように思いまして、取敢《とりあ》えず一同の口を止めて置きましたが」

「あれほどの人物を、未練者と呼ばせたくないからな、然し不審なのは大老の御ようすだ、とんとげせぬことがある」

「なにごとか、ございましたか」

「静かに笑って死んだと申上げた時、非常に不愉快そうな顔をされて、あれも従容として死んだか、あれも……二度まで独言のように呟かれた、辞世を詠み帰するが如く死んだということが、此《こ》の上もなく機嫌に触ったような口ぶりであった」

「よもや事実が御耳に入っていたのではございますまいな」

「或《ある》いはそうかも知れぬ、が、なんと云ったらいいだろうか、とにかくあの不機嫌さは別のものだ、まるで解《げ》せぬ」

直胤は待っていた用を切りだした。

「実は……左内の遺骸《いがい》を引取りにまいっている者があるのですが」

「引渡して宜《よろ》しかろう、何者だ」

「石原甚十郎と申す者の他《ほか》に三名、越前家ゆかりの者と申しますが」

直胤は愴惶《そうこう》と退出した。

穆清はその日は私宅に帰る番に当っていたので、午後三時が過ぎると駕《かご》で役所を出た。彼は橋本左内を助けようとして、遂《つい》に出来なかったことが、自分の責任のように思えてならなかった……吉田松陰《よしだしょういん》も小林民部も、頼三樹三郎も梅田雲浜《うめだうんぴん》も、その他多くの志士たちは直接、幕政に反抗して矢表《やおもて》に立つ者だった。けれど橋本左内は彼等とは違っていた。彼は尊王論者ではあったが、同時に佐幕と開国を主張としていた。その説は最も穏健で、然も斬新《ざんしん》卓抜であった。——日本の国防を完全にするには、満州から蒙古《もうこ》あたりまで注目していなくてはならない。そのためには魯西亜《ロシア》と提携すべしだ。左内のそういう説は、幕府の外交策にも大きな試案として役立ちつつあった。国土の遠隔な英、米、仏などと手を握るよりは、直に日本の北辺へのしかかっている魯西亜と同盟を結び、満蒙の地を我が注目圏内に置こうとする事の方が、どんなに緊要で且《か》つ合理的だかということは、当時多少の眼をもつ者なら誰にも合点がゆくことだった。穆清は予《かね》てから左内の「日魯同盟論」に傾倒し、それがいつか幕府の外交策として採択される日の来ることを固く信じていた。だから今日になってとつぜん、左内の罪は遠島を改めて死罪とする。という達しが出たときは、茫然《ぼうぜん》として為《な》すところを知らなかったのである。

然し老中、若年寄のあいだにも、ひそかにその裁決を過酷だとする空気があるのを察したので、飯泉喜内と頼三樹三郎の刑を終り、その復命に出たとき態《わざ》と左内の名を口にしなかった。若し咎《とが》められずに済《す》んだら直ぐ遠島にしてしまおうと思ったからだ……そういう僅《わず》かな法規上の手落から、死罪の者が助かった例は一二ではない。穆清はそれを覘《ねら》ったのだが遂にその苦策も無駄だったのである。その苦心が無駄だった許《ばか》りでなく、彼は刑場でもっと堪《たま》らないものを見なければならなかった。それは武士として、彼が今日まで経験して来たどんな場合よりも苦々しく、且つ痛ましい光景であった……痛ましく感じ、苦々しいと思ったのは穆清だけではない。その刑場に立合った者のなかには寧《むし》ろ驚愕《きょうがく》し、明らかに軽侮の舌打をした者もあった。そのありさまが今でも歴《あり》ありと見える。刑場の白々とした広さと、断頭の刃の下の左内の姿が、そして役人たちの動揺した表情が。――未練な！　穆清は左内の胸中を察し得るだけに、それを痛ましいと思う同じ気持で立腹を感じた。其処《そこ》には囚獄奉行をはじめ卑《いや》しい獄卒まで見ているのだ。介錯《かいしゃく》の者は首斬《くびき》り役人ではなく特に某藩の士を頼んである。たとえばどのように無念な死であろうと、左内が武士なら覚悟すべき場合である。嘘《うそ》にも静かに武士らしく死すべき時であろう。……名こそ惜しけれ、武士の値打はその死に際《ぎわ》を見なくては分らぬ。穆清は駕の中で繰返してそれを考えていた。私邸へ着いたのはもう黄昏《たそがれ》であった。……十日に一度の帰邸なので、妻子も揃《そろ》って出迎えたが、寛《くつろ》ぐ暇もなく家士が訪客を知らせて来た。「橋本左内にゆかりのある者だと申します」

三

左内ゆかりの者だと聞いて、穆清は直ぐ客間へ通らせ、自分も支度を改めて出ていった。客は二十ほどの娘だった。髪かたちで武家の者だということは直ぐ分る、やや浅黒い頬の凜《りん》と緊《しま》った、紅をさしたように紅《あか》い小さな唇許《くちもと》に、控えめながら勝気らしさの表われている、どこか寂しい顔だちである……彼女は福井藩士、喜多勘蔵の二女香苗《かなえ》と名乗った。

「それで、お訪ねの用件は」

「まことに不躾《ぶしつけ》なお願いでございますが、このたび左内が遠島の御裁きを改められ、死罪となりましたに就き、どのような仔細《しさい》がございましたものか、また……死に際のことなどお伺い申したいと存じまして」

「どうしてそれをこちらへ訊《き》きにまいったのか」

「こなたさまならばお明かし下さるであろうと、さる方より教えられましたので」

穆清は二三の人物を空に描いたが、おそらく石出直胤であろうと思った。

「して、おもとは左内どのとは」

「また従兄妹《いとこ》に当っております」

そう云ってふと伏せた眼許に、陽炎《かげろう》のようなものがはしるのを穆清は見た。それはきわめて微《かす》かな、眼に見えたというより、直感に触れた程度のものではあったけれど、穆清はふと胸をしめつけられるように思った。

「死罪に改められた点に就いては、御政治向のことでなにも申す自由を持たぬが、最後の有様だけはお伝えしよう」「……はい」「獄中に於《お》ける左内どのは、まことに師表たるべき日常を送られた、後に下げ渡す時期も来ようが、資治通鑑《しじつがん》を注し教学工作を論じて一書を作り、また獄制論などを書いておる、孰《いず》れも一代の見識として推賞すべき文字であった……若年ながら達人の風格をもたれていたためか、獄吏たちも一様に敬服し、また格別の思召《おぼしめし》を以《もっ》て在獄中は充分に礼が尽されていた」

娘は一言も聞き漏らすまいとするように、膝《ひざ》の上に手を揃え、じっと眼を閉じ頭を垂れて聴いていた。

「今朝、死罪の達しのあった時だ」穆清は静かに続けた、「牢《ろう》役人が呼出しにまいると、左内どのは静かに座を起《た》って戸前口を出られた、戸前口は四尺に三尺しかなく、どのように剛胆者でも死罪と決って是《これ》を出る折には、身が竦《すく》んで必ずどちらかへ軀《からだ》を打当てるものだ、然《しか》し左内どのはいかにも落着いて、殆《ほと》んど衣服も触らず、すっとぬけ出られたという……見ていた役人は我知らず、おみごとと申してしまったということだ」

その話は、彼が石出直胤から直接聞いたものである……娘は然し彼が期待していたような感動を表わさなかった。

「牢を出ると、其処《そこ》で、春嶽侯《しゅんがく》から差遣《さしつか》わされた新しい衣服、裃《かみしも》に着替えた……これは申すまでもなく曾《かっ》て前例のないことで、いかに左内どのが礼を篤《あっ》くされたかお分りであろう」

「……忝《かたじけ》ないことだと存じます」

「刑場へ直られてからは」そう云いかけて穆清はちょっと眉を顰めたが、直ぐ口早に続けた、「既に覚悟は決っている様子で、用意の筆墨を引寄せて辞世の詩を書かれ、極めて静かに、微笑さえ含んであっぱれな最期を遂げられた、太刀《たち》取りは獄吏でなく、特に某藩の士を選んでさせたが、此の者もさすがは一代の傑物と」

「暫《しばら》く、暫くお待ち下さいまし」娘はふと眼をあげて云った、「それでは、辞世の詩を詠み、静かに笑って、死んだのでございますか」

「これがその辞世の詩だ」

穆清は反問には答えず、ふところから折畳んだ紙片を取出して娘の手に渡した、娘は少し退ってしずかにそれを披《ひら》いたが、そのなめらかな皮膚に包まれた手は見えるほど震えていた。

苦冤難洗恨難禁、　俯則悲傷仰則吟

昨夜城中霜始隕、　誰知松柏後凋心

彼女はやや暫くその文字を瞶《みつ》めたまま、その円い肩を波うたせていた。

香苗は間もなく因幡邸を辞した。……冬の短い日はもう昏《く》れて、街にはすっかり灯《ひ》が点《つ》いていた。今夜もまた凍《い》てるのであろう、風もないのに空気は冷えきって、足元から這上《はいあが》る寒気は骨までしみ徹《とお》るかと思われる。香苗は両袖《りょうそで》で確《しっか》りと胸を押えながら歩いた。ふところへ入れて来た辞世の詩に籠《こも》っている左内の心を、その寒さから護《まも》ろうとでもするように、……辻《つじ》へ出ると灯の明るい商家の街になった。往来の人々が寒さに身を縮めながら、追われるように前後へすれちがった。——どうしたのかしら、この感じは。どうしてもぴったりとしない気持が、いつまでも香苗の心に棘《とげ》を残していた。——あんなに精《くわ》しく聞いたのに、少しも左内さまの御最期という感じがしない、左内さまがどんな人であるかということは、香苗がいちばんよく知っていた筈《はず》なのに。彼女は腑《ふ》におちない気持で幾たびもそう呟いた。

四

香苗は左内と三つ違いだった。二人とも福井の国許《くにもと》で生れ、また従兄妹という縁もあったし、屋敷も近かったので、幼い頃からよく往来《ゆきき》して知合っていた。左内は色の白い、眉《まゆ》の秀《ひい》でた小柄の美少年で、口数の寡《すくな》い、極めて温和な、どちらかというと少女のような優しい性質をもっていた。父の長綱が藩医であったため彼も早くから文学に入ったが、忽《たちま》ち俊英の才を顕《あら》わして、十五六の頃には既に福井藩中に其《そ》の名を知らぬ者がないと云われるに至った。

香苗はいまでもその頃の事を生々と思い出す。当時、左内はもう藩儒吉田東篁《とうこう》の門に入って、常盤《ときわ》町の家から毎日通学していた。いつも片方の眉をきりっとあげ、書物の包を左手に抱えながら一人で静かに歩いて来る、……どこかひ弱そうな、憂《うれ》いのある白皙《はくせき》の顔に、乱れかかる髪の二筋三筋が、どうかすると艶《なま》めかしいほども美しい印象だった。香苗が十二（数え年の十四歳）の初夏のことである。下女を伴《つ》れて買い物に出た帰り、幸橋筋を曲ろうとすると、左内が豊島の馬場の方へ行くのをみつけた。ふと立止って見ると、同年輩の少年が五人、まるで護送するように、少し離れて前後を取囲みながら付いてゆく、その少年たちがいま評判の乱暴者で「青竜組《せいりゆうぐみ》」などと称し、城下街を荒し廻っている仲間だと気づいた香苗は、下女を先に帰して置いて彼等の後を追った。少年たちは馬場外の雑木林の中へ入ると、左内を中心に円陣を作った。左内は静かに見廻してなにか云《い》った。香苗の隠れている場所からは、彼の言葉は聞えなかったが、直ぐ蒔田金五《まきたきんご》という少年がそれに押し被《かぶ》せて喚《わめ》きだすのはよく聞えた。金五は、左内を柔弱者だと罵《ののし》った。生白い面《つら》をして、女の腐ったような奴《やつ》だと、罵詈《ばり》悪口した末に、喜多の香苗と猥《みだ》らな仲だと云った。香苗はそれを判《はっ》きりと聞いた、言葉の意味は本当には分らなかったが、なにかしらん罪深い、禁断の帷《とばり》の奥をいきなりあけて見せられたような、胸苦しい羞恥《しゅうち》と忿《いか》りに身の震えるのを覚えた。

左内は静かな、然し鋭い声で、――それは嘘だ。と云った。――根も葉もないことを云うものではない、自分は男だからよいが、女には取返しのつかぬことになる、それだけは取消せ。――取消す必要はない。金五の声より疾《はや》く左内は刀を抜いた。不意を衝《つ》かれた少年たちは四方へ逃げだしたが、左内は切尖《きっさき》を付けて金五を動かさなかった。――金五、いまの言葉を取消せ。声は矢張り静かだが、その眼は烈火のように相手の面上に食いついていた。

香苗は今でもその時の感動を忘れることが出来ない。日頃は女のように弱々しく、曾《かつ》ていちども怒った例のない左内が、香苗のために刀を抜いて立ち向ったのだ。その必死の意気に呑《の》まれて、金五はその暴言を取消したが、香苗にとってはそんなことは問題ではなかった。自分の名誉のために刀を以て立ち向って呉《く》れた彼の断乎《だんこ》たる態度、それだけでどんな恥辱も拭《ぬぐ》い去られるような気がしたのである。

左内は十六歳の時、緒方洪庵《おがたこうあん》の許で西洋医術と蘭学《らんがく》を学ぶために大坂へ去った。その別れのとき、香苗は二人きりになった機をみて、――いつぞやは香苗のために危うい目にお遭いなされて申し訳がございません。それまで曾て口にしたことがないので、左内は初めなんのことか分らないようすだったが、香苗があの時の諍《あらそ》いを見ていたのだと語ると、遽《にわ》かにその頰を染めながら眼を外《そ》らした。その表情は逆に香苗を狼狽《ろうばい》させた、香苗も自分が耳まで赧《あか》くなるのを感じて逃げだしてしまった。

左内はそれから三年目に、父の死を見送るために帰郷し、二十一歳の春江戸へ去った。この二年のあいだに、左内は屢《しば》しば喜多を訪れ、兄の勘一郎とよく議論をした。その頃もう彼は父の跡を継いで藩医に列していたが、外科手術とか、種痘《しゆとう》とか、解剖とかいう、新しい医術を以て重んぜられ、また種々の西洋医学書を同列の医師たちに講じたりして隆々たる名を持っていた。然し香苗とは親しく語り合う機会もなく、再び学問修業のために江戸へ去った。

三度めに帰ったのは二十三の時だった。この二年の江戸在府中に、彼はその方向を一変していた。藤田東湖と識《し》り安井息軒《やすいそつけん》と識り、更に西郷吉之助《さいごうきちのすけ》と交友を結んで志士としての第一歩をふみ出すと同時に、藩主松平春嶽に見出《みいだ》されて君側に侍し、鈴木主税《すずきちから》、中根雪江ら老臣と共に重要な国事に当る人物になっていた。……香苗が左内に会ったのは、彼が帰郷して藩校明道館を統裁するようになってから暫く後のことであった。香苗は兄から、左内の噂《うわさ》はよく聞いていたので、どんなに変ったかと想像していたが、会ってみて少しも変っていないのに却《かえ》って驚いた。

五

言葉つきも穏やかで、以前の通り女のように優しかったし、起居動作も極めて静かだった。――たいそう御出世でおめでとう存じます。香苗がそう云うと、彼はいつものどこか悲しげな微笑をうかべながら有難うと云い、然し本を読む暇もなくて寂しいと云った。そういう声音も、悲しげな微笑も、香苗の胸に刻みつけられていた過去の印象を、些《いささ》かも崩しはしなかった。書物の包を抱えて通学した彼、金五との諍いを云いだされて赧くなった彼、否《いな》それよりもっと幼い頃、二人で無心に遊んだときの彼が、少しも変らず、そのまま彼女の前に成長した姿を見せたのである。皮膚の薄い彼の顔は、うち続く劇務に少し窶《やつ》れてはいたものの、やはり血が透くように白く、柔らかい小柄な軀つきは、静かな動作と共に今でもひどく女性的である。そして同時に、その底には地熱のような、ねばり強い強靭《きょうじん》な意力が隠れているのだ。青竜組の暴れ者五人に向って、唯《ただ》一人抜刀して立ち向った時の、烈《はげ》しい、断乎とした情熱が秘められているのだ。

左内は翌年、二十四歳で江戸へ去った。その別れに臨んで、彼は香苗に向って、「こんど帰って来たら」という一語を残した。それが彼と会った最後であり、彼の言葉を聞いた最後であった……こんど帰って来たら。左内はなにを云う積りであったろう。そう云ったときの彼のようすはそのあとを云う必要のない光りを帯びていた。

——御無事でお帰りをお待ち申します。香苗はそう答えるだけで満足した。

左内は帰らなかった。時勢はしだいに険悪になり、彼もまた騒然たる世の怒濤《どとう》のなかへ身を挺《てい》していった。香苗はなにも知らなかった、自分の胸のなかに生きている左内の俤《おもかげ》を抱いて、しずかに彼の帰る日を待っていた。左内が幕吏の審問を受けたと聞いたときも、遂《つい》に捕縛されたと聞いた時も、——あの左内さまが。とまるで縁の遠いことのようにしか考えられなかったし、愈々《いよいよ》遠島と決ったと聞いて、兄の勘一郎と共に江戸へ出て来る途中も、却ってそれが、左内を自分の許へ取戻す機会になるような気さえしていた。

香苗は兄と共に三日まえに江戸へ着いた。遠島になる彼を見送る積りだったのである。然し左内は急に罪を加えられて、斬罪《ざんざい》に処せられた。香苗は初めて動顚《どうてん》し、あの左内がどうしてそんな重罪に問われたのか、また、どんな死にようをしたのか知りたいという烈しい欲望を抑えることができなかった。そして聞き得た結果は、香苗にとってやはり縁遠い左内の姿だった。従容《しょうよう》として刑場に辞世の詩を詠《よ》み、静かに笑って、帰するが如《ごと》く死んだという。香苗の胸に生きている俤には、どこを捜してもそんな豪快な彼はいない……まるで違う、まるでちぐはぐなのだ。

「……香苗ではないか」突然そう呼びかけられて、恟《ぎょっ》として立止ると兄の勘一郎が近寄って来た、「いま戻ったのか」

「……はい」香苗は思わず胸を押えた。

「うかうかと歩いていてはいけない、御門を通り過ぎているぞ」

そう云われて気づくと、香苗は藩邸の前をもう二三十歩も通り過ぎているのだった。勘一郎は直《す》ぐ妹の気持を察したらしく、「己《おれ》もいま戻ったところだ、帰ろう」そう云って先に歩きだした。

彼は、石原甚十郎らと共に左内の死躰《したい》を受取りにいったのである。そして遺骸《いがい》を千《せん》住小塚原《じゅこづかっぱら》の回向院《えこういん》へ仮埋葬すると、独りだけ先に帰って来たのであった。藩邸内にある喜多の家には、すでに十数人の若者たちが来て待受けていた。そのなかには蒔田金五もいた。

「……どうした、首尾よくいったか」

「死躰を渡したか」

勘一郎の顔を見ると、待っていた人々は一斉に膝《ひざ》を乗出した。

「遺骸は正に受取った」勘一郎は凍えた手を膝に置いて、「役人たちは礼を尽した応待だった、なかにも囚獄奉行の石出帯刀《たてわき》は、我々を招じて左内の在獄中の起居から最《さい》期《ご》の模様まで精しく語って呉れた」

「では左内の待遇も悪くはなかったのだな」

「お上《かみ》から差遣わされた新しい衣服で斬《き》られている、獄制創《はじ》まって以来の異例だそうだ、左内は辞世の詩を詠み、笑って刑を受けたと感じいっておった」
「それは、それでいい、然《しか》し」と円鍔藤之進が割込んで云った、「然し、いちど遠島と決ったものを、どうして急に死罪と改め、そのうえ半日の猶予《ゆうよ》もなく斬ったのだ、その理由はなんだ」

六

「そんなことは分りきっている」金五が叩《たた》きつけるように云った、「建儲《けんちょ》問題に連坐《れんざ》した者はみんなやっつけようというんだ、井伊《いい》掃部《かもん》の指図に違いない、尾張《おわり》の慶勝《よしかつ》公、水戸《みと》の斉昭《なりあき》公、御三家でさえ謹慎隠居を命ぜられたくらいではないか、左内を斬ったのは福井藩に対する威嚇《いかく》だ」
「そうだ、井伊掃部の手が斬ったのだ」
「彼は勤王志士として梅田を斬り、松陰を斬り、三樹三郎を斬った、小林民部はじめ、多くの者を斬った、同時に建儲問題では御三家の威勢を粉砕し、諸侯を罰し、続いて安島帯刀《あじまたてわき》を斬り左内を斬る……彼は崩れんとする長堤の蟻穴《ありあな》へ、更に自ら鋤《すき》をうち下ろしているんだ、彼は幕府を倒壊するために斧《おの》を加えているんだ、彼こそはまさしく倒幕の首魁《しゅかい》だ」

当時、十三代家定の継嗣《けいし》問題は、一橋慶喜《よしのぶ》と紀伊慶福《よしとみ》丸をめぐって大きな波紋を描いた。これは通商条約の調印と共に、朝廷から御内旨が下ったほどの重大問題であったが、幕府は断乎として慶福丸を嗣に決定し、一橋慶喜を推輓《すいばん》した人々に大弾圧を加えたのである。即《すなわ》ち水戸斉昭は譴責《けんせき》のうえ隠居、その子慶篤《よしあつ》には謹慎、尾張慶勝は謹慎蟄居《ちっきょ》、松平春嶽《まつだいらしゅんがく》も謹慎、水戸家の家老安島帯刀は切腹、その他多くの犠牲者を出している。そして左内もまた同じ事件の網にかかったのだ。「如何《いか》にも、井伊大老こそ倒幕の首魁だ」

この春秋流の表現が一座を沸立たせた。

「喜多、君は知らんだろうがな」円鍔藤之進がふと思い出したように、「左内が薩摩《さつま》の西郷吉之助と交友を結んだとき、面白い話があるんだぞ」

「いやその話なら拙者にさせろ」

「まあ己に話させろ、貴様は話が諄《くど》くて埒《らち》が明かんから駄目だ、こうなんだ、初めて左内が訪ねていったとき、吉之助は庭で若者たちに相撲をとらせて、こうどっかり坐《すわ》って見ているところだった」

「吉之助は大肌脱《おおはだぬ》ぎになって」

「黙っていろと云うのに」香苗は茶を運んで来たまま、隅の方にそっと坐って聴いていた。「左内は初対面の挨拶《あいさつ》の後、礼を篤《あつ》くして時勢に対する意見を訊《き》いた、然し吉之助はまるでそらっとぼけた調子で、自分は御覧のとおり若い者共と相撲でも取る他に能のない男だから、そんな難かしい話は分り申さんと云って、遂に一語も交わそうとしなかったそうだ」

「ところがその明くる日」

「黙れと云うのに、ところが左内が帰ってから、はじめてその大人物だということが分ったのだ、吉之助は驚いて、直ぐその明くる日此処《ここ》へ左内を訪ねて来た」

「おい……石原が帰ったぞ」話を遮って一人が叫んだ。

後始末をするために、回向院に残った石原甚十郎と、他の二人が戻って来たのである、三人を入れるので一同は席をひろげた。

「御苦労だった、すっかり済んだか」

「大体のところ済ませて来た、けれど、……不愉快な話を聞いて来た」

甚十郎は、香苗の進める茶には手も出さず、色の黒い角張った顔に、深い皺《しわ》を刻みながらぶすっとした調子で云った。

「なんだ、不愉快なことって」金五が顔をあげた。

「寺で無礼な扱いでもしたのか」

「左内が泣いたと云うのだ」

「そうではない」甚十郎はぎろっと眼をあげた、「左内が泣いたと云うのだ」

「泣いたとは、つまり……」

「刑場へ曳出《ひきだ》され、介錯《かいしゃく》の刃が上った時、両手で顔を押えて泣いたのだそうだ」

意外な言葉だった。みんなごくっと喉《のど》を鳴らし、暫《しばら》くは真偽のほどを計り兼ねて沈黙した、……やがて勘一郎がぐっと向直って、詰問《きつもん》するように云った。

「石原、それはどこから聞いた、誰から出た話だ、まさか根もない話を……」

「その方が百倍も増しだ、根も葉もない噂ならこんな恥ずかしさは忍ばずとも済んだ、それが悲しいことに事実だったんだ」

「精《くわ》しく聞こう、話して呉れ」

「貴公が先に帰って間もなくのことだ」甚十郎は吶々《とつとつ》と話した、「……遺骸に付いて来た下役人に酒を出してやった、それは貴公も知っているだろう。あの下役人の年寄の方が酔って、泣きながら饒舌《しゃべ》っているんだ――橋本左内は天下の志士だと聞いていたし、在獄中は獄卒までがその人柄に尊敬を払っていた、自分もまた常から心服していたが、人間の値打は棺の蓋《ふた》をしてからでなくては分らぬ、あの左内が命を惜しんで泣くような未練者とは知らなかった。そう云《い》うのだ……我々はそれを聞いたので、直ぐ其奴《そやつ》を引摺《ひきず》って来て糾問した、すると其奴は急いで、酔ったまぎれの失言だとごまかしたが、問詰めするうちに事実を吐いたのだ」

「……その事実とは」みんなかたずをのんだ。

七

「左内は刑場へ出て、定めの席へ就いた」甚十郎が口重く続けた、「太刀取りは某藩の士だった、それがうしろへ廻って大剣をあげ、よいかと声を掛けたとき、左内は振返って、

——暫く、暫く待て。

と云った。そして刀を控えさせると、少し座をずらせ、藩邸の方を拝してから、両手で面《おもて》を掩《おお》い、やや暫く声を忍んで泣いた、やや暫く、それから坐り直して、

——もうよい、斬れ。

と云ったそうだ、是《これ》が事実だ」

「事実だということがどうして分る」

「慥《たし》かめて来た、太刀取りをした某藩の士、藩の名も姓名も約束だから云えぬ、その男に会って慥かめて来た、いまの事実に些《いささ》かも相違なかったのだ」

誰も言葉を挿《はさ》む者はなかった。甚十郎はぴくぴくと眉《まゆ》を動かしながら、「石出帯刀

が我々に語った話は武士の情《なさけ》だ、下役人の云うところに依《よ》ると、そこに立合った者全部に左内の泣いたことを口外するなと申渡したそうだ、みんな左内を惜しんで呉れた人たちらしい、町奉行もそうだと聞く、それなのに当の左内は」

「やはり、やはり長袖《ちょうしゅう》者だ」腕を組み、さっきから一言も口を利《き》かなかった金五が、鋭く切込むように云った、「才はあったが、医者の伜《せがれ》だし、つい先頃まで外科手術だの種痘だのと、薬匙《くすりさじ》を手にとび廻っていた男だ、武士らしい死に方を知らんのは当然かも知れぬよ」

「それはそうかも知れぬが、左内だって志士の端くれなら、自分の死がどんな意味をもつかくらい、分らぬ筈《はず》はないだろう」

「そうだ、橋本左内は一私人として斬られるのではない、彼には福井藩士の面目が懸《かか》っている、全国の志士の名誉が懸っているんだ」

「然し……然し、事実とは思えんなあ」

「そうでない、彼は蒔田の云うとおり長袖者だからな、武士の誇りは持合わさなかったかも知れんぞ、それにしても、死に臨んで泣くとは未練極まるな、如何になんでも泣くというのは」

「暫く、暫くお待ち下さいまし」

片隅から香苗が静かに呼びかけた。騒然となっていた一座は、その声でぴたっと静まり、一斉に香苗の方へ振返った……彼女の額は蒼白《あおじろ》く、その唇は心の忿《いか》りをそのまま語るかのように痙攣《ひきつ》っていた、……人々はその表情を見て、いずれも虚を衝《つ》かれたように膝を正した。

「石原さまのお話は伺いました」香苗は声を抑えながら云いだした、「そして皆さまの御非難も伺いました、けれど、左内さまがお泣きになったことが、そんなに未練がましい、恥ずべきことでございましょうか、……左内さまは仰《おお》せのとおり医者としてお育ちになりましたけれど、いざという場合に命を惜しむような方ではございませんでした、それは蒔田金五さまがよく御存じの筈だと存じます」

金五は愕《ぎょっ》として香苗を見たが、直ぐにその意味が分ったらしい、忽《たちま》ちその眼を伏せ頭を垂れてしまった。

「皆さまは泣いたということをお責めなさいますけれど、笑って死ぬ者なら勇者でございましょうか、話に聞きますと、強盗殺人の罪で斬られる無頼の者も、その多くは笑い、悠々と辞世を口にして刑を受けると申します……それが真の勇者でございましょうか」香苗はつきあげてくる忿怒《いかり》を懸命に堪《こら》えながら、息を継いで云った。

「いまのお話を熟《よ》くお聞き下さいまし、左内さまは太刀取りを押止《おしとど》め、静かに御藩邸

すべのないことは三歳の童《わらべ》でも知って居《お》りましょう、多少なり御国のために働くほど刑場に曳かれた以上、泣こうと喚《わめ》こうと遁《のが》れる

を拝し、声を忍んで泣かれたのです、刑場に曳かれた以上、泣こうと喚《わめ》こうと遁《のが》れるすべのないことは三歳の童《わらべ》でも知って居《お》りましょう、多少なり御国のために働くほどの者が、其《そ》の場に臨んで、命が惜しくて泣くと思召《おぼしめ》しますか、……未練で泣くと思召しますか、……強盗無頼の下賤《げせん》でも笑って死ぬことは出来ます、けれど断頭の刃《やいば》を押止め、静かに面を掩って泣く勇気は、左内さまだから有ったのです、……御国を思って泣いたとも申しませぬ、お家を想《おも》って泣いたとも申しません、けれどけれど、わたくしには分ります、卑怯《ひきょう》でも未練でもない、否《い》えもっとお立派な、本当の命を惜しむ武士の泪《なみだ》だということが、わたくしには分ります」

香苗は云い終ると共にわっと泣いた。並居る人々はいつか面を垂れ、そのなかには指で眼を拭《ふ》いている者さえあった、香苗は噎《むせ》びあげながら座を起《た》った。

逃げるように広間を出ると、そのまま自分の部屋へ駆込み、小机に凭《もた》れて暫くのあいだ背に波をうたせながら泣いていた。香苗は今こそ本当の左内に触れたと思った。因幡守《いなばのかみ》から笑って死んだと云われたとき、どうしても心に生きている左内とはぴったりせず、まるで他人の事を聞いているような気持だったのが、今こそ左内は昔の姿になって戻って来た。今こそ本当の彼を取戻したのであった。

――左内さま、あなたは、少しの偽りもなく、あなたらしい生き方をなさいました、

あなたらしい死に方をなさいました、あなたはもう再び、香苗の心から去っておゆきにはなりませんわ。

香苗は生きた彼に呼びかけるようにそう呟《つぶや》いて、ふところから辞世の詩を取出した。そして、第三の句に至ると、噎びあげながら静かにこう吟《よ》んだ。

「……昨夜、城中、霜始メテ隕《オ》ツ。……昨夜城中霜始メテ隕ツ……」

（「現代」昭和十五年四月号）

水戸梅譜

一

寛文《かんぶん》五年の秋のある日、徳川光圀《とくがわみつくに》の水戸《みと》の館《やかた》へ、貧しげなひとりの浪人ものが、仕官をたのむためにおとずれた。衣服も袴《はかま》もつぎはぎのあたった木綿ものであったが、よく洗って折目がついていた、としは三十二三であろうか、頬のあたりに辛労のかげがみえるけれど、まぎれのない眉《まゆ》つきがひと眼をひいた、月代《さかやき》もきれいに剃《そ》っていた、執事の鈴木《すずき》主税《ちから》がかれに会った。

「旧主の名は申上げかねます」かれは作法ただしく云《い》った、「わたくしはもと奥州《おうしゅう》のさる藩につかえておりました五百旗《いおき》五郎兵衛《ごろべえ》と申す者でございます、さきごろ主家が御改易となり、わたくしもただいまは浪々の身の上でございます、それにつきまして、わたくしは御当家こそさむらいの御奉公つかまつるべき御家と、かねて心におたのみ申しておりましたので、かないまするなら御家中のお末になりとお召抱えねがいたいと存じ、ぶしつけながら押してお願いにまかり出たしだいでございます」御前までよろしく御披露をたのむと云って、かれは膝《ひざ》へ手を置いたまま低頭した。主税はなかばうわのそらで聴いていた。光圀が水戸家をついだのは寛文元年のことであるが、若いじぶんからそのすぐれた風格は世に知れわたっていたので、いよいよ水戸二代の宰相をついだとなると、風を慕って随身をたのむさむらいたちがひきもきらず、その応接のいとまにくるしむありさまであった。ただそればかりならよいが、なかには仕官をたのむのは口実で、本当はいくばくかの合力《ごうりき》にあずかろうという浪人ものもいた。近頃ではむしろそういう者のほうが多いくらいだったので、筋のわからぬ者はたいてい些少《さしょう》の銀を与えてかえすことになっていた。

「また幸いわたくしには伜《せがれ》がございます」浪人は少し間をおいて云った、「当年まだ八歳の幼少ではございますが、性質もよろしくからだもごく壮健でございますから、やがてはお役の端にもあいたつべきかと存じます、憚《はばか》りながらこれも御前までおとりつぎをおたのみ申します」うわのそらで聴いていた主税は、この言葉でちょっと眼をみはった。これまで随身をたのみに来た者は誰でもおのれの芸能を申立てはした、戦場における功名とか武芸の才とか、学問の能力とか、そういうことは申立てたが、自分に子供があると自慢をした者はなかった。——いったいこの男は本気かしらん。主税は少しばかりあきれて見返した。浪人はもちろんまじめだった。すこし不安そうではあるが、端座した姿勢は毅然《きぜん》たるものだった。しばらく待てといって主税は奥へあがった。

光圀は小姓のものと碁をかこんでいた、そのとき三十八歳の壮年でまだ後年の円熟さには欠けていたが、そして名宰相としての世評にあやまりはなかったけれど、生れながらに水戸家の公達《きんだち》であったから、明敏英邁《えいまい》である反面に我儘《わがまま》で峻烈《しゅんれつ》なところも多かった。……主税の言葉を聞き終ると、光圀はじっと碁盤のおもてを見おろしたまま、いつもほど銀をやってかえすがよいと云った。主税はそのまま御前をさがり、かね包をつくって待たせてある室へもどった。……浪人はむざんなほど落胆した。額のあたりを蒼《あお》くし、ため息をついてしばらくはものを云うちからもないようすだった。「あいにく役どころに然《しか》るべき空きもなく、折角ながらおのぞみに副《そ》えずまことにお気の毒に思います、どこぞよき縁あって一日もはやく御出世をなさるよう、これは主人より申付かったものです、些少ながらお納め下さい」主税はそう云ってかね包をさしだした。

「わたくしが御奉公つかまつりたいのは」と五百旗五郎兵衛は云った、「御当家みとさまを措《お》いてほかにはございません、御当家に仕官がかないませんければ、もはや此《こ》の世にのぞみのないからだでございます、御厚志はまことにかたじけのうございますが、この銀子はご辞退をつかまつります」

「しかし主人のこころざしでもあり御遠慮は無用と思いますが」

「いや是《これ》ばかりはかたくお断り申します、その代りと申していかがと存じますが、お庭うちを拝借させて頂けましょうか」

「庭うちでどうなさる」

五郎兵衛という浪人は、会釈《えしやく》をして脇《わき》玄関へ出ていった。なんだと眉をひそめながら、主税が残されたかね包を持って奥へはいろうとしたとき、門番たちのけたたましいさけび声が聞えてきた。主税のあたまに或《あ》る出来事が直覚された、かれは声のするほうへとびだして行った。裏門の脇のところで、五百旗五郎兵衛となのる浪人ものが、作法ただしくむこう向きに俯伏《うつぶ》していた。主税はがんと頭を衝《つ》かれたように思い、惘《もう》然《ぜん》とそこに立ち竦《すく》んだ。

二

「なに腹を切った」

光圀はいぶかしそうにふりかえった。そして主税の蒼くひきつったような顔をみると、つまんでいた碁石をはたと取り落した。

「御当家のほかに奉公すべきおいえはない、と申しました、御当家に仕官の儀がかないませんければ、もはや此の世にのぞみはないと申しました、まことにその一事を思いつめてまいったものと存ぜられます」

「それほどつきつめた覚悟がそのほうには見えなかったのか」

「まことに面目なきことでございました」主税は心から慚《は》じて眼を伏せた、「なりかたちがあまりにむさくるしく、貧に窮しておるものと心得ましたし、子供のことを云いたてるようすが、まさしく合力を乞《こ》うもののように考えられましたので」

「子供のことを云いたてたとはなんだ」

「ふつうなればおのれの芸能を云いたてるべきところで、幸い八歳になる男の子があり、性質もよく身躰《しんたい》も壮健なれば、成長のうえはお役の端にもあいたつべくと申しました」

きっと光圀の眉がゆがみ眸子《ひとみ》が曇った。人間が良心のただなかを刺されたときのはげしい苦悶《くもん》の表情である、ゆがんだ眉は額にふかく皺《しわ》を刻み、心の呵責《かしやく》を表白するように唇がふるえた。

「そうか、さいわい子供があると申したか」光圀は寧《むし》ろおのれを責めるような口調で云った、「自分の才能は云わず子供のあることを云いたてたのは、このおれに子まで呉《く》れるという気持だったのであろう。……それほどのもののふに、おれはわずかな銭をもって酬《むく》いた」

「ひらに、ひらに、悉《ことごと》く主税めのふつつかでござりました」鏡のようにみがきあげた床板の上へ、面形をつけるかと思うほど主税はひれ伏した。

「人間はあさはかなものだ」さらに光圀は云った、「それほどの心をみわけることができぬとは、これまでいくらかは世のさまも識《し》り、人の心の表裏をも視《み》てきたと思ったが、これしきのみわけがつかぬとはあさましいことだ」

囲碁の相手をしていた小姓の若侍も、いつか面《おもて》をふかく垂れていた。光圀はしばらく眼をつむっていたが、やがて、つと手をあげて眼がしらを押えた。

「その者は姓名をなんと申した」

「はっ、いおき……なにがしとやら、恐れながら判然と記憶がございません」

「子があると申すからはまだ城下に家族がおるであろう、仔細《しさい》を貼《は》りだしてたずねるがよい、町奉行へもそう申付けるのだ」

主税はすぐにさがっていった。

五郎兵衛の死躰は鄭重《ていちょう》に屋敷の一部へ移された。高札場へは時を移さず五百旗の家族になのって出るよう貼り紙をだし、また町奉行では城下町の隅々まで捜索の手をまわした。しかしそれと思える者はなのっても出ず、またどう捜してもみあたらなかった。三日めに五郎兵衛の死躰は荼毘《だび》にして埋葬され、光圀のてもとから供養《くよう》料が寄進された。——男子があると云ったのだ、遺族はかならず付近にいるにちがいない。かたくそう信じた光圀はそれからもながいこと捜索をやめさせなかった、やがて江戸へ出府するときにも、そのことを繰り返し申付けていった。

五百旗五郎兵衛が自害した日の暮れがたのことだった。城下の西南に千波ケ原という叢林《そうりん》と荒れ地のひらけた原がある。その原の一隅《ぐう》に、まわりを竹藪《たけやぶ》でかこまれたひと棟のあばら屋が建っていたが、その家のなかで母子ふたりの者がひっそりとして遠い暮六つの鐘を聴いていた。母親は二十六七であろうか、眉つきの凛《りん》とした顔だちで、きわめて貧しいみなりにも拘《かかわ》らず、身構えのどこやら、いぶしをかけたような落着いた気品がにじみでている。その前にいる少年は八歳あまりの、まだ育ちざかりではあるが、日にやけた健康そうな手足をもっていた。眉のあたりの母親によく似ているのが年よりはおとなびてみえ、ひきむすんだ唇許《くちもと》は意志のつよさと気質のはげしさを示していた。

遠くから響いてくる鐘の音は、ながく余韻をひいて六つをうち終ると、かすかに野《の》分《わき》の蕭々《しょうしょう》たるかなたへ消えていった。その余韻の消えつくすまで、身をかたくしてじっと聴いていた母親はやがてしずかに、「小次郎お支度をなおしましょう、こちらへおいで」そう云って立ちあがった。おそらくは野守りでも住んでいたものであろう、屋根も朽ち壁も崩れている家の、ひと間きりしかない落漠《らくばく》たる部屋のかた隅で、母親はつつましくその子に着替えをさせた。木綿ではあるが紋付だった。袴をつけ脇差をささせた。それが済むと、かたちばかりの仏壇に燈明《とうみよう》をあげ、瓶子《へいし》と土器をととのえ、自分も衣紋《えもん》をただしてわが子と共に仏前へ坐《すわ》った。

「小次郎、あなたはいまから五百旗のあるじです、いまから水戸中納言さまの御家来ですよ」母親は感動を抑えたこわねでしずかに云った。そして我が子の幼い手に土器をわたし、瓶子をとってそれに注《つ》いだ、水であった。「恐れおおいことですけれど、その盃《さかずき》を中納言さまの下されたものと思って頂戴《ちようだい》なさい、そして、あっぱれお役にたつべきさむらいになるのです、わかりましたか」

はいと云って少年は母親を見あげ土器の水を戴《いただ》いて啜《すす》った。野のはてからしきりに秋風がわたっていた。草原がそよぎ、林が鳴った。この家をとりまいて竹簇《たけむら》が潮騒《しおさい》のようにゆれ立った。すでに家のなかは暗かった。そして崩れた壁の隙間《すきま》からわずかに残照がさしこみ、それが母親の頰にしるされた涙の条《すじ》をうつしていた。

三

「やっぱりついて来る」

「どこだ、ああお荷駄《にだ》のうしろから来るあの男か」

「きっとまた水戸までついて来るぞ」

常陸《ひたち》へかえる光圀の行列が千住《せんじゆ》の大橋を渡ると間もなく、供尻《ともじり》にいる者たちがそんなことを囁《ささや》きあい、ときどきそっとうしろへふりかえった、……編笠《あみがさ》の前をふかくさげた旅装のさむらいが一人、荷駄のうしろについてあるいて来るのがみえた、笠があるので相貌《そうぼう》はわからないが、骨太のからだつきでまだ若そうな男だった。光圀が江戸へゆくときにも、国へ帰るときにも、かれはみえ隠れに行列の後について来た。いつ頃からのことかわからないが、供の者が気づいてからでもこれで五回めになる。なんのためについて来るのかまったくわからなかった。捕えて糾明しようとしたが、そのたびにすばやく身を隠してしまう、道次《みちすがら》がながいのでなんども試みたけれど、そのすばやさには手が届かなかった。――ふしぎな男だ。――いったい何者だろう。そういう噂《うわさ》は次ぎ次ぎに伝わって、このまえの出府のときには光圀の耳にも達した。光圀にもふしんな話だったが、べつに害意がありそうにも思えないのでただ捨ておけと云《い》って済ませてきた。

こんどの帰国は久方ぶりだった。去年（延宝八）将軍家綱が逝去して綱吉が五代を継ぎ、七月には将軍宣下《せんげ》のことなどがあって、参覲《さんきん》のいとまが延びていたのである。

こんど帰るに当って、光圀は水戸の館のいまわりに、梅園を造る計画をたてていた。これは数年まえからの考えだったが、計画をたてるたびについ大掛りなものになるので、いつも中途でやめていた。それで、こんどは規模結構はぬきにして、ただ無ぞうさなままに梅樹を集めてみようと考えたのであった。みずから杖《つえ》をひいて田園をさぐり、野にある梅のつくろわぬものを集めるということは、思うだけでも五十四歳の初老の心をたのしませた。……日を重ねて、行列は水戸領へはいった、そして今日はいよいよ城下へ着くというとき、供尻のほうでなにか騒ぎがおこった。光圀は馬を駆っていたが、ふりかえってみると、行列のうしろがわらわらと崩れたって、供の人数がなにかを追いつめているようすだった。

「なにごとだ、誰ぞみてまいれ」そう云って光圀は馬を進めた。

供尻ではあのふしぎな男を捕えようとしたのであった。若い者たちが相談して、相手に気付かれないようにひと組がうしろへまわり、よき折をみて挟みうちにしようとしたのである。そこは宿あいで人家もなく、左がわに松のある丘がのび、右がわがうちわたす冬の田だった。そのさむらいは気をゆるしているようすで荷駄のうしろ四五十歩のところをあるいていた。あとから跟《つ》けて来た四人の供は、よしとみて合図の叫びをあげながら追い迫った。同時に供尻からも五六人の者がひっ返し、前後からひっしと挟んだのである。

そのさむらいは不意をつかれ、ちょっと狼狽《ろうばい》したようだったが、挟まれたとみたとたんに、非常なすばやさで左がわの丘へとびあがった、うしろから追い詰めたひとりが、つぶてのようにその背へとびかかったけれど、摑《つか》んだ編笠が手に残っただけだった、とても人間わざとは思えない敏捷《びんしょう》さである。丘の上へとびあがった男は、そこでちょっと振返った。浅黒い顔で凛とした眉《まゆ》つきをしていた。涼しい大きな眼だった。かれはなにか云いたげだった、しかし供の者がつづいて丘へ駆け登ろうとするのをみると、そのまま松林のなかへ走り去った。

かれは丘を左へ越えると、畑地や森かげをつたって足ばやにあるきだし、日のとぼ暮れに千波ケ原へとやって来た。……十六年の春秋がながれ去って、千波ケ原のようすはずいぶん変った。見わたすかぎり荒れ地だったのが、ところどころ開墾され伐《き》りはらわれた叢林のあちらこちらに、農家の炊《かし》ぎの煙がたちのぼっている。……かれはいそぎ足に原へはいり、かつて竹藪にかこまれていたあのあばら屋のほうへと近寄っていった。そこもすっかり変っていた。建物はおなじものだけれど、よく手入れをしたとみえて見違えるほどがっしりしているし、納屋《なや》、物置、厩《うまや》などが出来ている。家のまわりもとりひろげられ、背戸には、梅、柿《かき》、栗《くり》などの果樹が育っていた。そしてこの構えをとりかこんで、水田と畑とがみごとにうちひらけてみえた。

光圀の行列についていた若者は、やがてこの家のかどにあらわれた、あのとき八歳だった小次郎がいまはこのように成長した。名も父のを継いで五百旗五郎兵衛という、「母上ただいま戻りました」そう云いながら、かれが土間へはいろうとすると、中から出て来たひとりの若い娘が、大きく眼をみはりながらあっと叫んだ。

四

「ああお梶《かじ》どのか」北どなりに住んでいる農夫熊七《くましち》の娘だった。さして美しくはないが、すんなりと伸びた柔らかそうなからだつきで、十八とは思えぬほどうぶうぶしい顔だちである。五郎兵衛に呼びかけられると、お梶はさっと頬のあたりを蒼《あお》くした。その怯《おび》えたような表情をみて、かれはなにか変事のあったことを直覚した。「どうしたのだお梶どの、なにかあったのか」

「おばさまが」娘はふるえながら云った、「おばさまが、河田のお代官所へ、お曳《ひ》かれなすって……」

「代官所へ、母が」五郎兵衛はぎょっとした、しかしすぐに自分を抑えた。母もかれも正しく生きて来た、かえりみて疚《やま》しいところは少しもない、それがかれを落着かせた。「洗足をして来ます、それから精《くわ》しい話をうかがいましょう、あがって待っていて下さい」

五郎兵衛は裏へいって足を洗い、身を清めてから家へはいった、着替えを済ますと仏壇に燈明をあげた。お梶は行燈《あんどん》に火をいれて待っていた。「さあ聞きましょう、話して下さい」――五郎兵衛の落着いたようすを見て娘も気が鎮《しず》まったらしく、たどたどしくはあるがしずかに語りだした。

小次郎母子は十六年まえ此処《ここ》にいつくことにきまると、亡《な》き五郎兵衛が武士のたしなみとして貯《たくわ》えておいた銀子で、千波ケ原の一部を開墾しはじめた。そこは土地の豪農くるまや六造という者の所有だったが、荒れるにまかせた土地なので七年は作り取りにきまった。母子はちかくの農夫を三人ほど雇い、自分たちも土にまみれて働いた。はじめはみんな嗤《わら》っていた、千波ケ原は不毛の地ときまっていたので、そこから作物がとれようとは誰も信じなかった。雇われている農夫たちも賃銀がめあてであった。然《しか》し母子は愚鈍のような熱心さで土にかじりついた。字にかけば簡単であるが、そういう仕事がどれほどの困難と苦労をともなうものか、おそらく経験のない者にはわからないであろう。母子は心でたたかった、肉躰と同時に、いや肉躰よりも多くその心でたたかった。四年めに一町歩の田と五反の畑から収穫があった。それが付近の農夫たちをおどろかした。千波ケ原は不毛ではなかったのである。それでまずお梶の父熊七が移って来た。一年ごとに鍬《くわ》を入れる者が殖《ふ》えた、そして今では千波ケ原に七軒の農家ができ、ほとんど大半が耕地になっていた。

五百旗母子は七年作り取りで、そのあとの年貢《ねんぐ》もきわめて安いきめで借りた。むろん不毛の地として誰も手をださない所だったから、くるまやにしては問題にしていなかったのだ。それがしだいに開墾され、作物の出来も悪くないようになったので、これはと思いついたのであろう、二三年まえから年貢をあげたいと云いはじめた。農夫たちはしかしきびしくそれを拒んだ、――五郎兵衛さま母子のおかげでこの千波ケ原は生きたので、そうでなければまだ荒れ地のまま捨てられてあったに違いない、だから年貢は初めにきめられたとおりが当然で、今になってあげる理由はない筈《はず》だ。かれらはそう云った、そのときはそれで済んだ。しかし六造は諦《あきら》めなかった、こんど五郎兵衛が江戸へいっている留守に、また農夫たちを呼びつけて年貢増しを云いわたした。

「そのときくるまやのご老人が」とお梶は話をつづけた、「あまり無礼なことを申しましたのでおばさまはたいそうお怒りになり、五郎兵衛は中納言さまの御家来でりっぱな武士です、そのようなさもしい心はもっておりませぬと、それはきついお声で仰《おっ》しゃいました」「あの母が」高い声では笑ったこともない母に、そのような烈《はげ》しいところもあったのかと、五郎兵衛はかなり意外に思った。

「そのときは話もきまらず、そのまま帰って来たのですが、それから三日め、ちょうど一昨日でございます、河田の代官所からお役人がみえまして、訊《たず》ねたいことがあるからと、おばさまをおつれ申してしまいました」「どういう仔細《しさい》か申しましたか」「いいえ、千波ケ原の者がいっしょになんどもお下げ渡しを願いに出たのですけれど、仔細も聞かせずかえしても下さいません、……今日もみんなで代官所へまいっておりますの、もうとうに帰る時刻でございますが……」

「そうか、それであらましわかった」おそらくはくるまや、、、六造があらぬことを訴訟したのであろう。それなら、母をとりもどすのといっしょに、年貢のこともはっきり定《き》まりをつけなければならぬ、五郎兵衛はそう思った。

五

代官所へいった六人の者はすっかり暮れてから帰って来た。かれらは代官所でなかなか要領を得ないので、帰りにくるまや、、、へ寄って来たのだと云った。五郎兵衛はみんなを炉端《ろばた》へまねいて話を聴いた。「代官所ではどういう挨拶《あいさつ》なのです」「それがどうもはっきり致しませんので、いくら嘆願しましても、ただおとりしらべの筋があると仰《おお》せられるばかりでして」「それでくるまやへ寄ってみたのでございますが、あちらではまた妙なことを申しておりました」熊七がそう云って、同意を求めるようにみんなの顔を見まわした。「妙なこととはなんです」「こなたさまと早く係《かか》わりを切ってしまえと申すのです、こなたさまに係わっていると、いまに大変なお咎《とが》めをうけると申すのです」「ほう、それで、そのわけも云いましたか」「わけは申しませんでした、訊《き》きましても笑うばかりで、ただ早く縁を切れとだけ繰り返しておりました」

　五郎兵衛は考えさせられた。くるまやの口ぶりで、母の災厄はかれの訴訟によるのだということはたしかになった。しかし、どうやら思ったほど単純ではないようだ。代官所で理由を説明しないのもなにか普通でない事情があるからではないか、「それにつきまして、帰る途中みんなで相談を致したのですが、ここはくるまやの云うとおり年貢増しを承知することにしてはどうか、そうすれば面倒が早くかたつくのではないか、そう話しあってまいったのでございます」

「まあお待ちなさい」五郎兵衛はさえぎって云った、「みなさんのご心配はかたじけないが、年貢の定めは子孫の代までのことだから、この場をきりぬけさえすればよいというような考えかたはいけない、そこをよく相談するとしよう」

「それはすっかりお任せ申します、この千波ケ原はこなたさまのおちからで田地になったのですから、どのようにも、お指図どおりに致したいと存じます」熊七の言葉につれて、みんな同意を表した。

六人はその明くる日また五郎兵衛の家へ集った。くるまやの求める増し年貢は不当にすぎるので、こちらで負担に耐える限度をきめ、もしそれで承知しなかったら、その事情を述べてこちらから代官所へ訴え出よう、そのほうが公明でよいと五郎兵衛は心をきめていた、それで六人それぞれの条件を持ち寄らせたのである。その相談は三日ほどかかった、そして出来あがったものを持って、五郎兵衛がくるまやを訪れた。けれど六造は会おうとはしなかった、——土地はこちらのもの作物はそちらのものだ、こちらの求める年貢が納められないのなら、土地を返して貰《もら》うだけのはなしで、このうえかけあいをする必要はない。そういう無道な返辞を召使の者をとおして云うだけだった。——それではしかたがないから、こちらは代官所へ訴えて正邪の裁きを願う。そう押し返して云ったが、六造はどうなり自由にしろと平気だった。それで五郎兵衛はその足で河田へむかった。

代官所へついて願いの趣意をのべると、下役の者がとりついだうえ奥へ案内した。訴訟を聴くのに奥へとおすのはちょっと意外なので、どうしたわけかと思っているとやがて代官井野甚四郎が書き役をつれてあらわれた。五郎兵衛はまず鄭重《ていちょう》に母の安否をたずねた。「さよう、五百旗やすという婦人はおしらべの筋があって留《とど》めてある、そのもとはやす女とはいかなるゆかりの者か」「やすはわたくしの母でございます」そう答える五郎兵衛の言葉が終らぬうち、部屋の前後から十四五人の役人たちがあらわれ、かれのまわりをとりかこんだ。

「なにをなさる」五郎兵衛は片膝《かたひざ》を立てた。代官は声をあげて叫んだ、「そのほうには御不審の筋がある、神妙にしろ」

六

少し陽気ちがいに暖かい日だった。光圀《みつくに》は従者をふたりつれて、千波沼の西岸をあるいていた。まるで村夫子《そんぷうし》然としたみなりの、しのび姿であった。野に梅をさがすためはじめて城を出たのである。午《ひる》まえに、二本ほどみつけていた、ひとつはまだ若木だったが、ひとつはみごとな老木で、うまく城中へひくことさえできたら、それだけでも来年の春はたのしめると思えるものだった。ひるは河田の代官所で行厨《こうちゅう》をひらくつもりだった。みつけた二本の梅をたのむ用事もあったから。……もちろん前触れなしのことで、とつぜんおとずれた光圀をみると、役人たちは気の毒なほど狼狽し、むしろ途方にくれた感じだった。

弁当をつかい終ると、光圀は井野甚四郎に梅のことを申付けたうえ、民治の近況をたずねた。甚四郎は記録をとりよせて、精しく近年の治績を申述べた、そして更に、いま現に審問をはじめたばかりの事件のあることを告げた。「もともとは強欲な地主の訴え出ましたものにて、めずらしからぬ訴訟ではございますが、ただ不審なことには、その農夫どものなかに御藩士なりと申す者がおります。そのため捨ておきがたく、ただいま厳しくとり糺《ただ》しております」「その地主の訴えとはどのようなものか」そう訊かれて甚四郎は、千波ケ原の紛争のいきさつをかいつまんで説明した。「なるほど六造と申す者は無道だな」光圀は不快そうに眉《まゆ》をひそめた、「さような無道者は屹度《きっと》申付けねばなるまい、それにしても、その水戸家臣と称する者は、なんのためにそのようなことを申していたのか」「ただいまなお取調べちゅうでございますが」「余も聴こう、しらべてみい」甚四郎はかしこまってすぐにその用意をした。

ひきだされたのはいうまでもなく五郎兵衛であったが、縄はつけられていなかった。左右を下役人が戒めて縁下のむしろに坐《すわ》ったかれは、凛《りん》とした眉をあげ、すこしもまぎれのない態度で代官を見あげていた。甚四郎がしらべに当った。

「姓は五百旗《いおき》、名を五郎兵衛と申します」訊問《じんもん》にしたがってかれは歯切れよく、はっきりと答えた。「生国《しょうごく》は奥州《おうしゅう》でございますが、御当地へは十六年まえにまいり、以来ずっと千波ケ原にて農作をつかまつっております」「家族はなんにんあるか」「母がございます」「父親はなんとした」五郎兵衛はちょっと答えられなかった。悲しげに眼を伏せ、唇がふるえるようにみえた。しかしすぐに気をとりなおしたようすで、「十六年以前に死去つかまつりました」「寺はいずれか」「…………」「どこへ埋葬したかと申すのだ」

この問いにはついに答えられなかった。甚四郎は押して訊かず、次ぎに移って水戸藩士と称した事実のしらべにかかった。

この審問を屛風《びょうぶ》のかげで聴いていた光圀は、すこしまえからしきりになにか思案していた、心の奥ふかくに、えたいの知れない一種の感情がうごきだした、それがはっきりと意識にのぼらない、妙に不安な感じなのだ。——この落着かぬ気持はなんだろう。自分の心を自分でふりかえっていると、さっきから脇《わき》に控えていた従者のひとりが、すっとすり寄って、囁《ささや》くように云った。

「申上げます、わたくしあの若者には見覚えがございます」

「……どういう者だ」

「御参観のお供のうしろへ、いつも跟《つ》いてまいる素性の知れぬ男がございました、このたびお国入りのおりわたくし共あい計り、前後から追い詰めて捕えようと存じましたが、かの者はやはりすばやく逃げ去りました、しかしそのとき編笠《あみがさ》がぬげ、はじめて面躰《めんてい》をあらわしましたので、わたくし篤《とく》と人相を見覚えております、たしかにかの男に相違ございません」

そのときのことは光圀もまだ忘れてはいなかった、それであらためて五郎兵衛の顔を見なおした。心の底にかくれている記憶が、意識のおもてへあらわれる機縁は無数である。さっきから光圀を落着かせなかったものが、いまあらためて五郎兵衛を見なおしたとき、思いがけぬあざやかさで十六年まえの或《あ》る日の記憶をよみがえらせた。——そうだ。光圀は思い当ると堪えられなくなり、甚四郎をまねいて自分が訊問しようと云《い》った。

「お上おじきでございますか」甚四郎はひじょうに当惑したが、光圀はかまわず出ていって席についた。縁下にいた五郎兵衛はそれがたれびとであるかわかったとみえ、秀《ひい》でた額のあたりをさっと蒼《あお》くした。

「さきほどからの始終は蔭《かげ》で聴いていた」光圀はずばずばと云った、「答のうちに水戸家臣なりと申した理由がはっきりせぬ、うろんな答弁はあいならんぞ、余は光圀だ、仔細まぎれなく申してみよ」

七

「恐れながら」五郎兵衛は平伏して答えた、「恐れながらお側まで言上つかまつります、わたくしは十六年このかた御当地に住みつき、御領分にたつきを立てております、たとえ御家臣帳にはのぼらずとも、御領内におればお上と申上げるはおひとかた、おのれの覚悟として御藩士なりと心得ておったしだいでございます」

「おろかなことを申すな、領内におればとて仕官もせずに藩士と云う法があるか」

「それは、……それは……」

「五郎兵衛と申したな」光圀はきっとねめつけながら、「さようにまぎらわしい答弁を致すと、そのほうだけにはかぎらぬ、当所にとどめある母をも共に屹度申付けるが、よいか」

「恐れながら……」

「申せ、まことの仔細を申せ」

五郎兵衛はしずかに面《おもて》をあげた。両の頰が濡《ぬ》れていた。かれはじっと光圀をふり仰いでいたが、やがてぬきさしならずと悟ったのであろう、「申上げます」と呻《うめ》くように云った、「母の命にはかえられません、なにもかも言上つかまつります。……わたくしの父は、奥州のさる藩士でございました、主家ご改易にて浪人となり、すぐ御当地へまいりましたが、それは……水戸お館《やかた》さまこそ子々孫々まで御奉公つかまつるべきおん方と、かたく、かたくお頼み申したゆえでございました」

はたしてそうだった、あのとき出来るかぎりの力をつくして捜したが、ついにみつけだすことのできなかったあの浪人の遺族だった、光圀はそう思ってわれ知らず膝をすすめた。

「御当地にはゆかりびともなく」五郎兵衛はつづけた、「せんかたなく父は案内なしにお館へ伺候《しこう》つかまつりました、十六年まえの秋のことでございます、家を出ますときに母とわたくしを呼んで、父はかように申しました、……自分はこれからお館へ伺候する、めでたく仕官がかなえばよし、かなわぬ時にはお庭の内を拝借して自害する覚悟だ、暮六つの鐘が鳴っても帰宅しなかったらお庭の土になったと思うがよい、しかし、そのときは、暮六つを合図にそのほうが父に代って水戸さま御家臣になるのだ、お館の土には父の血がしみこんでおる、この土が五百旗家の代々御奉公つかまつるべきところだ、忘れるな……この君をおいてほかに御しゅくんはないぞ」言葉のすえは嗚咽《おえつ》にかすれた、甚四郎は手で面を覆《おお》った。役人たちもみな深く頭を垂れた。「父はたち戻りませんでした」五郎兵衛は涙を押えてつづけた、「母はわたくしに着替えをさせ、仏壇の前にて、瓶子《へいし》かわらけをとり揃《そろ》え、お館さまよりの盃《さかずき》と思えと申しまして、恐れながら主従かための、かげの盃をつかまつりました、下賤《げせん》の身をもって、御家臣なりと申しました仔細はかようでございます、まことに恐れ入り奉《たてまつ》りまする」

光圀は胸いっぱいの感動にうたれていた。人間の心がこれほどひとすじにつき詰められるものだろうか、この君こそと思いきわめ、まずおのれの命を抛《なげう》って子孫の生きる道を示す。戦場ならかくべつだが、泰平の世にこれだけの覚悟をつけるのはたやすいことではない。——かえすがえすも惜しい者を殺した。まざまざと十六年まえの後悔を思いうかべながら、光圀はしずかにうなずいた。

「それでよく仔細がわかった、数年前より参覲《さんきん》の上り下りに、供をしてまいったのもそのほうであろうな」

「恐れ入り奉ります」彼は面を伏せた。

「そのほうの父を死なせたのは余の不明であった、ゆるせ……」ゆるせと云いながら、はじめて光圀の眼から涙があふれ落ちた。五郎兵衛は平伏し、これも背になみをうたせて、ひっしに嗚咽をこらえていた。

城へ帰るみち、光圀の心にはかつて覚えたことのない明るく力づよい感動が去来した。今日みいだした野の梅は二本だったが、ほかにたぐいまれな名木をたずね当てたのである、もし時を違えたら、五百旗五郎兵衛の存在はわからずにしまったかもしれない。——あの老木のみちびきだったかも知れぬ。——千波沼の岸の叢林《そうりん》のなかに、神仙《しんせん》のように年古《ふ》りていた梅の老木のすがたが、霊あるものの如《ごと》く思いかえされた。午《ひる》すぎから霞《かすみ》のかかった空に、高く鳴きわたる雁《かり》のこえが聞えた。

（「芸能文化」昭和十七年十一月号）

嘘《うそ》アつかねえ

浅草の馬道《うまみち》を吉原土堤《よしわらどて》のほうへいって、つきあたる二丁ばかり手前の右に、山の宿へと続く狭い横丁があった。付近には猿若町《さるわかちょう》とか浅草寺《せんそうじ》とか新吉原など、遊興歓楽の地が多いので、そのあたりは全般的に活気もあり、家数こそ少ないがかなり繁華でもあった。……しかしその横丁だけはまるで違う。狭いうねくねした道は昼間でも殆《ほと》んど人通りがないし、両側の家は軒が低く、おそろしく古ぼけて、片方へ傾《かし》いだり前へのめりそうになったりして、五六軒ぐらいずつ途切れ途切れに並んでいる。その途切れたところは草の生えた空地だの、塵芥《ごみ》捨て場だの、汚ならしい水溜《みずたま》りだの、家を取壊した跡だの、また気紛《きまぐ》れに作りかけたまま放りだしたような畑だのになっていて、ぜんたいがじめじめと暗い、陰気くさい、ひどくうらさびれた眺めであった。

この横丁の馬道からはいった左側の空地に、夜になると「やなぎ屋」という袖行燈《そであんどん》を掛けて、煮込みかん酒を売る店が出た。夕方になると六十五六になる爺《じい》さんが車屋台を曳《ひ》いて来て、葭簾《よしず》で三方を囲い、腰掛けを二つ並べて商売を始める。夜が明けると片づけて、車屋台を曳いて帰ってゆく。どこに住んでいるのか、いつ頃からそこへ店を出しているのか、どんな身の上か、家族があるかないか、すべてわからない。爺さんも話さないし尋ねる客もない。……客はただ「爺さん」とか「とッさん」とか「おやじ」などと呼ぶだけだし、爺さんのほうは殆んど口をきかない。実際には腰は曲ってはいないのだが、腰の曲っているようなたどたどしい動作で、酒の燗《かん》をしたり、鍋《なべ》の下を煽《あお》いだり、煮込みを皿へつけたり、箸《はし》や盃《さかずき》を洗ったり、絶えずなにかかにかしているが、それはできるだけ客と話すことを避けているようにみえる。そして事実そのとおりであって、諄《くど》い客などが相当しツこく話しかけても、ほんのおあいそに返辞をするくらいで、身を入れて聞くとか自分から話しだすなどということは決してなかった。

信吉はうらぶれたような気持になると、よくその「やなぎ屋」へいって酒を飲んだ。彼はその横丁ぜんたいが好きだった。両側の家に住む人たちはどんな生業《なりわい》をしているものか、彼のゆくじぶんにはどの家も雨戸を閉めて、隙間《すきま》だらけのあばら家なのに灯《ひ》の漏れるようすもない。ときたま赤児《あかご》の泣く声や、病人らしい力のない咳《せき》や、がたごと雨戸をあけたてする音などが聞えるほかは、みんな空家のようにひっそりとしていた……その横丁へはいってゆくと、信吉はふしぎな心のやすらぎを覚えた。そこにはつましい落魄《らくはく》と、諦《あきら》めの溜息《ためいき》が感じられた。絶望への郷愁といったふうなものが、生きることの虚《むな》しさ、生活の苦しさ、この世にあるものすべてのはかなさ。病気、死、悲嘆、そんな想《おも》いが胸にあふれてきて、酔うようなあまいやるせない気分になるのであった。

初めて「やなぎ屋」へいったのは二年まえの冬のことだろう。酒も肴《さかな》も安いだけがとりえで、決して美味《うま》くはない。ぶあいそな、うす汚れた爺さんのようすも、ふだんなら眉《まゆ》をしかめるところだったが、そのときは新吉原の茶屋で友達と飲んで、そこで口論になって、ひどくやけな孤独な気持でとびだした。このまま旅へでもとびだすか、いっそ身投げでもするかといったような気持だった。……そんなときだったので、葭簾で囲った屋台店も、不味《まず》い酒や肴も、よぼよぼした爺さんのようすも気にならなかった。寧《むし》ろ遠い親類の家へでもいったような感じで、――なにか泣き言も云《い》ったらしい――、空の白むじぶんまで乱暴に飲み続けた。

それからときどき飲みにでかけた。いつも客はあまりいないし、爺さんは無口で、こっちが話しかけない限りいつまででも黙っている。手酌《てじゃく》で勝手に酔うことができるし、誰に気兼ねもなく邪魔もされず、いたければ朝までいられるし、自由にもの思いに耽《ふけ》ることもできた。

客はたいていがふと紛れこんで来たといったふうな者ばかりで、長い馴染《なじみ》らしい者はなかった。馬道の通りにも夜明しの飲屋がある。安くて美味い酒肴《しゅこう》があって、給仕に小女などを置いている店が、とびとびに四五軒はあった。場所柄もあるだろうが、それらの店では客はだいたい馴染が多く、客同志で話したり唄《うた》ったり、陽気に飲んで酔うといったふうであった。しかし「やなぎ屋」の客は殆んどが一度きりであった。そして信吉が初めてとびこんで来たときのように、それぞれが暗い重苦しいかげをもっていた。

「——おやじ、強いのはねえか」

ぶすっとそんなことを云って、濁酒《どぶろく》に焼酎《しょうちゅう》を入れたのを取って、それをすぐには飲もうともせず、蒼黒《あおぐろ》いような疲れた顔を俯向《うつむ》けて、なにかぶつぶつ独りで呟《つぶや》いたり、なんども深い太息《といき》をしたりする。それから突然その酒を呷《あお》り、銭を投げだして、暗い夜半の巷《ちまた》へ消えてゆく。……そういった者が多かった。

「いまの男は首でもくくるんじゃないのか」

信吉は半ば冗談によくそんなことを云った。爺さんはたいがい気のない相槌《あいづち》をうつか、にやにや笑うくらいのものであるが、ときには独り言のような調子で、「——なあに、珍しかアありませんや」

などと云うことがある。おそらくそんな経験が幾たびかあったのだろう、なにかをじっとみとおしているような云いかたで、信吉は急に寒気のするような気持になったこともあった。……いちどなどは人を斬《き》った侍がはいって来た。残暑の頃で、もう東の空が明るみだす時刻だったが、その侍は足音もさせずにぬっとはいって来て、酒を冷《ひや》のまま湯呑《ゆのみ》へ注《つ》がせ、続けさまに三杯も呷った。こまかい白飛絣《しろがすり》の帷子《かたびら》に絽《ろ》の夏羽折《なつばおり》を着ていた、痩《や》せた小柄な軀《からだ》つきで、眼が血ばしっていた。

「くだらないな、実にくだらない」四杯めを飲みながらそんなことを呟いた、「――世の中も人間も、生きていることも、……みんなくだらぬたわけたことだ」

侍はその血ばしった眼で、ときどき信吉のほうを見た。警戒するのでもなく相手を求めるのでもない。信吉を見はするが実は信吉を見るのではなく、心はまったくべつのほうにあるという眼つきだった。

「ばかなものだ、ちえッ、ばかなものだ」

そんな呟きも殆んど無意識だったろう、酒を五杯飲むと、途方もないほど多額な金を置いて、来たときのように足音もさせずに出ていった。

「ふられて来たというかたちだね」

信吉はそう云った。爺さんは苦笑しただけであるが、それからまもなく役人が来た。

いま廓《くるわ》で人を三人斬った侍がある、人相風態《ふうてい》はこれこれだが見かけなかったか。こう云うのを聞いて、信吉は危なく声が出そうになった。……役人が去ったあと、信吉は侍の血ばしった眼や、とりとめのない呟きを思い返しながら、爺さんが店を片づけ始めるまで、沈んだぼんやりした気持で飲み続けた。

　松という男に初めて会ったのは、北風の吹き荒れる寒い晩だった。色の褪《さ》めたつぎはぎだらけの股引半纏《ももひきはんてん》に、草鞋《わらじ》がけ頬冠《ほおかぶ》りで、腰には弁当のからとみえるものを小風《こぶ》呂敷《ろしき》に包んで括《くく》り着けていた。年は自分で三十七だと云ったが、五十以下とは思えないくらい老《ふ》けてみえた。……もうどこかで飲んで来たのだろう、いい気持そうに鼻唄などやりながら、「強いのを」一杯取って、「暫《しばら》くだったなあ、おやじ、おめえ生きてて呉《く》れて、おらあ有難《ありがて》え、生きてせえすりゃあまた会えるッてよ、こんな有難えこたアねえや」

　舌ったるい調子で饒舌《しゃべ》りだした。彼は自分の名や年や、妻と子供が三人あることや、今は人足に雇われていることなど、二度も三度も繰り返して、そのたびに「嘘《うそ》アつかねえ」と念を押した。

「がきは三人よ、みんな可愛《かわい》い畜生だ、可愛い畜生だが、暮しは楽じゃあねえ、楽じゃあねえさ、こちとら人足の日雇銭にまで、お上の運上が掛るッてんだから、文句を云うわけじゃあねえが、お上ッてってもどんな心持でいるものかさ」

信吉が「やなぎ屋」へゆくのは不規則で、三日も四日も続けさまにいったり、十日も二十日もゆかなかったりした。しかしまる二年近くも通っているのだから、もう馴染という感じになってもいい筈《はず》であるが、爺さんには少しもそんなふうはなかった。いつも初めてはいったときと同じ態度で、べつにおあいそも云わず親しむようすもない。そしてこちらでも、——まえにいったとおり、——客がいつも新顔ばかりで、二度三度と会うような者はめったにないから、しぜん馴染の店という感じはもてなかったのかもしれない。だが、そのなかで松という男は、幾たびか顔の合った例外の客の一人であった。

二度めは暑い季節だったろう。蚊いぶしの煙が葭簾の隙間から条《しま》のようになって外へながれ出るのを、信吉はぼんやり眺めながら、いつもの隅の場所に腰掛けて、飲んでいた。松は彼のゆくまえに来て、もうだいぶ飲んだのだろう、もつれるような舌で頻《しき》りにきえんをあげていた。

「この阿魔《あま》、起きろ、起きて釜《かま》の下を焚《た》きつけろ、……おらあこの式だ、女はこれでなくッちゃいけねえ、日に二三度は横ッ面《つら》をはりとばしてやる、やかましいッ文句ウぬかすな、黙れこの野郎、……蹴《け》っとばすこともあるが、いちどなんざあ土間へ蹴落して呉れたが、……そのくれえにして女はちょうどなんだ、嘘アつかねえ、おいらあいつもこの式だ」

信吉はぼんやり聞きながら、思わずそっと苦笑し、横眼で男を観察した。初めに会ったときと同様、年は五十くらいに老けてみえるし、皮膚はたるんで艶《つや》がなく、肥えているのに肉に緊《しま》りがない。まるっこい顔つき、気の弱そうな尻下《しりさが》りの眼つき、すべてが典型的な好人物の相貌《そうぼう》である。

――よっぽど女房《にょうぼう》の尻に敷かれてるな。

信吉はそう思った。男の言葉は逆であろう、いろいろな点で女房に頭があがらず、常にぽんぽんやりこめられているに違いない。そのありさまが信吉には見えるようで、つい苦笑せずにはいられなかったのである。……その次にいったときのことであるが、男が馴染らしい口をきいていたのを思いだして、「いつかの松とかいう客は古くから此処《ここ》へ来るのかい」

信吉はそうきいてみた。爺さんはいつもの調子で、なにか洗いながら、ええまあ、などとあいまいな返辞しかしなかった。

それから秋までに三度ばかり松と顔が合った。そして話しかけられて口をきくようになったが、彼の話題はいつも必ず、「女は殴りつけて蹴とばすに限る」というところへおちた。物価の高いことや、幕府の政治の悪いこと、老中の誰某はどうだとか、世間の風儀が紊《みだ》れるばかりだとか。そういう飲屋の客に共通した社会批評が、しまいには定《きま》ってそこへおちるのである。

「旦那《だんな》なんぞはあまそうだな、うん、隠したってちゃあんとわからあ、顔のね、ここんとこところとこ、こんとこ、ろがね、へっ、おらあ嘘アつかねえ、だめだよ旦那ア、あめえ、あめえ、そんなこッちゃあね、一家てもなア立ちあしねえんだよ」そしてぐっと細い眼を剝《む》くのであった、「——女ッてえやつアね、がみがみどなってあばれるにしろ、温和《おとな》しそうにはいはいと猫をかぶッてるにしろ、どっちみち男に轡《くつわ》を嚙《か》ませて、手綱をしぼって、けつッぺたを鞭《むち》でぴしゃぴしゃ叩《たた》くもんなんだ、稼げ稼げッてよ、……稼げ、稼げ、……旦那はなんの商売かおらあ知らねえ、けれども理屈にゃア変りはねえと思うんだ、人間同志ならそこはわかって呉れると思うんだ。……男は悲しい、可《か》哀《わい》そうなもんだ。だから、だからおらあ嬶《かかあ》をはり倒す、拳骨《げんこつ》でも平手でも、……この阿魔ッふざけるな、蹴ころがしてやることもあるさ」

まるっこい顔をふくらませて力むのだが、人の好《よ》さそうな尻下りの眼は、そんなときふと異様な光りを帯びて、彼の言葉にかなりな実感を与えた。

寒くなりだしてから、宵のうちとか夜半過ぎなどに、夜鷹《よたか》の紛れこんで来ることがあった。一人は軀のだぶつくような肥えた女で、もう一人はまだ十五くらいの、病的に痩せた、殆んど男の子のような軀つきをしていた。肥えた女はお吉といい、少女はお琴という名だった。初めは二人いっしょにはいって来て、爺さんに焼酎を貰《もら》い、お吉が少女の裾《すそ》を捲《まく》って太腿《ふともも》の傷の手当をしてやった。……客の奪いあいをして、相手の女のひもに短刀で突かれたのだと、お吉が爺さんに話した。少女は手当の終るまでひっきりなしに饒舌っていた。傷を焼酎で洗われたりしたら痛いだろうのに、眉をしかめもしなかった。

「あたいああいうの好きさ、へたな文句なんぞ云わずに、いきなり、ずぶっとやりゃアがった、それがいい気持だったらないの、軀じゅうがぞウっとしちゃった、今でもお臍《へそ》の下ンところがぴくぴく動いてるわ、おなかの奥のほうの此処ンとこ、ねえ、此処ンところになにがあるの、このぴくんぴくん動くものなによウ、姐《ねえ》さん、いいからもっとぎゅうぎゅう擦《こす》ってよ、痛くなんかありゃしないんだから、力いっぱい擦って、畜生、これから毎晩あの女と張合ってやる、あの女からあの男をふんだくってやるんだ、あんな女にゃ勿体《もったい》ないよあの人」

まだ子供のようだが、云うことだけ聞いているとあばずれた年増《としま》女としか思えなかった。そしてそのように饒舌りながら、ときどき信吉のほうへながし眼を向け、捲《し》っている裾をもっと上へあげたり、細い腰を露骨に揺ってみせたりした。……当時も私娼《しよう》街は指定地区に限られていたし、夜鷹とかけころなどの名で呼ばれる街娼も、黙認ではあるが出る場所が定っていて、その他の地域では捉《つか》まると罪が重かった。特に新吉原の付近などは、――廓《くるわ》からの要請で、――厳しく禁じられていたのである。

「こんな処《ところ》へあんなのが出てやかましくはないのかい」

二人が去ってから信吉がそうきいた。爺さんは鍋《なべ》の下を煽《あお》ぎながら、食うためには危ない橋も渡るわけだろう、ということを、口の中で不明瞭《ふめいりよう》に呟いた。

それから彼女たちはしばしば「やなぎ屋」へあらわれるようになったのだが、寒さと空腹凌《しの》ぎに寄るらしい、お吉は酒を熱くして一杯、お琴は煮込を喰《た》べた。二人で来るときもあるし、どっちか一人のときもあった。お琴の太腿の傷はどうなったものか、まるでそんな事はなかったかのように、いつも元気でよく饒舌った。二度めに信吉がゆきあわせたとき、お琴は子供っぽく笑いかけて、

「おじさんこないだいたお客さんだね」

ちょっと懐《なつ》かしそうに云ったが、それから突然その笑いが娼婦の誘いに変った。

「あアあ、誰かあたい買って呉ンないかな」

妙な身振りをしてそんなふうに云うこともあった。

その夜はひどい凍《い》てだった。夕方までかなり強い木枯しが吹いていたが、それがやむと急に気温が下りだして、道など宵のうちに凍ってしまった。……わけもなく気の沈む晩で、暗い絶望的なことばかり頭にうかび、酒もむやみに不味《まず》かった。「やなぎ屋」のは安酒のなかの安酒で、いつもはそれが一種の侘《わび》しい魅力だったのだが、その夜はそんな気分のせいか、二本ばかり飲むとやりきれなくなり、いっそよそへいって飲みなおそうと思った。そして財布を取り出そうとしたとき、松という男がはいって来た。

「ようッ生きてたな、おやじ、有難え有難え」彼はよろよろと台板へのめりかかった、「——人間、生きてせえすりゃあこうして会えるんだ、おらあこれが嬉《うれ》しくッてしょうがねえ、この、また会えるッてことがよ、そうだろうおやじ、有難え有難え」

そして「強いの」を注文して、ふと信吉をみつけて頓狂《とんきよう》な声をあげた。信吉もその声にすぐ答えた。古い友達にでもめぐり会ったような、ふしぎな親しさが感じられ、出るのを思いとまって彼も「強いの」を取った。

「おらあ旦那のこたア覚えてる、嘘アつかねえ、ちゃんと覚えてるよ、男は哀れなもんだッてね……旦那はそう云《い》った」

「それはおまえの云ったことだろう」

「へっ、御冗談、ふざけちゃアいけねえ」

松はその晩は社会批評ぬきで、いきなり彼の本論をもちだした。信吉を女房にあまい男だと云い、信吉に限らず、一般に世間の男は女房にあまくて、そのだらしのなさは見られたものではないと云った。

「女ッてえものはね、日に二三度は横ッ面をはっとばしてやらなくッちゃあいけね、拳骨でも平手でも、薪《まき》ざっぽでも構やしねえ、ぱんぱんッてね、……遠慮も会釈《えしやく》もねえ、まずいせえよくぶっくらわすこッた、ぱんぱんッてね、おらあその式だ、……やい阿魔ッ酒を買って来い、釜の下あ焚きつけろ、すべた野郎、来ておれの足を洗え、……おらあいつもこの式さ」

「旦那は本気にしねえかもしれねえ」松は強いのをひと口飲んで続けた、「――だがね、旦那、おれがこんな式をやるにゃア、それ相当のわけがあるんだ、人間が酒を飲んで酔うには、酔うだけのわけがあるように、嘘アつかねえ、おらあね、……おれの父《ちゃん》でそいつをよく見たんだ、おれのこの眼でよ、旦那、おらあこれだけは旦那に云わずにゃアいられねえ」

「おれの父は温和しい人間だった」松は舌ったるく話しだした、「――酒も煙草《たばこ》もろくろく口にしねえ、桶屋《おけや》だったが、腕はよかった、仲間の職人からそねまれるくれえの仕事をした、浅草橋《あさくさばし》からこっちの番手桶は父でなくッちゃあならねえ、と云われたくれえなんだが、仏性《ほとけしよう》で、……そこは自分でもじれったかッたらしい、頭がこすくまわらねえ、仕事にはばかな念をいれるが、どうしてもあこぎな銭が取れねえ、おまけに人を騙《だま》すより騙されるッてえ、くちだった。……いくら腕がよくッたって、それじゃア蔵の立つ道理はねえ、蔵どころか、正直のところ女房子に満足な着物も着せられなかった」

松の話はたどたどしく、前後したり、つじつまの合わないことがとびだしたり、同じことを繰り返したりした。だがそのために却《かえ》って誇張のない実感が感じられた。……信吉には一人の愚直な職人の姿がみえるようであった。そこにいる松のような、肉の緊らない躯《からだ》つきで、眼尻の下ったまるっこい顔で、いつも諦《あきら》めたような卑屈な笑いをうかべている。仕事の腕はあるが、頭が悪いので人に利用され、ばかにされるだけである。狡猾《こうかつ》の勝つ世の中では、こういう人間は一種の敗者であろう。勘定の催促でも強くはできない、割の悪い仕事はみな押付けられる。彼にはすべてがあとまわし、取るものはびしびし取立てられる。そしてしぜん生活はいつも苦しく、いつまでも苦しく、彼は溜息《ためいき》をつくばかりである。……信吉には今、その途方にくれたような、力のない溜息が聞えるようであった。

「おふくろは、気の勝った女だったろう、生れつきの性分はしようがねえ、だが仮にも、稼ぎにいく亭主に、飯を炊《た》かせる、水を汲《く》ませる、ときには洗濯までさせるッてなあ、……こいつはおらあ褒めたこッちゃねえと思う、旦那のめえだが、こいつだけあおらあはっきり云いてえンだ」

松はこう云って眼をきらきらさせた。相変らず舌ったるいが、顔にはかなりな怒りの表情が現われていた。

「こんな暮しは御免だ、飽き飽きした、……おふくろはいつもそう云ってた、満足に食いてえ物も食えねえ、着てえ物も着られねえ、おまえさんなんかと一緒になるンじゃアなかった、……こいつを口癖のように云った、いつも頭が痛え、腰が痛え、眩暈《めまい》がする腹がやめる、疲れて起きられねえから、おまえさん起きて釜の下を焚きつけて呉れ、……そして、そのくせ夜中になれば、父をそっと寝かしたこたアねえ、むりむてえかかってくんだ、否《いや》も応もねえ、むりむてえ、文句なしなんだ、……たまには父もいやだでとおすことがあった、誰にだって、どんなに強くったって、そこは男は女たア違う、どういきんでもいきみきれねえ時があらア、……知れたこッたが無事にゃアおさまらねえ、おれの口じゃア云えねえような悪態だ、帝釈様《たいしやく》も耳を押えたくなるような悪態の始まりだ」
「女はつまらねえもんだ、まるで下女下男みてえだ、……これがおふくろのもう一つの口癖だった」彼はひと口飲んで続けた、「男は外で勝手な事をする、ちっとばかりの稼ぎで酒も飲む、隠れて悪遊びもするが、女は家にひっこんでぼろの縫い繕い、煮炊き洗濯、子供の世話から暮しの心配から、いやな事はみんな女の役だ、下女下男なら給銀てえものがあるが、女房にゃアそれもねえ、働きどおし働いて、これッぽちも楽しい思いをしねえで、亭主にこき使われ、牛馬のように一生を終ッちまう、これが女の一生だ、……ああ、……だがおらあ知ってるんだ、おらあ、……この眼で見て、この耳で聞いて知ッてるんだ、おふくろは父が稼ぎに出るとのこのこ起きだして来る、父の炊いてった飯を食う、それから近所の嬶《かかあ》たちを呼ぶか、こっちから押掛けるかして、十文が菓子を買ってがぶがぶ茶を飲みながら、……緞帳《どんちよう》芝居の役者評判か色噺《いろばなし》か、近所合壁《がつぺき》の悪口が始まる、……恥も外聞もねえような、男も顔が赤くなるような下劣なことを饒舌《しやべ》って、げらげら笑って、しめえにゃアてんでんが、てめえの亭主を裸にするようなことをぬかしゃアがる、……嘘《うそ》アつかねえ、おらあこの眼で見た、この耳で聞いた、おらあちゃんと知ってるんだ」

「父はいい人間だった」ひと息いれて松は話し継いだ、「――おふくろになんと云われても、決して口答えはしなかった、……済まねえ、おれに甲斐性《かいしょう》がなくッて申し訳がねえ、もうちっとだから辛抱して呉《く》んねえ、……だが旦那、父だって人間だ、一寸じゃねえかもしれねえ、五分ぐれえかもしれねえが、五分の虫にだって二分五厘の魂はあらア、たまにゃあむしゃくゃして肚《はら》も立つだろう、やけくそなような気持にだってなるこたアあらア、……稼いでも稼いでも、正直一方でこすいい事が出来ねえ、いつも下積みでうだつがあがらねえ、女ア知らねえから外で勝手なまねをしていると思ってる。好きなことをしていると思ってるが、それどころじゃアねえ、……女房子を抱えて、今日の日を食ってくッてなあ道楽じゃアねえんだ、それこそ血の涙の出るような思いをすることもあるんだ、……女も苦労だろう、そこは貧乏人はなんともしようがねえ、けれども、男は、男の身になってみりゃアそんな苦労どころの話じゃアねえ、そんなもんじゃアねえんだ、段が違うんだ、……父が酒を飲みだした心持は、おらにゃアわかる、誰だって飲まずにゃアいられねえ、現に旦那がそうじゃねえか。ええ、旦那みてえな人だって、ただむやみに飲みてえから飲むッてわけじゃねえんだ、ねえ、そうでしょう旦那」

「飲むッたって父のはごくときたまだった」松はぐっと呷《あお》って云った、「――そうしていくらか気が紛れて帰って来る、酒だけは人間を騙さねえ、飲めばいくらかは気を紛らして呉れる、……だが帰ってみると戸が閉ってるんだ、隙間《すきま》から覗《のぞ》いたって灯も見えねえ、戸をぴしゃっと閉めてみんな寝ちまッているんだ、……阿母《おっか》アけえったぜ、父はそっとこう呼ぶんだ、低い声でよ、そおッと指の爪《つめ》で戸を叩きながら、……阿母アおれだ、あけて呉んな、けえッたぜ阿母ア、済まねえがあけて呉んな、……おふくろは寝ちゃアいねえんだ、眼をさましてちゃんと聞いてるんだ、父はいつまでも呼んでる。トントン、トントン、爪でそっと戸を叩きながら、低い声でそおッと、阿母アけえッたぜ、……嘘アつかねえ、おらあ聞いていたんだ。聞いていて涙が出たもんだ、父《ちゃん》ッ戸なんか蹴破《けやぶ》ってはいんねえ、此処《ここ》は父の家じゃねえか、おらあこうどなりたかった、本当に声ッ限りどなりたかった、……けれどもどなるなアおれじゃねえ、いつもおふくろだ、さんざッぱら父に呼ばせてえてから、寝とぼけたような声で誰だえと云う……いまじぶん誰だえ、なにか用があるのかえッてよ、それから喚《わめ》きだすんだ、町内じゅうが眼をさますような声で、ありッたけのざんそと悪態を並べるんだ、そうしてから、……それから云うんだ、戸が閉ってってはいれなきゃはいるにゃア及ばねえ、どうせくらい酔ッてるんだから外で寝て酔を醒《さ》ますがいい、あたしの知ったこッちゃねえよッてさ」

松の両方の眼から、そのとき涙がだらしなくこぼれ落ちた。太くて黒くてがさがさに節くれ立った指の手の平を返して頰を撫《な》で、それから湯呑《ゆのみ》のもう底になったのを啜《すす》った。

「おふくろが寝返りをうつまで、おらあ黙って動かねえ、それからそおッと寝床をぬけ出すんだ、そおッとよ、……そして勝手口をあける、そろそろとあけるんだ、……父は寒そうな恰好《かっこう》で尻尾《しっぽ》を垂れた迷子犬みてえに、しょんぼりと闇《やみ》の中に立ってる、……おらあ低い声で呼ぶんだ、父、……早くはいんなよ、早く、ああ、……旦那がもしこいつを知ったら、そうしたおれの式が嘘でねえ、むりはねえッてことがわかって貰《もら》える筈《はず》なんだ、おらあそれだけは云わずにゃいられねえんだ」

信吉は爺《じい》さんにめくばせをして、空になった彼の湯呑へもう一杯「強いの」を注がせた。松は急に顔の紐《ひも》を解き、眼尻《めじり》を下げて、片方の手で濡《ぬ》れた頰を擦りながら、ぺちゃぺちゃと音をさせてそれを啜った。話で抑えられていた酔が、みるみる盛返しふくれあがるらしい。

「おらあ父のようにゃアしねえ、この眼で見てるんだ、いやッてくれえ耳で聞いてるんだ、まっぴら御免くそくらえだ、……女に桶が作れるか、腰ッ骨の折れるような人足稼ぎが出来るかッてんだ、……おらあ横ッ面《つら》アはっとばしてやる、ぱんぱん、……

こうだ、ぐっとも云わしゃしねえ、頭からどなる、やい阿魔《あま》ッ釜の下あ焚《た》きつけろ、足を洗うんだッ水を持って来い、ぐずぐずしやアがると足の骨をぶっ挫《くじ》ぐぞ、……こうだ、飲みたくなりゃア酒を買いにやる、夜中だってなんだって会釈はねえ、やい阿魔ッいって酒を買って来い、……嘘アつかねえ、おらあこの式よ、父はそれが出来なかった、父は、……だがおらあまっぴらだ、へい、まっぴら御免候《そうろう》だ」

松はぐらぐらと頭を垂れ、右手には湯呑を持ったまま、台板へ俯伏《うつぶ》してしまった。

「へえ、まっぴらだよ、なにょウぬかしゃアがる、けつでもくらえだ、……べらぼうめ、女がなんだ、嬶《かかあ》がなんだッてんで」

「お客さん、あたい買っと呉れよ」

耳のそばでこう囁《ささや》かれて、信吉は殆《ほと》んど吃驚《びっくり》して振返った。いつ来たものか、お琴がぴったりと軀《からだ》を寄せて立っていた。

「あたい遊ばせるの上手よ、ねえ、好きなことだったらどんなことだってさせてあげるわ、まだ骨が固まってないから普通の姐《ねえ》さんじゃ出来ないことが出来るわ、いちど遊んだお客さんはみんな忘れられないッて云うわ、ねえ、いちどでいいからあたいを買ってよ」

瘦《や》せて骨だけのような腰を押付け、すばやく信吉の手を取って自分の股《また》の中へ入れようとした。信吉はそれを振放し、財布を出して、幾らかを掴《つか》んでお琴の手に握らせた。

「これを持って帰りな、おじさんは意気地なしでだめなんだ」

「ふん、きれエみたいなことを云《い》うわね」

お琴は銭を握るとうしろへとび退《の》いた。そして若い毛物のようなぎらぎらする眼でこちらを睨《にら》み、憎悪《ぞうお》をこめて罵《ののし》った。

「これを持ってけが呆《あき》れるよ、ひとの股へ手を入れて唯《ただ》呉れるようなこと云やアがる、あたいはそんなあまいンじゃないんだよ、見そくなッちゃアいけないよ」

そして鼬《いたち》のように外へとびだしていった。

「――食うため、か」信吉は眼をつむってそう呟《つぶや》いた、「食うために、お互いが騙し、お互いが憎み、汚《けが》しあい、……いつまでも、子も孫も、この世が終るまで、同じことを繰り返してゆく、いつまでも、……食うために」

松が勘定をして出ていった。信吉はそれをぼんやり見ていたが、凍った道で躓《つまず》きでもしたのだろう、松がぶっ倒れて、なにか喚きたてているのを聞くと、信吉はすぐ戻って来ると云って外へ出た。

「さあ殺せ、野郎、どうともしやアがれ」

松は道の上へ仰向きになって、手を振廻しながら叫びたてていた。信吉は彼を抱き起こしてやり、はだけた半纏《はんてん》を合わせてやり、それから左の腕をこっちの肩へ掛けさせて、一緒によろめきながら歩きだした。彼はいきなり立ち、右の腕を頻《しき》りに振廻した。

「くそッたれ阿魔め、唯じゃアおかねえ」

それを飽きずに繰り返した。

そんなにも酔っているのか、曲り角を三度も間違えて、山の宿のごみごみしたその一画へゆくまでに、――まっすぐにゆけばひと跨《また》ぎだったが、――殆んど半刻《はんとき》ちかくも時間をとった。凛寒《りんかん》な凍《い》てと、それだけ歩いたためだろう、松は道の四つ辻《つじ》になった処《ところ》で、もういいからと別れを告げた。

「今夜は酔ってるんだから、乱暴をしないで温和《おとな》しく寝るがいいぜ」信吉はそう云った、「――おめえの式もいいが時と場合があるからな、今夜は温和しく寝るんだぜ」

「わかってるよ、おれだって程てエものア知ってらあな、大丈夫だから、……それじゃアまあ、旦那《だんな》も、……風邪をひかねえようにね、ひどく冷えるから、じゃアひとつ、そこはなにぶん……」

あとは口の中でもぐもぐ云って、かなりしっかりした足つきで、松は歩いていった。

――危ないな、悪く暴れるんじゃないかな。

信吉はちょっと不安になり、それとなくあとからついていった。松は横丁へ曲ったが、そこは家が三四軒しかなく、向うは空地で、つまりその貧しい一画の隅に当るらしい。松は左側の長屋の、いちばん端の家の前へ寄っていった。

――戸を蹴破ってはいんなよ。

松が子供のときそう思ったという、その言葉がふっと信吉の頭にうかんだ。しかし、松は閉っている雨戸の前で、遠慮がちな、低いよわよわしい声で呼んだ。

「――阿母ア、けえッたぜ、あけて呉《く》んな、けえッたぜ阿母ア」そして指の尖《さき》で、トントンと軽く、ほんの軽く雨戸を叩《たた》いた。

信吉は逃げだしたくなるのをがまんした。歯をくいしばるような思いで、松の哀《かな》しい呼声と、訴えるような戸を叩く音を聞いていた。やがて家の中から女がだみ声でどなる、あけすけな、仮借《かしやく》のない罵詈《ばり》が聞える。だが信吉はがまんして苦行でもするかのように耳を澄ましていた。

「そんなこと云わねえでよ、あやまるからよ、なあ阿母ア、外は寒くッて、……おらあこごえ死ンじまうよ、なあ阿母ア、おらあこのとおりあやまるからよ、なあ、……なあ」

彼が雨戸に向って、実際におじぎをするのを、信吉は見た。そして、それからどのくらい経《た》ってか、彼はこの情景の点睛《てんせい》ともいうべき声を聞いたのである。……どこかの戸がきしみながらあいた、そうして低い囁くような声で、——それは十二三の少年のもののようであったが、——こう呼びかけた。

「はいんなよ、父《ちゃん》、……早く……」

正月も近くなった或《あ》る夜。曇った、なま暖たかいような晩だったが、信吉は「やなぎ屋」の台板へ凭《もた》れかかって、いい気持そうに酔っている松のきえんを、なんの感動もなく、聞いていた。松はすばらしい機嫌だった。彼は尻下りの眼をいからかし、右手の拳骨《げんこつ》でなにかを殴りつけるような身振りを繰り返した。

「この阿魔、早くしろ、文句ウぬかすな、すべた野郎め、来ておれの足を洗え、……女ッてやつアこれに限るんだ、おらあこの式だ、本当だぜおやじ、女アね、女ッてやつアそれでちょうどなんだ、……嘘《うそ》だと思うんなら」

信吉の唇がふるえながら歪《ゆが》んだ。喉《のど》がごくッとなり、鼻の奥が熱くなった。

「そうだ、そのとおりだ」彼は口の中でそっとこう呟いた、「——おまえの云うとおりだよ、松さん、いいから酔おう、……酒だけはおれたちを騙《だま》さねえからな」

（「オール読物」昭和二十五年十二月号）

日《にち》日《にち》平安

一

井坂十郎太は怒っていた。まだ忿懣《ふんまん》のおさまらない感情を抱いて歩いていたので、その男の姿も眼にはいらなかったし、呼ぶ声もすぐには聞えなかった。三度めに呼ばれて初めて気がつき、立停って振返った。

道のすぐ脇《わき》の、平らな草原の中にその男は坐《すわ》っていた。松林と竹藪《たけやぶ》に挟まれたせまい草原で、晩春の陽がいっぱいに当っている。浪人者とみえるその男は、坐って、着物の衿《えり》を大きくひろげて、蒼白《あおじろ》く痩《や》せたひすばったような胸と腹を出していた。月代《さかやき》も髭《ひげ》も伸び放題だし、垢《あか》じみた着物や袴《はかま》は継ぎはぎだらけで、ちょっと本当とは思えないくらい尾羽《おは》うち枯らした恰好《かっこう》である。年は二十八か九であろう、顔は蒼黒く、頬はげっそり落ち窪《くぼ》んでいるし、顎《あご》は尖《とが》って骨が突き出ているようにみえた。

「呼んだのは貴方《あなた》ですか」

「そうです」とその男は頷《うなず》いた、「――ちょっとお願いがあったものですから」

十郎太はそっちへ戻った。相手の男は左の手で腹（そのむき出しになっている）をなでながら、右手に持っている抜身の脇差をひらひらさせた。もちろん、切腹をしようとしているのだということは明らかである、けれども十郎太は気がつかなかった。彼の頭はまだ怒りのためにいっぱいで、他人の事に関心をもつ余地などなかったのである。

「用はなんですか」

「えへん」とその男はまた脇差をひけらかし、それからちょっと媚《こ》びた眼で十郎太を見た、「まことに申しかねるが、懐紙をお持ちなら少々お分け下さるまいか」

十郎太は黙ってふところから懐紙を出した。相手はそれを受取ると、礼を云《い》いながら、すばやくその紙で抜身の七三のあたりを巻いた。十郎太はそれでもう用はないと思ったのだろう、そのまま道のほうへ去ろうとした。そこで男はあわてたようすで、うしろからまた呼びとめた。

「その、まことになんですが、その」

「まだなにか用ですか」

「はあ、じつはその」と男は云った、「——ごらんのとおり私は、切腹しようと思うのですが」

「そうですか」と十郎太が云った。

「そうなんです」と男が云った、「——それであれです、じつに恐縮なんですが」

「介錯《かいしゃく》をしてくれとでもいうんですか」

「そうです、つまり」その男は頷いた、「——もし願えたら介錯をお頼みしたいんですが」

「いいでしょう」

十郎太は戻って来た。その男は十郎太を見た。十郎太は刀を鞘《さや》ごと取り、下緒《さげお》をはずして襷《たすき》にかけた。それから静かに刀を抜き、鞘を草の上に置いて、身構えをした。

その男は明らかに狼狽《ろうばい》し、泣きそうな顔になった。

「貴方は本当に介錯するつもりなんですか」

「本当にとは」と十郎太がきいた、「——だってそう頼んだんでしょう」

「それは頼んだことは頼みました」と男が云った、「——けれども、だからといってそう貴方のように、そう安直になにされるというのは、ちょっと私のほうとしてどうかと思いますね」

「どうかとはどう思うんです」

「どうといって、その」と男は口ごもった、「——それは多少その、不人情だと思うんですが」

「ああそうですか」十郎太は頷いた、「——それなら私はごめんこうむってゆきましよう、私はいそぎの旅なんで、じつはそれどころではないんだ」

そして刀に拭《ぬぐ》いをかけて、鞘を拾っておさめ、襷をはずして下緒に付けた。その男はそのようすを不安そうに眺めながら、もっと不安そうにきいた。

「すると貴方は、いってしまうわけですか」

十郎太は黙って刀を腰に差した。

「私を置いてですか」と男は云った、「――切腹しようとしている私を置いて、その理由を聞こうともせずにいってしまうんですか」

「ではいったいどうしろというんです」

十郎太は少し癇癪《かんしゃく》を起こしかけた。ここに至って男は度胸をきめたらしかった、彼はもう居直ったという表情で云った。

「貴方のお人柄をみこんでお願いします、私は空腹で死にそうなんです、すみませんが御所持の中から少し拝借させてくれませんか」

「金ですって」十郎太は眠りからさめたような眼で相手を見た、「――すると貴方は、そのために切腹しようとしているんですか」

「手っ取り早くいえば、そうなんです」

「それはどうも」十郎太は相手の姿を眺め、まだ納得がいかない顔つきだったが、ふところへ手を入れて紙入を捜した、「――私もそうたくさんは持っていないが、これから江戸まで帰るもんですからね、しかし」

ふところには紙入はなかった。彼は首を傾けながら両の袂《たもと》を捜し、「ちょっと待って下さい」と云って、背負っていた旅嚢《りょのう》を解いてしらべ、小さな財布をみつけてまた首をひねった。彼がその財布をはたくと、中から小粒銀が一つと若干の文銭が出て来た。彼はいぶかしげに眉《まゆ》をしかめ、「はてな」とつぶやいた、「今朝あの宿で払いをするときに、――」こうつぶやきながら、うわ眼づかいにじっと、どこかをにらんだ。

「どうかされたんですか」

「ちょっと待って下さい」と十郎太は記憶をたどった、「――ちょっと考えてみるから」

十郎太はよく考えた。そうしてやがて、紙入は伯父の家に忘れて来た、初めから持って来なかったということを思いだした。

「しまった、なんというばかなことを」

「わかったんですか」

「戻らなければならない」十郎太は掌《てのひら》にある銭を見ながら云った、「――戻るなんて業腹《ごうはら》だが、これでは江戸までゆけやしない、これでは三日の道もゆけやしない」

「よかったですね、いま思いだして」と男が勇みたつように云った、「――もっと先までいってからだと大変でしょう、お屋敷はどちらですか」

十郎太は城下町の名を告げた。

「ああそれなら、十里とちょっと戻ればいい」と男は云った、「――藍川《あいかわ》で泊れば明日の午前ちゅうには戻れますよ、まったく世の中にはなにが仕合せになるかわからないようなことがあるものですな、ひとつ私もいっしょにゆきましょう」

「貴方が、いっしょにですか」

「乗りかかった船ですよ」と男は衿をかき合せ、脇差を鞘へおさめた、「――ふしぎな縁でこうしてお知りあいになって、貴方がそんな立場に立っているのを黙って見過すほど、私は不人情な人間じゃあありませんからね、それはやがてわかりますよ、ええ、しかしともかく」と男は立ちあがりながら云った、「ともかく向うの茶店でなにか喰《た》べるとしましょう、まず食っての相談といいますからね」その男はすっかり陽気になっていた。

二

その男は嘘《うそ》は云わなかった。その男は「私は不人情な人間ではない」と云ったが、まもなくそれが事実だということを証明した。

二人は茶店で腹をこしらえ、あと戻りして藍川の宿《しゆく》の柊屋《ひいらぎや》という（十郎太が昨夜泊った）宿で草鞋《わらじ》をぬいだ。二人はお互いに姓名を告げあい、風呂《ふろ》のあとで酒を飲んだ。その男の名は菅田平野《すがたひらの》というのであった。十郎太は二度きき直して、「すがたひらの」と口の中で云ってみたうえ、「名前も苗字《みようじ》みたようですね」と云った。菅田平野は北越の浪人で、十郎太より三つ年長の二十九歳であった。

菅田平野は聞き上手で、しかも、座持ちがうまいといわれる種類の人に属していた。十郎太は勘定が気になるので、はじめのうちは酒の数に注意していたが、話が進むにつれて（その話の性質上）やがて気分が昂揚《こうよう》し、自分から景気よく飲みだした。

「よくわかります、うん、私にはよくわかるな、それは」菅田平野はしんみり合槌《あいづち》を打つのであった、「――しかも陸田《くがた》さんはなんにもなさらない、超然としてかれらのするままにしているというわけですね」

「いや貴方にはわからない」十郎太は首を振った、「――元来が私は政治などというものに興味はないんです、しょせん政治と悪徳とは付いてまわるし、そうでない例はないようですからね、しかしそれにしても国許《くにもと》の状態はひどい、まるでもうめちゃくちゃなんだ」

「わかりますよ、私も御領内を通って来ましたからね」と菅田平野が云った、「——あんなに百姓や町人の窮迫している土地も珍しい、あれこそ苛斂誅求《かれんちゅうきゅう》というやつでしょうが、到《いた》るところ怨嗟《えんさ》の声で充満しているという感じでしたからね」
「もっとも悪いのは、かれらがその声を無視することです、家中にだって批判の声が起こっている、若い人間のなかにはしんけんに思い詰めている者も少なくないんだ、しかしかれらはそういう声をまったく無視して、私利私欲のために平然と政治を紊《みだ》っている」
「それでもなお陸田さんは、城代家老としてなにもなさろうとしないんですね」
「日日時事みな平安なり、そう云うだけなんだ」と十郎太は唇をゆがめた、「かれらの悪徳はおまえがすでに知り、おまえの仲間が知り、心ある者が知っている、もはや隠れることはできないし、腫物《はれもの》はすでにうんでいる、まもなく自分からやぶれるだろう、伯父はこう云うだけさ、世の中は晴天ばかりということはないものだ、五風十雨は泰平の兆《きざ》し、そうのぼせずにおちついておれとね」
「それもわかるが、私には貴方の怒る気持もわかるなあ」
「われわれは日日平安などと云ってはいられない、ものには限度ということがある」
十郎太は眼をぎらぎらさせた、「——かれらがそんなにも無恥陋劣《ろうれつ》で、その悪徳非道にとめどがないとすれば、これを抑える法は一つしかないでしょう、私はそう決心した、私の決心に賛成する者が九人、それぞれが持場を分担して、事を決行しようとしたのです」

「それが事前に露顕したわけですか」

「いや、かれらにではなく、伯父に勘づかれたんです、もっとも詳しいことは知らないでしょう、なにか不穏な事を計画しているという点だけ勘づいて、それで急に江戸へ帰れということになったんだと思う」十郎太は怒りと嘲笑《ちょうしょう》とでむかつくような顔をし、それから投げやりな調子で云った、「——そっちがそう出るなら結構、私はたって千鳥の婿《むこ》になんかなりたかあないですからね、江戸へ帰ってみんなぶちまけて、もちろん、殿に直訴《じきそ》しますよ、そうしてこの世にはまだ正義というものがあるんだということを、かれらに思い知らせてやるつもりです」

菅田平野は考え深そうに頷《うなず》いた。

風呂へはいったとき、菅田平野は（十郎太の剃刀《かみそり》を借りて）月代と髭を剃《そ》ったから、いま彼の顔はさっぱりと清潔にみえる。もう酒もずいぶん飲んで、相当に酔っているはずなのだが、その顔は赤くならず、むしろ平静に冴《さ》えてゆくようであった。彼は十郎太の話をよく吟味するかのように、しきりと思い耽《ふけ》りながら鼻毛を抜いた。右手の拇指《おやゆび》と食指の尖端《せんたん》で巧みに鼻毛を摘《つま》み、くいと引張って抜くのであるが、抜いたとたんに彼は大きなくしゃみをした。

「失礼しました」と菅田平野は云った、「――これがものを考えるときの私の癖でしてね、どうも失礼」それから抜いた鼻毛を眺めながら続けた、「これは私の杞憂《きゆう》かもしれませんが、まあたぶん杞憂だろうと思うんですが、そういうことだとすると貴方がこのまま江戸へ帰られるのは、私としてはどうかと思いますね」

「どうかとはどう思うんです」

「どうといって、その」と菅田平野は口ごもった、「――そんな状態だとすると、陸田さんが苦境に立つことになりはしませんか、貴方《あなた》が江戸へ帰って殿に直訴して、もしそれが成功するとすれば、城代家老としての陸田さんの責任も追究されるでしょう、それよりも、私はそのまえに奸物《かんぶつ》どもが策謀して、罪を陸田さんになすりつけるような、……むろんこれは杞憂だと思うが、奸物どもとしてはそのくらいの謀略はやりかねない、私はそのことを心配しますね」

「するとどうしろというんですか」

「私が云わなければならないでしょうか」

菅田平野は十郎太の顔を見た。同時に、菅田平野は頭の中で考えていた。

——おれはこの機会をものにしてやるぞ。

彼はゆき詰っていた。こんな放浪の苦しみはもうたくさんである、わずか一食の銭を得るために、切腹のまねをしなければならないところまで来てはどん詰りだ。ここはぜひともこの（単純そうな）男を城下へ伴《つ》れ戻して、ひと騒動おこして手柄をたてさせ、ついでにおれも仕官するという手だ。仮に仕官ができなくとも相当な礼金はくれるだろう、おれは絶対にこの蔓《つる》は放さないぞ、と考えるのであった。

「というと、つまり」と十郎太が云《い》った、「——私に計画を実行しろというのですか」

「及ばずながら助勢しますよ」

十郎太はうなった。うなって、盃《さかずき》をぐっとあおって、そうかも知れないと思った。「考えてみよう」と十郎太は云った、「——云われてみれば伯父の立場は危ない、日日平安などといって、足もとの崩れるのも知らずにいるんだから、それに、……千鳥だって考えてみればかわいそうだ」

「さっきも云われたようだが、その千鳥というのはどういう人ですか」

「伯父の一人娘ですよ」と十郎太は云った、「——私は婿養子になるはずで、三年まえにこっちへ呼ばれて来たんです」

「御城代の婿養子」

「つまらないことを云いました」と十郎太は首を振った、「――もう切り上げるとしましょうか」

三

枕《まくら》を並べて寝ると、菅田平野はたちまち眠りこんでしまった。喰べたいほど喰べ、飲みたいだけ飲み、温かい夜具に入ったのだからむりもない。横になるとすぐいびきをかいて熟睡した。十郎太はしばらく寝つけなかった。菅田の云うようには決心がつかないのである、いちど燃えあがった火を消されたばかりなので、その火がすぐには燃えつかない、というような感じであった。

「あの黒藤源太夫め」と彼はつぶやく、「――仲島弥五郎に前林久之進、奸物ども」

そうして、かれら奸物どもの風貌《ふうぼう》を思いだしてみる。黒藤源太夫は五十二歳の次席家老、仲島弥五郎は四十五歳で留守役上席、前林久之進は五十歳で国許用人。これらが藩政を毒する中心人物で、なかんずく黒藤と仲島とがその首魁《しゆかい》であった。むろん十郎太はかれらを知っているし、その風貌もありありと眼にうかぶが、同時に「日日平安」などと云う、のんびりした伯父の顔が見え、自分を江戸へ追い払ったことなども頭にひっかかって、どうにも闘志がわいてこないのであった。

「とにかく戻ってからのことだ」と十郎太はつぶやいた、「——いやなら紙入だけ取って江戸へ帰ればいい、戻ってみたうえで肚《はら》をきめよう」

菅田平野はいい心持そうに眠っていた。

明くる日の十時ころ、二人は城下町へ向って宿を立った。十郎太は江戸へ追放されたのも同様だから、夜にならなければ町へははいれない、藍川の宿から城下までは五里足らずで、早く宿を立つわけにゆかなかったのである。心配した勘定のほうは払えたけれども、あとにはわずかしか残らなかった。それで握飯をつくってもらい、宿を出るとすぐ裏道へ曲った。街道をいって、もし家中の者にでも会っては悪いからである。丘を越えたり畑の間をぬけたり、途中の山蔭《やまかげ》の泉のわくところで握飯を喰べたりしながら、石鉢山《いしばちやま》まで来たが、まだ時間が余った。そこは山といっても高さ百五十尺ばかりで、城の東北に当り、城下町がすぐ前に眺められる。二人はそこで日の暮れるのを待ったうえ、夜の八時ころに町へおりていった。

石鉢山のほうからはいると、武家屋敷の裏にゆき当る。陸田家は大手筋の塔《とう》ケ辻《つじ》という処《ところ》にあり、その構えは三十間に四十間ばかりの広大なものであった。北面に正門。西に馬入れの門。三方に築地塀《ついじべい》を廻《めぐ》らし、南側の濠《ほり》に沿った一方だけ黒く塗った柵《さく》になっていた。柵の内側は杉の深い林で、その杉林が邸内の半ばを占めている。築地塀の外からもそれらの梢《こずえ》が高く、くろぐろと夜空をぬいているのが見えた。十郎太は濠に接した築地塀の端までゆき、そこから柵のほうをのぞいた。濠は両岸を石で組んだ幅二間ばかりのもので、かなり豊かな水が音を立てて流れている。風のない暖かい夜で、さあさあというその水音が、杉林にひっそりと反響していた。

「ここから入るんだが」と十郎太が柵の一部を指さした、「——貴方も入ったほうがいいでしょう、人が通ってみつかるとうるさいから」

菅田平野は頷いた。

柵の一本が動くようになっている。たぶん粛清派の仲間がひそかに出入りしたのであろう、菅田平野はそんなふうに想像しながら、十郎太のやりかたをまねて、柵の中へ入った。

「ここで待っていて下さい、いちおうようすを見て来ます」

十郎太はそうささやいて、杉林の中の踏みつけ径《みち》を向うへ去った。菅田平野は待っていた。あたりはまっ暗で、湿った空気は重たく杉の匂《にお》いがした。

「おれは逭《のが》さないぞ」菅田平野は口の中でつぶやいた、「おれは逭さない、この蔓は決して逭さない、あの男をそそのかして必ずものにしてみせるぞ、城代家老の婿とくれば本筋だからな、うん、そうやすやすと見逭せるもんじゃないさ」

四半刻《しはんとき》以上も時間が経《た》って、どうしたのかと思っているところへ、十郎太が戻って来た。暗いのでよくわからないが、荒い呼吸やおちつかない動作で、彼のひどく昂奮していることが菅田平野にわかった。

「貴方の予言が当りました」と十郎太は云った、「――どうかこっちへ来て下さい、相談にのってもらいたいことがあります」

菅田平野は黙って十郎太についていった。黙ってついてゆきながら、彼は心の中でほくそ笑み「しめたな」とつぶやいていた。

「貴方の心配されたことは杞憂ではなかった」と十郎太は歩きながら云った、「――奸物どもは急に逆手を打って、昨夜この屋敷へ踏ん込み、伯父をどこかへ拉致《らち》したそうです」

「城代家老その人をですか」

「いまこの屋敷はかれらの手で押えられ、伯母と千鳥も一室に監禁されて、一味の者に見張られているというのです」

「たぶんそれは」と菅田平野が云った、「――井坂さんが江戸へ帰られたのを誤解したんでしょうな、自分たちの悪事を江戸へ報告にいったというふうに」

「こっちです、静かにして下さい」

杉林を出た左側に大きな建物があった。その向うに厩《うまや》があるとみえ、馬たちの鼻をならす声や、地面を掻《か》く蹄《ひづめ》の音が聞えた。十郎太はこちらの、大きな建物の中へ、菅田平野を伴《つ》れこんだ。それは馬草《まぐさ》小屋であった。中へ入って引戸を閉めると、甘酸《あまず》っぱい乾《ほ》し草の匂いでむせそうになった。

「こいそ」と十郎太がささやいた、「――どこにいる」

返辞はなかったが、乾し草の山の蔭から、(袖《そで》で提灯《ちょうちん》を隠しながら)一人の娘が出て来た。十八ばかりの、小柄な軀《からだ》つきで、眼鼻だちのちまちまとした、いかにもはしこそうな顔をしている。十郎太は彼女を「千鳥の侍女こいそです」といって、菅田平野にひきあわせた。

こいそは二人の前でもういちど話した。

「菊井六郎兵衛という大目付の方が指揮で、三十人ばかりの人が来ました」とこいそは云った。「――ゆうべのちょうどいまごろで、旦那《だんな》さまは庄野主税《しょうのちから》さまと御対談ちゅうでした」

踏み込んで来たかれらは、三手に分れて、菊井ら十人は陸田精兵衛と、客の庄野主税を取囲み、他の一組は家士たちを長屋に押込め、もう一組は邸内の警備に当った。菊井らは主人の居間を捜索して、多数の書類を押収したうえ、精兵衛を(客もいっしよに）用意して来た駕籠《かご》へ乗せてつれ去った。陸田夫人のおの女は温和で気の弱い人だが、さすがに怒って理由を問いただした。しかし菊井六郎兵衛は相手にならなかった。

——私はなにも知りません、御家老に汚職の事実があり、それが暴露したそうで、罪状の湮滅《いんめつ》を防ぐために非常の処置をとるのだとか聞きました。

こう云って、おの女と千鳥をも各自の居間に監禁し、（一人ずつ看視者を置いた）召使たち全部にも厳重に禁足を申し渡してたち去った。いま正門のところに二人、邸内に五人、見張りの者がいるということである。

「戻ってきてよかったですな、ええ」と菅田平野は溜息《ためいき》をついて云った、「——私が貴方を呼びとめ、貴方が紙入を忘れたことがわかった、そのためにこういう、その、危急存亡のばあいに、まにあうことができた、いやまったく、世の中にはなにが仕合せになるかわからないようなことがあるものです」

四

夜半を過ぎたであろう、こいその運んで来た握飯を喰《た》べ、茶を飲みながら、二人は対策を練っていた。事態は急を要する、黒藤ら一味の謀略が完成するまえに、事を輓《ばん》回《かい》しなければならない。十郎太はあせった、けれども菅田平野はおちついていた。

かれらは陸田精兵衛を拉致し、居宅から書類を押収していった。これはなにが目的であるか、と菅田平野は考えた。菊井なにがしは「汚職の事実が暴露した」ともらしたそうである。たぶん自分たちの悪事を陸田城代になすりつけるつもりだろう、そうするにはいくつかの方法が想像される。「罪状湮滅を防ぐ非常の処置」とは、じつは罪状を城代に転嫁《てんか》する工作で、最悪のばあいは自白書を強要したうえに、城代の命を縮める（自害という形式で）という手を使うかもしれない。そうだ、こんな思いきった手段をとる以上、そのくらいのことは予想しなければならない、と菅田平野は考えた。死人に口なし、もし精兵衛が強要されて自白書を書けば、かれらは精兵衛を生かしてはおかないだろう。いや、初めからそのつもりで「非常処置」なるものをとったのかもしれない。

――そうだ、たしかにそれに相違ない。

心の中で頷《うなず》きながら、菅田平野は鼻毛を抜いた。右手の拇指《おやゆび》と食指で、巧みに鼻毛を摘《つま》み、呼吸を計ってくいっと抜き、そうして大きなくしゃみをした。

「失礼しました」と菅田平野は云った、「――そこでうかがいたいのですが、井坂さんが奸物粛清をやろうとした計画と、その盟友の人数を聞かせてくれませんか」

十郎太は旅嚢《りょのう》をひらいて、一通の封書をみつけ、中から巻いてある紙を取出した。

「これをみて下さい、それから説明します」

萱田平野は受取って披《ひら》いた。それには次のようなことが書いてあった。

斬込隊《きりこみたい》指揮
井坂十郎太
寺田　文治　（馬廻《うままわり》七十石）
保川英之助　（徒士《かち》目付五十石余）
河原　源内　（同三十五石）
城がかり指揮
守島　仲太　（鉄炮《てっぽう》組支配七十石）
関口兵次郎　（櫓《やぐら》番《ばん》五石余）
八田益太郎　（徒士組番頭六十石）
三方木戸
寺田乙三郎　（文治の弟）
広瀬　半六　（鉄炮組番頭五石余）
島口　存平　（徒士頭五十五石余）

この連名には血判が押されてあり、奸臣誅殺《かんしんちゅうさつ》の趣意が書いてあった。

「斬込隊は各分担の奸物を斬る」と十郎太は説明した、「――木戸というのは城下町三方の口を押え、城がかりは大手、西、搦手《からめて》の三門を固める、こういう手筈《てはず》で、各組とも三十人から五十人の部下が集まる予定でした」

「なるほど」と菅田平野が云《い》った。「――なかなかこれはゆき届いたものですな、ええ」

そして彼はまたじっと考えはじめた。

陸田城代は自白書を書くだろうか、「日日平安」などという暢気《のんき》な人だから、高をくくって書くかもしれない。と菅田平野は考えた。しかしすぐには書くまい、いくら暢気居士《こじ》にしても二日や三日はねばるだろう。子供ではないのだから、それを書けばどうなるかぐらいの想像はつくはずだ。これはかれらが自白書を強要するとしてのはなしだが、と菅田平野は考え続けた。

「この連名者のうちから」とやがて菅田平野が云った。「――腕達者でもっとも頼みになる人間を五人選んで下さい」

「腕が立つといえば、まず斬込隊の三指揮者ですね、寺田、保川、河原、それから関口兵次郎と寺田文治の弟の乙三郎でしょうか」

「その人たちが貴方《あなた》と共に、事を計った盟友だということは、かれらに知られていると思いますか」

「そんなことは絶対にないでしょう、計画を勘づいたのは伯父だけですから」

「なるほど」と菅田平野は云った。「――ではひとつ夜明け前に、その五人をここへ呼んで来てもらいますかな」

「五人をここへですか」

菅田平野は頷いて「危急存亡のばあいです」と云った。十郎太はすぐに決意した。危険ではあるが事は切迫している、それが必要ならそうしなければなるまい。こう思って身支度をした。菅田平野は慎重にやるように念を押して、なお、矢立と料紙を求めた。十郎太は旅嚢の中からそれらを取出して渡し、黒い目出し頭《ず》巾《きん》をかぶって出ていった。

「さて、これで位置は定《きま》った」とあとに残った菅田平野は独りで呟《つぶや》いた、「――おれはまじめにならなければいけない、自分を英雄ぶったり、傑出した人物だなどと思ってもいけない、おれは単に腹のへっている浪人者だった、そうではないか、切腹のまねまでして、一食の銭にありつこうとしていた人間だ、決して英雄でもなければ大人物でもない、わかるか」そうして片手で尖《とが》った顎《あご》をなでた、「いまは軍師の位置についたのだ、これはもうたしかなことだ、あとはこのへぼ頭からどれだけの知恵が出せるか、しかもごく短時間のうちに、……これが問題だ、これだけが問題だ、ひとつ考えてみよう」

彼は提灯をのぞいた。蠟燭《ろうそく》は（夜食のまえに替えた）まだ充分にある。彼は乾し草の束をいいぐあいに直し、矢立から筆を抜いて、料紙をそこへひろげた。するとそのとき、ふいに引戸があき、明るい提灯の光りがさし込んだ。

「そこにいるのは誰だ」

こう云って、提灯をかかげて、一人の侍が入って来た。おそらく黒藤一味の見張り役であろう、「邸内に五人いる」と云ったが、その一人に違いない。萓田平野はびっくりしたふうで（すばやく）自分の提灯を倒して消した。

「は、はい、私は」と彼はどもった、「――私は厩《うまや》係りの小、小者でございます」

「こんな時刻になにをしているのだ」

「はい、そ、それが、いま馬草を」

「なに、はっきり云ってみろ」侍はこっちへ近よって来た、「――いまじぶん馬草をどうするんだ、きさまうろんなやつだぞ」

萓田平野はおどおどと立った、侍は「こっちへ来い」と叫んだ、萓田平野はますます恐縮し、身をちぢめてそっちへいった。侍は提灯をあげて面態《めんてい》をしらべようとした。そのとき萱田平野の右手が伸び、侍の鼻柱（眼と眼の中間）を発止《はっし》と突いた。侍は反《の》けざまによろめき、提灯を手からとばした。萱田平野はとびかかって、もういちど鼻柱を叩《たた》き、足搦《あしがらみ》をかけて押倒すと共に、衿《えり》を取って絞めおとした。かなりな手際《てぎわ》にみえたが、もちろん萱田平野がそれほど強いのではなく、巧みに不意を衝《つ》き、それが成功したものであろう。相手を絞めおとしたとき、萱田平野は軀じゅうに冷たい膏汗《あぶらあせ》をかいていた。

五

約二時間ののち、——馬草小屋の外に人の足音がした。萱田平野が引戸の隙間《すきま》からのぞくと、暗がりの中にこっちをうかがっている黒い人影が見えた。井坂十郎太らしい。萱田平野はそっと引戸をあけて、名を呼んだ。

「ああ、無事でしたか」と十郎太が寄って来た、「——中がまっ暗だものでなにかあったのかと思いました」

「ありましたよ、しかしそっちの首尾は」

「みんな来ました」

十郎太はうしろへ振返って手を振った。そうして、暗がりからあらわれた五人の若侍といっしょに、すばやく小屋の中へ入って、引戸を閉めた。

「燧袋《ひうちぶくろ》を出して下さい」と菅田平野が云った、「——さっきちょいとした事があって提灯を消したんです、ああ、そこに人間が転がってますから気をつけて下さい」

五人のなかの一人が燧袋を出した。

菅田平野は出来事を語りながら提灯をつけ、それで片隅を照らしてみせた。うしろ手に縛られ、猿轡《さるぐつわ》を嚙《か》まされて、二人の侍が転がっていた。手を縛ってあるのはかれら自身の刀の下緒《さげお》だし、口に詰めこんだのは乾し草であった。二人ともすでに息をふき返し恐怖の眼をいっぱいにみはって、こちらを見あげていた。

「二人もですか」と十郎太が云った。

「べつべつにですよ」と菅田平野が答えた、「——第一号はそっちの瘦《や》せたほうで、こっちのは半刻《はんとき》ばかりおくれて来たんです、きっと第一号が見廻りに出たまま戻らないので、捜しに来たんでしょうな」

「するとまた来るかもしれないな」

「そうありたいもんです」と菅田平野が云った、「——陸田夫人と令嬢に付いているのが二人、ここに二人とすると、門を看視している二人のほかに邸内にもう一人いる答ですからね、こいつが捜しに来てくれればずっと手間が省けるわけです」

「みんな押えるつもりですか」

「それが第一着手です、しかしそちらの方がたに紹介して頂きましょうか」

十郎太は彼を五人にひきあわせた。

寺田文治と（その弟の）乙三郎はよく似ていた。兄よりも乙三郎のほうが背丈も高く、筋骨もたくましいようだが、むっとした顔だちや、切り口上な言葉つきなどはそっくりであった。河原源内はやや肥えた小柄な若者で、眼や口もとにあいそのいい微笑をたたえているが、その微笑はむしろ短気で手の早い性分をあらわしているようにみえた。保川英之助は色が黒く眼が大きく、毛深いたちとみえて口のまわりから顎から両の頬まで、剛《こわ》いざらざらした髭《ひげ》が生えていた。彼は毎朝きちんと剃刀《かみそり》を当てるが、日が昏《く》れるじぶんにはもうそんなふうに伸びるのだそうで、夜になって人と会うときなどは、夕方もういちど剃《そ》らなければならないということであった。関口兵次郎はふっくらとしたまる顔で、好人物らしいかわいい眼をした、まだ子供っぽさの抜けない若者だった。

「こいつら、斬っちまったらどうです」

紹介が済むのを待ちかねたように、河原源内が（微笑したまま）二人の捕虜を指さしながら云った。

「いや待って下さい」菅田平野は首を振った、「——その二人にはなんの罪もないし、自分でしている事の意味も知ってはいない、またその二人に限らず、こんどの事ではできる限り殺傷沙汰《ざた》は避けることにしましょう」

「斬るのは三首魁《しゅかい》だけということですか」

「いやその三人もです」と菅田平野が十郎太に云った、「——法の裁きなしに人を斬れば、こちらに理があってもとがめなしには済まない。幾人かの者は責任者として」

「それは覚悟のうえですよ」寺田文治が遮って云った。「——われわれは初めから身命を捨ててかかっているんです」

「しかし不必要に死ぬことはない」

「それがいけないんだ」と河原源内が云った、「——そういう考えかたをするから敵に先手を取られたんだ、あいつらは法を無視し、不義無道を平然とやっている、藩中の非難の声にも、領民の哀訴にも耳をかさない、もはや力で倒すほかに手段がないからわれわれはやるんだ、やるべき事は断乎《だんこ》としてやろうじゃありませんか」

「しかし不必要に死ぬことはない」

こう云いながら、菅田平野は頭の中で考えていた。

——これは抑えなければならない。もしここで殺傷沙汰を起こせば、あとで必ず責任を問われる。まずくゆけば切腹ぐらいはしなければならなくなるかもしれない。そうすると自分の目的もどうなるかわからない。この藩に仕官しようという、本来の望み（それはもう確定的だと思う）が危なくなる。ここでなんとかこの連中の血気を抑えなければだめだ。こう考えながら彼は云った。

「なぜ不必要かというとですね、かれらはすでに自分の首に縄を巻きつけている。私どもはただその縄の端を捉《つか》まえればいいんです」

「もっと具体的にいって下さい」

「かれらは陸田さんを拉致《らち》した」と菅田平野は云った、「——おそらく罪を陸田さんに転嫁《てんか》するつもりでしょう、諸兄も井坂さんから聞かれたと思うが、奸物どもは押収していった書類を悪用し、陸田さんを脅迫して罪状の告白書を書かせるのだと思う、そこで私どもが陸田さんを奪い返せば、それだけでかれらの罪は暴露するわけです」

「奪い返せますか」

「むずかしいな」保川英之助がごりごりと顎の髭をさすった、「——これが陸田さんを取られないまえならいいが、なにしろ陸田さんという人質を握られているからな」

「いやまあ聞いて下さい、こうなんです」

菅田平野は自分の計画を語った。

敵は井坂十郎太が江戸へいったものと信じている。そこで、「十郎太は江戸へいったのではなく、城下にいて同志を集め、奸臣誅殺の密謀をめぐらしている、某日某刻、一味は某所で会合をひらいている」ということを敵に知らせてやる。敵は必ずその「某所」へ押寄せるだろう、その隙にこちらは陸田精兵衛を奪い返す。というのであった。

「しかし」と関口兵次郎が云った、「――われわれが密会しているということを知らせて、はたして、かれらがひっかかるでしょうか」

「むろん内偵させるでしょう」と菅田平野は云った、「――だからここにいる六人と、他の四人、守島、八田、広瀬、島口の諸兄もいっしょに姿を隠す、つまり全部がここへ集まるんです。かれらは密告された十人の在否を内偵するでしょう、そして全員がその家にいないとすれば、某所で集合しているという密告を信ずるだろうし、即時に一網打尽の手を打つに違いないと思う、どうでしょう、みなさん」

六

井坂十郎太がまず頷《うなず》いた。彼は菅田平野の計画をすばやく検討したらしい、しっかりと頷いて、「それでやろう」と云《い》った。

「事態はこのとおり一刻を争うし、ほかに適切な手段もなさそうだ、この一手でやることにしようじゃないか」

菅田平野は他の者のようすをうかがっていたが、誰にも異存はないようであった。そこで彼はみんなに坐《すわ》るように頼み、自分の計算を書きとめた料紙をひらいて、これからの行動を詳しく説明したうえ、その担当者を定めた。その一は邸内に残っている五人の見張りを捕え、陸田精兵衛の所在を白状させること。その二は守島仲太、広瀬半六、八田益太郎、島口存平らを呼び集めること。その三は密告状を投じて敵の動きを看視すること。などで、第一は即座に七人全部が協力してやり、次に手分けをして第二第三をやる、という順序であった。

この相談がほぼ終ったとき、小屋の外にひたひたと乱れた足音がし、「井坂さま」という女の声が聞えた。菅田平野が提灯《ちょうちん》を隠し、みんな総立ちになった。十郎太はつぶてのようにとんでゆき、引戸をあけて外を見た。二人の女がすぐそこまで走って来てい、そのうしろから幾人かの侍（一人が提灯をかかげて）たちが追いつめて来るのが見えた。夜明けが近いとみえ、空がぼかしたように仄白《ほのじろ》くなり、そうして小雨が降っていた。そのごく仄かな薄明りで、走って来る女の一人がこいそ、もう一人が千鳥であるのを十郎太は認めた。

「寺田、来てくれ」と彼は叫んだ。「――きゃつらだ」

そして外へとびだした。とびだすとき刀を抜くのが見えたので、菅田平野も寺田文治に続いて出ようとし、そこへ駆け込んで来た二人の女性と、危なくぶつかりそうになった。

「この人たちを頼みます、出ないで下さい」

彼は残った四人にそうどなって、寺田文治のあとを追った。

追って来たのは三人で、菅田平野がそこへいったときには、すでに一人は倒され、他の二人も十郎太と文治の前に動けなくなっていた。

「大丈夫ですか」菅田平野は走《は》せつけながらきいた、「――斬《き》りはしないでしょうな」

「大丈夫です」と十郎太が答えた。

「声をたてるなよ」寺田文治は刀をつきつけたまま相手に云った、「――黙って馬草《まぐさ》小屋まで歩け、騒ぐと斬るぞ」

十郎太は二人から刀を奪い、落ちている提灯を拾おうとした。他の見張人にみつかっては悪いと思ったのだろう、菅田平野は倒れている一人を引起こそうとしながら、「そんな物はいいでしょう」と云った。

「残っているのは二人だけだから、すぐにやってしまおうじゃありませんか」

十郎太は頷いた。菅田平野は倒れている男を引起こして肩に担《かつ》いだ。さして大きな軀《からだ》ではなかったが、気絶しているのでひどく重い。文治と十郎太は二人を追いたてながら、かれらは馬草小屋へ戻った。そうして、すぐにその三人も手足を縛り、猿轡《さるぐつわ》を嚙《か》ませたが、残っているのは正門の二人だということが（こいつその証言で）わかったので、十郎太と菅田平野を除いた他の五人が、すぐに小屋から出ていった。

五人が出てゆくと、十郎太は提灯を持って千鳥のそばへいった。千鳥は乾《ほ》し草の束に腰をかけ、こいそに凭《もた》れて泣いていた。

「さあ話してごらん、どうして逃げだしたんだ」

十郎太が云った。千鳥は涙を拭《ふ》きながら十郎太を見た。十郎太はそこへかがんだ。千鳥は事情を語りだした、彼女は十七歳という年よりも子供っぽくみえる、背丈も高いし軀も成熟しているが、眼鼻だちのおおらかなまる顔や、のびやかな身ごなしや、あまえたような言葉つきなどに、あどけないといいたいくらいな、ういういしさが匂《にお》っていた。

「えっ、伯母上が自害、――」

十郎太が叫んだ。その仰天したような声を聞いて、菅田平野が振向いた。

「ええ、いいえ」と千鳥が云った、「――そうするはずだったんです、母が自害をして見張りの二人が騒ぐ隙に、わたくしが逃げだす約束だったんです、それがわたくしがまごまごしたものですから、すぐに見張りの者にみつかってしまいましたの」

「逃げだしてどうするつもりだった」

「こいそと二人であなたのあとを追うつもりでした」

「乱暴なことを」と十郎太が云った、「そうすると伯母上は自害なさらなかったんだな」

「でもわかりませんわ、わたくしの逃げたあとで自害したかもしれませんし、失敗したのでやめたかもしれませんし」

「冗談じゃない」と十郎太はとびあがりながら云った、「――泣いているひまにどうしてそれをさきに云わないんだ」

そして彼は小屋の外へとびだしていった。千鳥はまた泣きだした。菅田平野は彼女が濡《ぬ》れたままの足袋はだしなのを見て、こいそに「足袋をぬがせておあげなさい」と云い、そばへいって自分の名をなのった。

「足袋をぬいだらよく拭いておくんですね、風邪をひきますから」と菅田平野は云った、「——もう泣くことはありません、お父さまを救い出す手筈《てはず》もついているし、まもなく無事におさまりますよ、じつに世の中はふしぎなものだと思うんですが、井坂さんが戻って来たのは私と出会ったからでしてね、その出会ったもとはといえば、私が死ぬほど空腹だったからなんです、恥を話さなければ理がとおらないといいますが、お聞きになりたいですか」

千鳥はいぶかしそうにこちらを見た。その眼には涙が溜《た》まっていたが、菅田平野の話を聞いているうちに、眼鼻だちのおおらかな顔がしぜんとほぐれ、十郎太が本気になって介錯《かいしゃく》しようとした、というところまでくると、あどけない唇に微笑がうかんだ。しかし、彼の話が終らないうちに、十郎太が陸田夫人をつれて戻った。

「まあ、お母さま」

千鳥は叫び声をあげて、母親のほうへ両手をさし伸ばした。おの女は静かに入って来て娘のそばへ寄り、娘の手を握りながら乾し草の束へ腰をおろした。

「お母さまはここへ入るの初めてよ」おの女は小屋の中を眺めまわしながら云った、「——乾し草がよく匂うこと、お母さまはこの匂いが大好きよ、あなたおけがはなくって、千鳥さん」

「ええお母さま」千鳥は母の腕のところを撫《な》でながら云った、「もうちょっとで捉まろうとしたとき、じゅろう（十郎太）さまが助けに来て下さいましたの」

「聞きましたよ」

「それからじゅろうさまたちは、お父さまも助け出して下さるのですって」

「それもいま聞きました」とおの女はまた小屋の中を眺めまわした、「——乾し草っていつもこんなによく匂うものかしら」

「ええいつも匂いますわ、わたくしときどき入ったことがあるけれど、いつだってこのとおり匂っていますわ、ねえ、じゅろうさま」

十郎太は咳《せき》をし、聞えないふりをして、五人の捕虜たちを仔細《しさい》らしく点検した。陸田夫人はいぶかしげに娘を見た。

「あなたこんな処《ところ》へお入りになったの」

「ええそうよお母さま」と千鳥は云った、「——ここは昼間でも薄暗いし、誰も来る者がなくって静かでしょ、それで乾し草の上へ横になると、躯がふわっと沈むような、浮いているような気持になって、そして草の甘い匂いに包まれたまま、うっとりと眠くなってしまいますの、ねえじゅろうさま」

「あら、じゅろうさんもごいっしょだったの」

七

「ええもちろんよ、お母さま」千鳥は頷《うなず》いた、(向うでまた十郎太が咳をしたが)彼女は続けた、「わたくし一人でなんか来られやしませんわ、いつでもつれて来て頂きますの、いちどなんかわたくしじゅろうさまのお腕を枕《まくら》にして、ほんとに眠ってしまったことがありますわ」

「まああきれた、あなたそうして起こされるまでおよってらしたんでしょ」

「いいえお母さま、まさかいくら千鳥だって」

菅田平野は戸惑いをした。母親も娘ものんびりしたものである。この切迫した状態のなかで、男性と二人きりで乾し草小屋へ隠れたなどと、平気で告白する娘も娘だし、それを聞いてそう驚きもせず、かくべつ叱《しか》ろうともしない母も母である。——育ちが違うんだな、と菅田平野は思った。これはのんびりどころではない、むしろみやびた趣きというのだろう。

——これは一家そろって日日平安だ。

菅田平野は心の中でそうつぶやいた。

母娘の対話は、帰って来た寺田たちによって中断された。かれらはやや強い降りになった雨の中を、首尾よく捕えた正門の二人を曳《ひ》いて戻った。用心のためあとへ保川英之助を残したそうであるが、これで邸内にいた敵の見張りは全部押えたわけで、七人のうち一人は前林家の小者、他の六人はみな黒藤源太夫の家士であった。——菅田平野は密告書を書くために、料紙をひろげながら「みんなの集まる（仮定の）場所はどこにするか」と訊《き》いた。あまり遠くても近くてもいけない、城下町からほぼ一里くらいの距離で、なるべくなら寺がいい。こういう条件で十郎太と寺田文治が相談し、大里村の光明寺がよかろうということになった。

「光明寺なら約一里」と十郎太が云った、「昨日私たちの通って来た、石鉢山の向うです」

菅田平野は書きはじめた。

十郎太は押籠《おしこ》められている家士たちを解放しにゆき、こいつそは（やはり禁足されている）小者や召使たちに知らせて、朝食の支度をさせるために出ていった。寺田たち四人は、捕虜を一人ずつ責めて、陸田精兵衛の所在を自白させようとした。だが、かれらはまったく知らないもようであった。自分たちは御城代が伴《つ》れ去られたときあとに残されたので、知っている道理がない、と云うのである。短気な河原源内はきみわるく微笑しながら、「きさまら正直に云わないと、この馬草小屋といっしょに焼き殺してしまうぞ」などと威《おど》したが、ついに聞きだすことはできなかった。

侍長屋から十郎太が戻ってきた。彼は頭から雨合羽《あまがっぱ》をかぶっていた。家士の物を借りたのだろう。雨はいまこの小屋の高い板屋根にやかましい音をたてるほど降りだし、しかも地雨のようであった。しずくの垂れる合羽をぬいで、十郎太がこっちへ来ると、寺田文治が陸田氏の所在の知れないことを告げた。

「こいつらはあとへ残されたので、本当に知らないらしいんだ」

十郎太はひどく失望した。それがいちばん肝心な点である。伯父を救い出すことが第一の目的なので、その所在がわからないとなると、こっちは行動できなくなる。十郎太は濡れた草鞋《わらじ》で地面を踏みつけながら、腹立たしそうに菅田平野へ振返った。

「するとどうしますか、菅田さん」

「ちょっと待って下さい」菅田平野は太息《といき》をついた、「――ひとつ考えてみましょう」

十郎太は伯母のほうへいった。どうやら策戦はすべて菅田平野に任せたというふうである。彼は伯母のそばへいって、菅田平野のことを話そうとした。おの女はすでに娘から聞いていたらしい、「知っていますよ」と云ってそっと笑った。それから彼女は、自害すると云ったのではなく、自害のまねをすると云ったのだそうで、だが、いざとなったら「自分で恥ずかしいような照れくさいような気持」になり、どうにもそんなまねはできなかったと云って、いかにも照れたように赤くなりながら笑った。

そのとき菅田平野がくしゃみをした。思案しながらまた鼻毛を抜いたのだろう、すばらしく大きなくしゃみなので、みんなびっくりして彼のほうへ振向いた。

「失礼しました」と菅田平野は云った。するとまたくしゃみが出た。「どうも失礼」と彼はみんなに目礼し、十郎太に云った、「——とにかくこうしましょう、井坂さん」

十郎太は彼のそばへ戻った。他の四人も集まった。菅田平野は云った。

「ほかに応急の手段もなさそうだから、まず密書を投じてかれらの動きをみるのです、かれらがもし密会所へ人数を出すとすれば、同時に陸田さんを奪回されないような方法もとると思う」

「どうもそれは、たしかとはいえないようですが」と十郎太が口ごもった、「——ほかに手はないですか」

「問題は時間ですからね」

こう云って、それから突然「あっ」と菅田平野は声をあげた。彼は本能的に鼻の穴へ指をもっていったが、鼻毛を抜くのはやめ、その手を拳《こぶし》にして自分の額を叩《たた》いた。

「なんという頓馬《とんま》だろう」と彼は云った、「このおれはなんという頓馬の、へぼ頭だろう、自分で自分を忘れているとはあきれはてたものだ」

「なにかあるんですか」

「この私ですよ」と菅田平野は云った、「――私自身が密書になるんです」

みんなけげんな顔をした。

「こうです」と彼は続けた、「私はごらんのとおり尾羽《おは》うち枯らした姿です、この私が黒藤邸へいって密告するんです、宿賃がないので寺の縁下に寝たと云ってもいいでしょう、そこで密会している貴方《あなた》がたの密談を聞いた、耳にはさんだ名前はこれこれ、どうです、これなら間違いはないでしょう」

十郎太は寺田に振返った。寺田文治は珍しく微笑したし、他の三人も頷いた。

「ではそれで計画をたて直しましょう」

菅田平野は書きかけの密書をひき裂いた。

新しい計画はこうである。彼は黒藤源太夫に会って密告する、座敷へとおされるだろうから、源太夫や家内のようすで、陸田精兵衛がどこに押籠められているかわかるだろう。もし他の場所だったら辞去して出て知らせるし、邸内にいるとわかった場合には（乱暴だが）火をかけて火事を起こす。その煙を認めたら十郎太たちが踏み込んで来る、という手順であった。菅田平野はこれを二度繰り返して説明し、みんなはよく了解した。――待機する人数は二十人、そのときの条件でどっちへでもすぐ動けるように、三老臣の屋敷の中間に当る、火の見の辻《つじ》へ伏せておき、三老臣それぞれの屋敷に見張りの者を付ける。最後に争闘のときもできる限り人を傷害しない、ということが約束された。河原源内と寺田乙三郎は、「人を傷害しない」という点がひどく不平そうであった。

「やむを得ない場合はいいですよ」と菅田平野は譲歩した、「――但《ただ》し、そのときでも足くらいにしておいて下さい、これは貴方がた自身のためでもあるんですからね」

こいそが朝食の支度のできたことを知らせに来た。陸田夫人はここで喰《た》べたいと云《い》う、馬草小屋がすっかりお気に召したらしい。それでは握飯にして持って来よう、ということになった。

「私は喰べずにでかけます」菅田平野はこう云ってこいそを呼びとめた、「――かなり空腹ですが、空腹のほうが放浪者らしく自然にみえるでしょう、ひとつ捨てるようなぼろ傘《がさ》と、放火用の綿を頼みます、古綿でいいですから燈油《とうゆ》を浸《し》ませてね、燧袋《ひうちぶくろ》は井坂さんのを借りてゆきますよ」

こいそが去ると、寺田文治が弟を呼んだ。

「おまえと関口とで守島や広瀬を呼びにいけ」と文治は云った、「――八田と島口の四人にすぐここへ来いとな、二人で分担してやるんだ」

乙三郎は「うん」といって関口を見た。関口兵次郎は頷いて元気に立ちあがった。菅田平野は袴《はかま》の紐《ひも》をしめ直しながら、一昨夜、藍川《あいかわ》の柊屋《ひいらぎや》で髭《ひげ》を剃《そ》らなければよかった、と思うのであった。

八

約半刻《はんとき》ののち、菅田平野は、黒藤邸の庭先に立っていた。かなり広い庭で、樹《き》が多く、配石のもようなどもなかなか凝ったものである。躑躅《つつじ》に囲まれた池があり、そこでは鯉《こい》が（産卵期なのだろう）しきりにばちゃばちゃと騒いでいた。

――作法を知らぬやつだ、これでたいてい人間がわかる。

彼は心の中でそうつぶやいた。

だがそれは公平ではない、彼の姿は乞食《こじき》と区別がつかなかった。縞目《しまめ》もわからないほど古びて継ぎだらけの垢《あか》じみた着衣、やぶれたぼろ傘、脛《すね》まではねのあがった草鞋《わらじ》ばきの泥足。これでは「庭へまわれ」と云うのが当然かもしれない。それは菅田平野も認めるが、しかもやはり承服できない。たとえ乞食のように落魄《らくはく》していても侍は侍である。「御主人の大事について」と云うものを、庭先へまわすというのは無礼である。

「これだけでも黒藤というやつが品性劣等だということを証明している」と菅田平野は口の中で云った、「――これはよほどうまくもちかけないと、座敷へは通さないかもしれないぞ」

廊下へ白髪頭《しらがあたま》の老人が現われた。少しばかり腰が曲っている、着物も粗末だし袴は皺《しわ》くちゃであった。ひと眼で家扶《かふ》だということがわかる人態で、正《まさ》しくそのとおりだった。そこで菅田平野は本気に腹を立てた。

「私は御主人に会いたいと申上げた」と彼は尖《とが》った声で云った、「――御主人のお命にかかわる大事だからわざわざまいったので、御主人に会えないのなら帰ります、なに、こっちはどうでもいいことなんだ」

彼は雨の中へ出てゆこうとした。家扶はあわてて呼びとめた。一命にかかわる、というのを聞き捨てにはできないだろう、「しばらく」といって、曲りぎみの腰をもどかしそうに奥へ去った。菅田平野は唾《つば》を吐いた。それからふと、自分が本当に腹を立てているのに気がついた。しんじつ黒藤源太夫のために来てやったような錯覚にとらわれたらしい、菅田平野は「なんと、――」とつぶやいて苦笑した。

小者が洗足の道具を持って来た。家扶が現われて奥へとおれと云う、菅田平野は足を洗い、袴の裾《すそ》のはねを払い、肩から旅嚢《りょのう》を取り、刀を脱して、右手に持ちながら広縁へあがった。

案内されたのは六帖《じょう》ばかりの暗い部屋であった。そこで形式だけの茶菓が出た。薄くてぬるい茶に、黴《かび》の生えたような打物《うちもの》である。菅田平野は茶をひと口啜《すす》っただけで、あとは手を出さなかった。彼は両手を膝《ひざ》に重ね、心を鎮《しず》めて、脇《わき》玄関から庭、広縁からその部屋へ来るまでの、建物の配置を頭の中に書きとめた。四半刻ほども経《た》ってから、若侍が現われて「こちらへ」と云った。菅田平野はちょっと考えたが、旅嚢の脇へ刀を置いて立った。中廊下を少しゆき、いちど左へ曲って、八帖の明るい座敷へとおされた。そこはさっきの庭とは反対側に面しているらしい、あけてある障子の向うに、石燈籠《いしどうろう》などを配した内庭を隔てて、土蔵が三棟並んでいる。たぶん武庫だろうと思ってぼんやり見ていると、まん中の土蔵から中年の侍が出て来た。その侍は手籠《てかご》のような物を持っていたが、出て来るとそれを下に置いて、土蔵の観音開きを重そうに閉め、それからいま置いた手籠ようの物を持って、雨の中を跳ぶように去っていった。

彼がぼんやりとそんなけしきを眺めているところへ、黒藤源太夫が出て来た。年は四十三、四、肥えてはいるがひき緊《しま》った精悍《せいかん》な軀《からだ》つきだし、眉《まゆ》の太い、眼の大きい、厚い唇をきつくむすんだ顔つきも精悍にみえた。源太夫は坐《すわ》ると同時に懐紙を出し、かっと喉《のど》を鳴らして唾を吐いた。そのとき六時を知らせる時計の音が聞えた。

源太夫は話を信じた。その顔の表情の変ったことで、話を信じたことが明瞭《めいりよう》にわかった。

「井坂といいましたか」源太夫は膝の上の手をぎゅっと握った、「――そんなはずはないのだが、名前はなんといいました」

「名は云わなかったようです、なにしろ縁の下で聞いていたものですから」と菅田平野は云った、「――あとから来た一人が、江戸へゆかれるのではなかったのか、ときいていましたが、これは寺田という男のようでした」

「ほかに聞かれた名がありますか」

「うろ覚えですが、――そうです、広瀬、島口、それから」と菅田平野は首をひねった、「――保田、いや保川でしたかな、寺田というのは二人いたようです、それと、関口とか八田などという名も聞えました。記憶ちがいがあるかもしれません、呼びあう声で数えたのは十五人でした」

源太夫の片方の膝が上下に動きだした。

「すると」と源太夫が云った、「つまり井坂が江戸へゆくとみせて光明寺へ留《とど》り、そこへ同志の者を呼び集めたということですね」

「私の申上げた姓名にお心当りがありますか」

「ある、全部ではないが、三、四心当りがある」

「では人をやって在不在をたしかめて下さい」と菅田平野は云った、「——私はかれらが手分けをして、こなたさまをはじめ、仲島、前林のお三方を誅殺《ちゆうさつ》すると聞いたのですから、現在その連中が家にいなければ、事実だということがおわかりになるでしょう」

源太夫は鈴を鳴らしながらきいた。

「かれらは日時を申していたか」

「昨夜半の話で明後日と云っていましたが、今日の夜にはさらに人数を集めるように聞きました」

若侍が廊下へ来てかしこまった。源太夫は料紙と硯箱《すずりばこ》を持って来るように命じ、それが来ると、(菅田平野に聞きながら)九人まで名を書き、「この者たちの在否を至急にたしかめさせろ」といって、若侍に渡した。

「はなはだ汗顔の至りですが」と菅田平野が云った、「——昨日から食事をしておりませんので、まことに申しかねるが、朝食の馳走《ちそう》にあずかりたいのですが」

源太夫はこちらを見て頷き、いま支度をさせるから、と立っていった。

九

まもなく若侍が戻って来て、また元の六帖へ彼をつれ戻した。そうして食膳《しょくぜん》を出されたが、麦ばかりのようなどす黒い飯に、冷えた味噌汁《みそしる》と漬物《つけもの》だけで、その汁にも千切り大根の欠けたのが三つしか入っていなかった。菅田平野はまた腹を立てた。

「食い残しじゃないか」と彼はつぶやいた、「――なんという無礼なけちくさい家だろう」

だが空腹には勝てない、腹を立てながら喰べ終ったが、このあいだに家の中がざわざわし始めた。表廊下をしきりに往き来《ゆきき》する足音や、人を呼びたてる声などが聞えた。

「もうおれのことなんぞ放《ほ》ったらかしか、そうだろうな」と菅田平野は独り言を云った、「――それならこっちは、ひとつ」

彼はしばらく物音を聞き定めてから、立ちあがって、そっと中廊下へ出た。

――陸田城代がここに監禁されているかどうか、いるとすればどの辺の座敷か。

中廊下の左右を眺めた。人の来るようすはない、彼はさっきの八帖間のほうへ歩いていった。そちらが奥で、ずっと座敷が続いているらしい。だが、内庭の見える処《ところ》まで来ると、ふいに右手の襖《ふすま》があいて、中年の侍が顔を出した。

「誰だ」とその侍はこっちを見て、それから仰天したようにどなった、「きさまなに者だ」

「手洗いにまいりたいのだが」

「なに、手洗いだと」相手は出て来て、つかみかかりそうな勢いで叫んだ、「きさまどこから入って来た、こんな処でなにをしている、これ渡辺、渡辺はいないか」

その侍のわめき声で、向うから若侍がとんで来、（それが渡辺というのだろう）彼のことを説明した。中年の侍は納得したが、「むやみに歩きまわっては困る」と云い、若侍に手洗い場へ案内しろと命じた。

「ひどくものものしいですな」菅田平野はこう云いながら若侍の表情をぬすみ見た、「――なにか奥に秘密でもあるようじゃありませんか」

「いま客が来たのです」若侍は答えた、「――御老職がお二人、なにか御内談があるようですから、こちらです」

菅田平野が手洗いから戻るまで、その若侍は待っていて、彼を元の六帖へ伴《つ》れ戻した。食膳はそのまま置いてあり、茶を持って来るようすもない。

――たしかに、あの奥のほうになにかある。

彼はこう思った。むろん、それが直ちに陸田の存在を示すものではないかもしれない、そうだと考えるのは早合点《はやがてん》だろうが、あの中年の侍の（仰天したような）そぶりから察すると、たしかになにかあるとみていいように思えた。来客の二老職とは、仲島弥五郎と前林久之進に違いない、そして、源太夫が二人を呼んだのは、寺田たち九人の者が不在であること、したがって大里村の光明寺に徒党が集合しているという密告が、信じられたことを証明するであろう。

——かれらは討手を出すに相違ない。

菅田平野は少しあせりだした。かれらが光明寺へ討手の人数を出したらすぐにこっちの行動を始めなければならない。それにはぜひとも陸田氏の所在を探知する必要があった。「あの三老職の話が聞ければいいんだが」と彼はつぶやいた、「——三人の会談の席へ出られれば、なにか緒口《いとぐち》がつかめるだろうが」

彼はそのほかに手段はないと思った。そこで、まだ云い残したことがあるから、といって取次ぎを頼もうと決心したとき、おりよく一人の若侍が入って来た。これはあの渡辺という男よりずっと若く、ぶあいそうなふくれ面《つら》で、大きな手籠を持っていた。

「お済みになりましたか」と若侍は云った、「よろしければ片づけます」

食膳をさげに来たのである。済んだというと、手籠をそこへ置き、食器をその中へ入れたうえ、膳を持って出ていった。菅田平野は取次ぎを頼もうとはしなかった。彼は眼を半眼にし、少し口をあけて、壁の一部をじっと見まもっていた。

「おれは盲人だ」と彼はつぶやいた。「――あの中年の侍が土蔵から出て来たとき気がついていいはずだ、そうではないか、あの手籠が食器を運ぶための物だということは、たったいまわかったのだからな」

菅田平野は手をすり合せた。さっき中庭を隔てて見た情景が、ありありと眼にうかんでくる。三棟並んだ土蔵のまん中のそれから、中年の侍が手籠を持って出て来、あとを閉めて雨の中をたち去った。その手籠はいま眼の前で見たのと同じ物のようである、正しく、中年の侍は土蔵の中へ食事を持っていったのだ。

「おれは盲人だ」と菅田平野はつぶやいた、そしてにやにやと微笑した、「――だが運の好い盲人だ、幸福な盲人といってもいいかもしれない、あとはただ一つ、……討手を出したことがわかったら、ひとつ」

その部屋には六尺の戸納《とだな》があった。彼はそっとその唐紙《からかみ》をあけてみた、上下の段にきっちり蒲団《ふとん》が重ねてある。客用のではない、家士たちの使う予備のものらしい。彼は旅嚢《りよのう》から油綿の入っている油紙包と、燧袋《ひうちぶくろ》とを取り出して（いつでも使えるように）旅嚢の下へ隠して置き、それからそこへ横になって、この家の動静に耳を澄ませた。

約半刻ばかりのち、裏手と思われるあたりで、馬を曳《ひ》き出すけはいや、多数の人々のたち騒ぐ物音が聞えた。馬もかなりな頭数らしく、いななきや蹄《ひづめ》の音が右往左往するようであった。菅田平野はじっと横になっていた。廊下を足音が近づいて来て、この部屋の襖をあける者があった。それでも菅田平野は動かなかった、旅嚢を枕《まくら》にして、じっと眠ったふりをしていた。襖はすぐに閉り、足音は廊下の向うへいった。

やがて騎馬の者たちの出てゆくのが聞えた。重おもしい蹄の音が一隊になって、この屋敷の外を右から左へ廻り、そうしてたちまちのうちに遠く、遥《はる》かに遠く消え去った。——菅田平野は起きあがり、包をあけて油綿を出した。彼は用心ぶかくやった、燧石は戸納の中で打ち、油綿をよくほぐして、両端に火をつけた。火はなかなか燃えつかなかったが、油紙へつけてやると燃えついた。それを上段の蒲団の上にのせ、さらに、戸納の天床《てんじょう》の板を外して斜めにし、その板から天床へ燃え移るようにした。油紙は景気よく焔《ほのお》をあげ、油綿もくすぶりながら、赤い焔の舌をちろちろとひろげた。戸納の中はたちまち油臭い煙で充満したが、その煙は天床の（板を外した）穴へすいすいと吸いこまれてゆく。菅田平野はその火が板に移って、天床へ燃えつくのを待っていた。だが、とつぜん襖があいて、「あっ」と叫ぶ声がした。さっき寝ているのを見に来たから、そっちのほうは安心していたので、襖のあくまで人の来たことに気がつかなかったのである。

「どうしたんですその煙は」

菅田平野は唐紙を閉めながら振返った。部屋の中にも思ったより多く煙がもれていた。その煙越しに、渡辺という若侍の立っているのが見えた。

「なんです、火事ですか」

こう叫びながら、若侍が入って来ようとした。菅田平野はそこにある刀を取り、ひき抜いて相手の前へつきつけた。

「声を立てるな」と彼は云《い》った、「――こっちへ入ってその襖を閉めろ、騒ぐと斬《き》るぞ」

若侍は飛鳥のようにとびのき、「火事だ」と絶叫しながら廊下を走っていった。

菅田平野は煙に咽《む》せながら、刀の下緒《さげお》を外して襷《たすき》にし、袴《はかま》の股立《ももだち》をしぼった。戸納の中では天床板のぱちぱちと焼けはぜる音がし、唐紙の隙間《すきま》からは濃密な煙があふれ出て来た。彼は燧袋と旅嚢を持って、こんこんと咳《せ》きながら廊下へ出た。

廊下の左手から三人ばかり、血相の変った侍たちが走って来た。菅田平野は右へ、奥座敷のほうへ走り、中庭へとびだした。三人は追って来なかった、「火事だ」とか「水だ水だ」という叫び声が聞える。もちろん火を消すほうが大事だろう、――菅田平野が石燈籠《いしどうろう》のところで振返ると、屋根と庇《ひさし》のあいだから灰色の煙が吹きだして、雨の中へとたなびき流れるのが見えた。

「これならわかるだろう」彼は煙を眺めながらつぶやいた、「——雨が邪魔だが、このくらい煙があがれば外から見えるに違いない」

廊下は人の駆けまわる足音や、わめき叫ぶ声でもみ返している。菅田平野は土蔵のほうへ振返った。すると、例のまん中にある土蔵の前に、中年の侍がいて、観音開きをあけようとしているのが見えた。

菅田平野は「あ」といって走りだした。

疑う余地はない。かれらは大事出来《しゅつたい》とみて、その中にいる人物をよそへ移すか、またはその場で片づけるつもりだろう。菅田平野は走りながら旅嚢と燧袋を投げだし、

「待て、その蔵に手をつけるな」

と、叫んだ。相手はこっちへ振向いた。そして、さっととびのいて刀を抜いた。

菅田平野はおどりかかった。抜いたまま持っていた刀を上段にふりあげ、走っていった勢いで真向から斬りつけた。相手は大きく脇《わき》へかわした。菅田平野はむろん相手を斬るつもりはない、井坂十郎太たちが討入って来るまで、その土蔵を守っていればいい、——相手にかわされた彼は、三間あまり駆けぬけ、追い打ちに備えて、刀を横

に払いながら振返った。ところが、振返ったとたんに足が滑り、前のめりに烈《はげ》しく転んだ。はね起きようとして眼をあげると、意外に近く、相手の殺到して来る姿が見えた。

相手は大喝《だいかつ》したらしい、声は聞えなかったが、口と両眼をいっぱいにあけ、充血した顔に歯を剝《む》き出し、そうして刀を打ちおろしながら踏み込んで来る。その姿ぜんたいが、こちらの眼にはほとんど十倍の大きさにみえ、思わず眼をつむりながら（夢中で）地面の上を毬《まり》のように転げた。

そのとき寺田乙三郎が走《は》せつけた。寺田とほかに二人、徒士《かち》組の若侍とで、三人はつぶてのように走って来、呶号《どごう》しながら相手をとり囲んだ。

「斬ってはいけない」菅田平野は立ちあがりながら叫んだ、「――斬ってはいけません、陸田さんはその土蔵の中にいます、もうこっちのものですから」

彼は泥まみれで、口の中にまで泥が入ったので、それを吐き出しながら向うを見た。家の中の障子が乱暴にあけ放されて、井坂十郎太と他に三人ばかり、抜刀を持って廊下へ出て来るのが見えた。

――完全な成功だ。

と菅田平野は心の中でつぶやいた。

——おれの策戦は完璧《かんぺき》だったぞ。

十

正《まさ》しく、菅田平野の策戦は成功した。

光明寺へ討手を出したために、黒藤邸の人数がごく少なかったのと、その少ない人数が火事を消すのに夢中で、井坂らの侵入に気づかなかったのとで、勝敗は瞬時に決定したようなものであった。

火事は部屋二つと屋根の一部を焼いただけで消された。三老職は一室に監禁し、陸《く》田《が》精兵衛は土蔵の中から救い出された。光明寺へいった討手に対しては武者押《むしゃおし》（演習）という触出しで、鉄炮組《てつぽうぐみ》、槍《やり》組、徒士《かち》組の人数をすぐに差向け、かれら三十余騎の引返して来るところを、石鉢山《いしばちやま》の切通しで捕えた。この指揮には寺田兄弟と島口存平、守島仲太らの四人が当った。

この「武者押」の手配も菅田平野の建策であったが、彼の仕事はそれで完了したといってもよかった。十郎太が彼を陸田老にひきあわせたとき、彼は謙遜《けんそん》で品位のある態度を示した。

「いや私の力ではございません」と菅田平野は云った、「井坂さんたち御一同の団結した力と、幸運に恵まれたおかげです、私の策戦など取るに足らぬものでございます」

それから彼は、泥まみれの燧袋を、十郎太に返した。十郎太は不審そうに、それを指で摘《つま》んで受取った。

「拝借した燧袋です」と菅田平野は云った、「――よごしたままで失礼ですが、勘弁して下さい」

黒藤邸を閉鎖して、家士小者には禁足を命じた。仲島、前林らの居宅にもそれぞれ手配をし、三老職は城中へ護送した。こうして、さて陸田精兵衛らが屋敷へひきあげようとしたとき、みんなは菅田平野のいないことに気がついた。手分けをして邸内を捜してみたが、彼はどこにもいなかった。

「どうしたんだ」十郎太はあっけにとられて云った、「――いったいこれはどうしたことだ」

十郎太は茫然《ぼうぜん》と、雨空の向うへ眼をやった。

菅田平野は脱走したのであった。

彼は雨の中をしょんぼりと歩いていた。江戸へゆく道とは反対の方向へ向って、――彼は黒藤邸の庭で(いちど捨てた)あのやぶれ傘をさしていた。片方の手には泥まみれで空っぽの旅嚢《りょのう》をさげ、足にはやはり黒藤邸でつっかけて来た、ちびた古下駄《ふるげた》をはいていた。

彼は疲れているうえに、ひどく空腹で、おまけに眠かった。

「これは虚栄心だかもしれない」歩きながら彼はつぶやく、「——本当は虚栄心か、偽善かもしれない、おれはそうではないと思う、おれはそんなふうには思いたくない、あの燧袋、泥まみれの燧袋を拾って返したとき、こんな気持になったのだ、あれを井坂に返したとき、井坂がいぶかしそうな顔をして、二本の指で摘んで受取ったとき、おれの中でなにかが起こった、なにかが、……ちょっと口には云えないが、ともかく逃げだすのは今だ、たったいまここから逃げだせ、という気持だった」

彼の腹の中で妙な音がした、その音がなにを意味するかは知る者ぞ知るであろう、彼はなさけないような顔をして、ぐっと生唾《なまつば》をのんだ。

「いや虚栄心じゃない、これは虚栄や偽善じゃあない、良心の問題だかもしれない」と菅田平野は続けた、「——おれは恥ずかしいような、照れくさいような気持になった、そこがふしぎなんだが、いや、おれにはふしぎでもなんでもない、このへぼ頭から絞りだした策戦が、あんなにみごとに成功したということは恥ずかしい、策戦をたて、自分が行動しているあいだはよかった、心身とも爽快《そうかい》に緊張していたが、策戦が完全に成功し、一つの齟齬もなくすべてが完了したとき、そうだ、おれは索寞と恥ずかしくなり、いたたまれなくなった……どうしてそこにいられるか、事が完了した以上おれは余計な人間じゃないか、あとは、そうだ、はっきり云おう、あとはおれの功績が計算される番だ、おれはそれを願っていなかったろうか、おれは初めからそれを願っていた、おれは初めにこの蔓《つる》は放さないぞと思った、おれはその蔓をものにして仕官するつもりだった、万事が完了したとき、それがはっきりと浮きあがってきたんだ、……となれば、おれの良心としてそこにいられる道理がない、これは侍の良心の問題だ」

疲れきって、空腹で、死ぬほど眠いにも拘《かかわ》らず、菅田平野は高邁《こうまい》な感情に包まれていた。精神もすがすがしく、爽《さわ》やかであった。もっとも腹の中のことはべつである。腹の中では（もうずっとまえから）まったく違う声が彼を非難していた。

「くうくうこの虚栄心の強い偽善者め」とその声は云うのであった。「きさま空腹のあまり切腹のまねまでしたじゃないか、なにが侍の良心だ、きさまは充分に役立ったし、仕官は確実に眼の前にあった、くうっ、くうっ、さあ戻れ、すぐ十郎太のところへ戻れ、仕官するのが照れくさいのなら約束の金だけでも借りろ、あの男の紙入の中にはおまえに約束した金があるんだ、さあ戻ってゆけ」

「頼むから戻ってくれ、お願いだから」と腹の中の声は続けるのであった、「こんなに空腹で無一物でどうするんだ、おれはいやだぞ、こんなに腹ぺこでなにが高邁だ、おれはいやだ、いやだいやだいやだ、やいこの……なにか食わせろ、やいなにか食わせろ」

菅田平野は唇を曲げて立停った。頬が痒《かゆ》いので手で擦《こす》ると、乾いた泥がぽろぽろと落ちた。彼は自分の軀《からだ》を眺めまわし、半ば乾いた泥まみれの、古びて継ぎはぎだらけの着物や袴を見、やはり泥だらけの素足にはいた、古下駄を見た。

腹の中でまた鳴音がした。それは馬蹄《ばてい》の音のようであった。菅田平野はどきりとした、彼の名を呼ぶ声が聞えるのである、腹の中の鳴音から馬蹄の音が分離し、彼の名を呼ぶ声がはっきり聞えたからだ。

彼はどきりとしながら振返った。

井坂十郎太が馬をとばして来た。笠《かさ》も合羽《かっぱ》も着ず、鞭《むち》をあげてけんめいにとばして来た。馬蹄のあげる雨水のしぶきが、そのときほど爽快に、またたのもしくみえたこと（菅田平野にとって）はなかった。

「どうか戻って下さい、菅田さん」

乗りつけた馬からとびおりると、井坂十郎太は懇願するように云った。

「いやわかっています」と十郎太は息をはずませながら云った、「貴方《あなた》がどうして立去られたか、私にはよくわかっています、しかしそれはいけません、貴方のお気持はあっぱれだが、それでは私どもが困るのです」

「――貴方がたがお困りになる」

「伯父にどなられたのです」と十郎太が云った、「こんどの事で、貴方に藩の内紛を知られてしまった、藩の内紛を知られたからには、このまま菅田さんをよそへやるわけにはいかない、ぜひ戻って任官されるか、客分として留まってもらわなければならない、すぐ手分けをして追いつけと云われたのです」

菅田平野は心の中でわれ知らず叫んだ。

――有難い、これで堂々と帰れるぞ。

だが、彼はできるだけ渋い顔をして頷《うなず》いた。

「なるほど、それは仰《おっ》しゃるとおりかもしれませんな」

「戻ってくれますか」

「やむを得ません」と菅田平野は云った、「――御藩の平安のためですから戻りましょう」

そしてつい知らずおじぎをし、十郎太を見て、もうがまんしきれずに笑いながら云った。

「どうも有難う」

（「サンデー毎日」臨時増刊涼風特別号、昭和二十九年七月）

しじみ河岸《がし》

一

花房律之助《はなぶさりつのすけ》はその口書の写しを持って、高木新左衛門《たかぎしんざえもん》のところへいった。もう退出の時刻すぎで、そこには高木が一人、机の上を片づけていた。

「ちょっと知恵を借りたいんだが」

高木はこっちへ振返った。

「この冬木町の卯之吉《うのきち》殺しの件なんだが」と律之助は写しを見せた、「これを私に再吟味させてもらいたいんだが、どうだろう」

「それはもう既決じゃあないのか」

「そうなんだ」

「なにか吟味に不審でもあるのか」

「そうじゃない、吟味に不審があるわけじゃない」と律之助は云《い》った、「私はこの下手人のお絹という娘を見た、牢見廻《ろうみまわ》りのときに見て、どうにも腑《ふ》におちないところがあるので、こっちへ来てから口書を読んでみた」

高木は黙って次の言葉を待った。

「それから写しを取ってみたんだが」と律之助はそれを披《ひら》いた、「これでみると娘の自白はあまりに単純すぎる、自分の弁護はなにもしないで、ただ卯之吉を殺したのは自分だ、と主張するばかりなんだ」

「あの娘は縹緻《きりよう》がよかったな」

「読んでみればわかる、これはまるで自分から罪を衣《き》ようとしているようなものだ」

「おれに読ませるんじゃないだろうな」

「まじめな話なんだ」と律之助は云った、「私に再吟味をさせてくれ、申し渡しがあってからでは無理かもしれない、しかしいまのうちなら方法がある筈《はず》だ、たのむからなんとかしてくれないか」

高木は訝《いぶか》しそうな眼で彼を見た。

「なにかわけがあるのか」

「それはあとで話す」

「ふん、――」と高木は口をすぼめた、「あの係りは小森だったな」

「小森平右衛門《こもりへいえもん》どのだ」

「彼はうるさいぞ」と高木は云った、「彼は頑固なうえにおそろしく自尊心が強い、もし自分の吟味に槍《やり》をつけられたことがわかりでもすると、どんな祟《たた》りかたをするかもしれないが、いいか」

律之助は微笑した。

「それでよければ、考えてみよう、但《ただ》しできるかどうかは保証しないぜ」

律之助は安心したように頷《うなず》いた。

花房律之助はこの南（町奉行所）では新参であった。彼は町奉行所に勤める気はなかったし、父の庄右衛門《しょうえもん》も同じ意見だった。しかし父が死ぬときの告白を聞いて、彼は急に決心をし、母の反対を押し切って勤めに出た。死んだ父は二十年ちかいあいだ、町方と奉行所で勤め、死ぬまえの五年は北町奉行の与力《よりき》支配であった。そのおかげがあったかもしれない、役所は南だったが、律之助は年番（会計事務）を二年やり、次に例繰《れいぐり》（判例調査）、牢見廻りというふうに、短期間ずつ勤めたうえ、つい七日まえに吟味与力を命ぜられた。――高木新左衛門は父方の従兄《いとこ》に当る、年は五つ上の二十九歳であるが、早くから南に勤め、吟味与力として敏腕をふるった。現在では支配並という上位の席におり、人望もあるし、信頼されているようでもあった。

「保証できないと云ったが、あれなら大丈夫だ」と律之助は自分に呟《つぶや》いた、「あれならきっとなんとかしてくれるに相違ない」

組屋敷の自宅に帰った彼は、もういちど、丹念に口書の写しを検討した。

事件はこうである、――いまから二た月まえの七月七日、ちょうど七夕の夜であったが、深川冬木町の俗に「しじみ河岸」と呼ばれる堀端《ほりばた》の空き地で、夜の十時ごろに殺人事件が起こった。殺されたのは卯之吉といって、二十五歳になる左官職。殺したのはお絹という二十歳の娘であった。兇器《きょうき》は九寸五分の短刀、傷は肩と胸と腹に五カ所あり、胸の傷が心臓を刺していて、それが致命傷だった。

娘は差配の源兵衛《げんべえ》に付添われて、十一時ごろに平野町の番所へ自首して出た。そして明くる朝、八丁堀から町方が出張して訊問《じんもん》したところ、すらすらと犯行を自白したので、口書を取ったうえ小伝馬町《こでんまちよう》へ送った。――卯之吉は冬木町の源兵衛店《だな》に住み、伊与吉という父親がある。お絹も同じ長屋の者で、勝次という父と、直次郎という弟があった。勝次は四十八歳、三年まえから中風で寝たきりだし、弟の直次郎は白痴であった。お絹はかなり縹緻がいいのに、二十まで未婚だったのはそんな家庭の事情のためだろう。気性もおとなしそうであるが、ちょっと陰気で、芯《しん》のつよい、片意地なところがあった。

町奉行での係りは、吟味与力の小森平右衛門だった。小森も南では古参のほうだし、相当に念をいれて調べているが、お絹が口書のとおり繰り返すばかりなのと、ぜんたいがあまり単純なのとで、それ以上に詮索《せんさく》しようがないようであった。

お絹は卯之吉に呼びだされ、無理なことを云われたので、かっとなって、夢中で男を刺したという。殺すつもりはなかったし、刺したのも夢中であるが、自分のしたことに間違いはないから、早くお仕置にしてもらいたい、と云うのであった。

――無理なことを云われたというが、それはどんなことだ。

こう訊問したが、お絹はただ「無理なことです」と云うだけであった。

――その事情によってはお上にも慈悲があるが、ただ「無理なこと」ぐらいで人間ひとり殺したとなると、死罪はまぬかれないぞ。

小森はこう問い詰めた。しかしお絹は、どう無理かということは、話しても旦那方《だんながた》にはわかってもらえないだろう、自分は覚悟をきめているから、もうなにも訊《き》かないで早くお仕置にしてもらいたい。そう繰り返すばかりであった。

もちろん、小森は必要な証人を呼んで調べている。差配の源兵衛や、相長屋の者たち、また地主であり付近一帯の家主で、質と両替を営んでいる相模屋《さがみや》儀平（出頭したのは番頭の茂吉であったが）など――だが、これらの証人たちからも、お絹に有利な陳述はなに一つとして得られなかった。

つまるところ、「この娘は下手人ではない」という律之助の直感以外に、反証となるような材料はまったくないのである。

「おれにはむしろそこが大事なんだ」律之助は写しをしまいながら呟いた、「なに一つ反証らしいもののないこの単純なところが、――ここになにかある、必ずなにか隠されている、おれにはそれが感じられるんだ」

それから彼は眼をつむって、祈るように呟いた。

「お父さん、――」

二

明くる日、――高木新左衛門は律之助をつれて小伝馬町の牢へゆき、囚獄奉行の石《いし》出《で》帯刀《たてわき》に彼をひきあわせた。高木はなにも云わなかったし、律之助もよけいなことは訊かなかった。

石出帯刀は高木と雑俳のなかまだという。三十一二で、軀《からだ》の小柄な、すばしこい顔つきの、はきはきした男だった。

「そうですか、花房さんの御子息ですか」帯刀は好意のある眼で律之助を見た、「私も花房さんはよく知っています、いろいろ教えてもらったりお世話になったりしたものです、まだお若かったのに残念でしたね」

律之助は簡単に自分の頼みを述べた。

「いいでしょう」と帯刀は云った、「ゆうべ高木からあらまし聞いて話したんですが、もしこんどの勘が当って、吟味がひっくり返りでもすると、——もちろんその自信があるわけだろうが、新任のあんたにとっては兜首《かぶとくび》ですよ」

律之助は黙っていた。

——私はそんなものが欲しいんじゃありません、まるでべつのことのためにやるんです。

彼は心の中でそう呟いたが、口には出さなかった。

帯刀は志村吉兵衛という同心を呼び、律之助をひきあわせて、必要なことに便宜をはかれと命じた。もう話ができていたのであろう、吉兵衛はすぐに、「どうぞ」と云って案内に立った。

「私はさきに帰るよ」高木が云った、「役所のほうはうまくやっておくが、できたら日にいちど顔だけは出してくれ」

律之助はそうすると答えた。

案内されたのは詮索所であった。それは二間四方の部屋で、左右がどっしりと重い栗色《くりいろ》になった杉戸《すぎど》、うしろが襖《ふすま》で、前に縁側があり、その下が白洲《しらす》になっている。——律之助が入ってゆくと、もうその娘は白洲に坐《すわ》っていた。彼女の右につくばい同心、うしろに牢屋下男が二人いた。

「二人だけで話したい」と律之助は志村に云った、「どうかみんなここを外してくれ」

志村は承知し、かれらは去った。

二人だけになるのを待って、律之助は縁側へ出て坐った。

「私を覚えているか」と律之助が娘に云った。

お絹はゆっくりと顔をあげた。

鼠色《ねずみいろ》の麻の獄衣に細帯、髪はひっつめに結ってあり、もちろん油けはない。軀はほっそりしているが、働き続けてきたので肉付はよく、腰のあたりが緊《しま》ってみえた。おもながの、はっきりした眼鼻だちで、顔色も冴《さ》えているし、眼もおちついたきれいな色をしている。

「はい、――」とお絹は云った、「見廻りにいらしったのを知っています」

「私はこんど吟味与力になった」

お絹は彼を見あげた。

「それでおまえの事件を再吟味するつもりだ」

「どうしてですか」とお絹が云った。

「本当のことを知りたいからだ」

「あたしはみんな申上げました」
「私は本当のことを知りたいんだ」
「あたしはすっかり申上げました」
「いや、そうではない」と律之助は云《い》った、「大事なことが幾つかぬけている、それをこれから訊くから正直に答えてくれ」
「どうしてですか」
「どうしてかって」
「あたしは小森さんの旦那に残らず申上げましたし、卯之さんの下手人はあたしだって、ちゃんともうわかっているんですから、それでいい筈じゃないでしょうか」
「よく聞いてくれ」と彼は云った、「私たちの役目は、下手人を捕まえて仕置をすればいいというんじゃあない、まず誰がまちがいのない下手人であるかを押えることなんだ」
「ですからあたしが、慥《たし》かに自分でやったと」
「それなら訊こう、口書によるとおまえは夢中で卯之吉を刺したという」と彼は云った、「殺すつもりはなかったが、無理なことを云われたのでかっとなり、夢中で刺してしまったと云っているが、これは嘘《うそ》か」

「――どうしてですか」

「おまえに訊いているんだ」と彼は云った、「夢中でやったというのは嘘で、初めから殺すつもりだったんじゃないのか」

「そんなことは決してありません、殺すつもりなんかあるわけがありません」

「それは慥かだね」彼は念を押した。

お絹は慥かですと答えた。

「では訊くが短刀はどうしたんだ」

お絹はぼんやりと彼を見あげた。

「あれは七夕の晩だった」と彼は云った、「それで卯之吉が呼びに来たんだろう、呼びに来られて出てゆくのに、なんの必要があって短刀なんぞ持っていったんだ」

娘は片方の頰で微笑した。それは明らかに当惑をそらす微笑であった。

「答えなくってもいいよ」と彼は云った、「次に、おまえは娘の腕で親と弟をやしなって来た、親は寝たっきりだし、弟は白痴だという」

「ちがいます、直は馬鹿《ばか》じゃありません」お絹は屹《きつ》となった、「七つのとき蜆河岸《しじみがし》で頭を打って、その傷が打身になっているだけです。それが治ればちゃんとした人間になるんです、直は決して馬鹿なんかじゃありません」

「それは悪かった、あやまるよ」

お絹は眼をみはった。与力の旦那に「あやまる」などと云われて、よっぽどびっくりしたのだろう、眼をみはると同時に口があいて、白くて粒のこまかいきれいな歯が見えた。

「白痴と云われても怒るほど、弟おもいなんだな」と律之助は云った、「しかしそれならなおのこと、寝たきりの親や、そういう弟のことを考える筈だ、もしおまえが死罪にでもなるとしたら、あとで二人はどうなると思う」

お絹は答えなかった。

「二人のことは構わないのか」

「それはいいんです」とお絹は云った、「だってもう、あたしはこんなことになってしまったんですから」

「二人が乞食《こじき》になってもか」

「乞食なんかになりゃしません」

「なぜだ、――」

お絹の緊張した顔に、一瞬、やすらぎと安堵《あんど》の色があらわれた。それは僅《わず》か一瞬のことではあったが、律之助は誤りなく見てとったと思った。

「よし、これも答えなくっていい」と彼は云った、「次にもう一つ——卯之吉が無理を云ったそうだが、どんな無理だか聞かせてくれ」

「それも小森さんの旦那に云いました」

「私が聞きたいんだ」

「口書に書いてあるとおりです」

「自分で云えないのか」と彼が云った、「すると卯之吉は、おまえを手籠《てごめ》にでもしようとしたんだな」

お絹の顔が怒りのために光った。

「誰が、誰がそんなことを云ったんですか」

「手籠にしようとしたのか」

三

お絹は怒りの眼で律之助をにらんだ。

「あの人は」とお絹は吃《ども》った、「卯之さんは、そんな人じゃありません、卯之さんは、間違ったってそんなことをする人じゃありません、町内の者なら誰だって知っています、嘘だと思ったら聞いてみて下さい、誰だってみんな知っていることですから」

「わかった、よくわかったよ」

「そんなことを云われたの、初めてです」お絹はまだ云った、「八丁堀の旦那だって、小森さんの旦那だって、そんないやなことは云いませんでしたよ」

「いやなことを云って済まなかった、勘弁してくれ」

律之助は微笑しながら云った。

お絹を牢《ろう》へ戻し、帯刀に礼を述べてから、律之助は南の役所へ帰った。そうして、卯之吉の検死書（傷の見取図が付いている）をしらべ、それから倉へいって、兇器《きょうき》の短刀をしらべた。それは白鞘《しらさや》の九寸五分で、近くの路上に落ちていたという鞘には、乾いた土がこびり着いていた。中身は血のりがついたままなので、むろん鞘におさめてはなかった。なかごを見るほどの品ではない、しかしどうやら脇差《わきざし》をちぢめたあげものらしい、それが彼の注意をひいた。高価な品ではないが「あげもの」ということが仔細《しさい》ありげに思われた。

翌日、彼は蜆河岸へいった。

永代橋《えいたいばし》を渡って深川に入り、上《かみ》ノ橋《はし》から堀ぞいにゆくと、寺町を過ぎて蛤町《はまぐりちょう》、冬木町と続いている。蛤町には井伊《いい》家の別邸があるが、その地はずれから冬木町へかけて、河岸通りも裏もひどく荒廃した、うらさびれたけしきであった。寺町と蛤町の角に、三棟の土蔵の付いた大きな商家がある、店先の暖簾《のれん》に「相模屋」と出ているが、これがこの辺一帯の地主であり、家主であり、質両替を営んでいる店だろう。土蔵造りの店のうしろに、住居らしい二階建の家が見え、まわした黒板塀《くろいたべい》をぬいて、赤松の枝がのびていた。

それは荒れ朽ちた周囲のけしきの中で、いかにも際立《きわだ》って重おもしく、威圧的にみえた。

律之助はちょっと相模屋の前で足を停めた。店へ寄ってみたいようなようすだったが、また歩きだし、亀久橋のところまでいって、そこで遊んでいる子供たちに、蜆河岸を訊《き》いた。

「そこだよ」と八つばかりの子が云った、「そこを曲ったとこの堀端《ほりばた》をずっと蜆河岸っていうんだよ」

四つ五つから七八歳までの子が七人、ほかに十歳ばかりの、妙な男の子を取巻いて、どうやらみんなでいじめていたところらしい。いちばん大きなその子は、業病《ごうびょう》でも患《わずら》っているように皮膚が赤くてらてらしてい、ぼさぼさの髪毛も眉毛《まゆげ》も、乾いた朽葉色でごく薄かった。みなりのひどいことは他の子供たちと同様であるが、だらっと垂れた唇は涎《よだれ》だらけだし、紫色の歯齦《はぐき》と、欠けた前歯がまる見えであった。

律之助はぞっとしながらも眼をそらし、いま教えてくれた子供に向って笑いかけた。

「有難うよ、坊や」と彼は云った、「おまえ年は幾つだ」

「おらか」とその子が云った、「おらあはたちだよ」

「幾つだって」

「はたちだよ、十九の次の二十歳《はたち》さ」

他の子供たちがわっと笑った。子供らしくない嘲弄《ちようろう》の笑いであった。律之助は口をつぐんだ、するとその子がまた云った。

「おじさん役人だろう」

律之助はその子を見た。

「なんの用があるのか知らねえが気をつけたほうがいいよ」とその子が云った、「この辺の者は命知らずだからね、役人なんかがうろうろしてると、なにをするかわかったもんじゃねえ、本当だぜ」

「本当だぜおじさん」とべつの子が云った、「ほんとに足もとの明るいうちにけえったほうがいいぜ」

律之助は苦笑したが、心の中ではすっかり戸惑い、そしてこみあげる怒りを抑えるのに骨を折っていた。

——この子供たちを怒ってはいけない。

彼はそう自分に云った。

——子供たちに罪はない、こいつらは自分の云っていることを理解していないんだ。

彼はふところから銭嚢《ぜにぶくろ》を取り出した。子供たちはぴたっと口を閉じ、眼を光らせて彼の手もとを見た。彼は文銭をあるだけ出して、さきの子供の手へ与えた。

「みんなで菓子でも喰《た》べろ」と律之助は云った、「おじさんは役目でしかたなしに来たんだ、あんまりいじめないでくれ」

子供は不信の眼つきで、すばやく、ぎゅっとその銭を握った。

そのとき向うで「伝次」というするどい女の声がした。低い傾いた家の軒下に、長屋のかみさんらしい女が（みな赤子を抱くか背負うかして）三人立っていた。

「返しな、伝次」と女の一人が叫んだ、「乞食じゃあるめえし、見ず知らずの他人から銭を貰《もら》うやつがあるか、返しな」

「みんなこっちい来う」とべつの女が叫んだ、「こっちい来て遊べ、みんな、倉造」

「返さねえか伝次」まえの女が喚《わめ》いた、「返さねえとうぬ、手びしょうぶっ挫《くじ》いてくれるぞ」

「そう怒らないでくれ」

律之助は女たちのほうへ近よっていった。

「いま道を教えてもらった礼にやったんだ」彼は穏やかに云った、「ほんの文銭が四五枚なんだから、――可愛《かわい》い子だな」彼は女の抱いている赤子を覗《のぞ》いた、「丈夫そうによく肥えているじゃないか、もう誕生くらいかな」

女は「へえ」といった。それからまた「伝次」と棘《とげ》のある声で喚いた。

「なに云ってやんだ、べえーだ」その子は向うで舌を出した、「これはおらが道を教えておらが貰った銭だ、返すもんか」

「うぬ、この畜生ぬかしたな」

「おっかあのくそばばあ」その子は云った、「おらこれで芋買って食うだ、勘兵衛の芋買って一人で食うだ、へーん」

さあみんな来いと云うと、その子は亀久橋を渡ってとっとと駆けてゆき、ほかの子供たちもそのあとを追っていった。

「悪かったようだな、銭などやって」と律之助が云った、「ほんの礼ごころだったんだが」

女はなにも云わなかった。三人とも黙っていたが、手で触れるほどはっきりと、敵意が感じられた。本能的で、あからさまな敵意だった。

——まずい出だしだ。

彼はそこをはなれた。

蜆河岸は狭い掘割に面して、対岸には武家の別邸とみえる長い塀があり、塀の中には椎《しい》やみず楢《なら》が、黒く葉の繁《しげ》った枝をびっしり重ねているので、建物はまったく見えなかった。——道に沿って右側に空き地がある、おそらくそのどこかで兇行《きようこう》がおこなわれたのだろう、律之助はその空き地のほうへ入ろうとした。すると、すぐうしろで声がした。

「おいたん、おいたん」

彼は驚いてとびあがりそうになった。

四

振返ると、そこにあの妙な少年が立っていた。

「ああおまえか」と律之助が云った、「どうした、みんなといったんじゃないのか」

少年は首を振り、固く握っている右手の拳《こぶし》を、彼のほうへ出してみせた。やはり口をあけて涎を垂らしたままだし、眼やにだらけの眼はいかにも愚鈍らしく濁っていた。

——お絹の弟じゃないか。

律之助は初めてそう気がついた。

「おいたん、こえ、ね」少年は云《い》った、「ね、おいたん、こえ」

「なんだ、なにか持ってるのか、なんだ坊や」

少年は固く握った拳をさしだし、そろそろと指をひろげた。そこには潰《つぶ》れてぐしゃぐしゃになった、小さな生菓子があった。

「いい物持ってるな」と彼は云った、「どれどれ、ほう、——鹿子《かのこ》餅《もち》か、洒落《しゃれ》たものを喰べてるんだな」

「もやったんだよ」少年が云った、「またもやうんだよ、ね、みんなが取ようとしっかやね、おいたん怒ってくんか」

「よしよし怒ってやるよ、坊や」と彼は云った、「おまえ直っていう名前か」

「直だないよ」少年は首を振った、「あたい直だない、直は馬鹿だかやね、あたい馬鹿だないよ」

少年はずっとついてまわった。

律之助は少なからずもて余した。云うこともよくわからないし、向うで遊べといってもも側からはなれない、彼の歩くあとから、どこまでもついて来た。——それから、差配の源兵衛に会って、当夜のことを訊いたあと、お絹と卯之吉《うのきち》の住居へ案内させた。

七側《ななかわ》並んでいる長屋で、卯之吉の住居は西から二タ側めにあり、お絹のほうは六側めにあった。そのときも少年はまだつきまとっていたが、それは（源兵衛の話で）やはりお絹の弟の直次郎だということがわかった。

源兵衛は五十一二歳の、軀《からだ》の小さな、固肥《かたぶと》りの毛深い男だった。濃い眉の下の細い眼がするどく、態度は卑屈で、絶えずぺこぺこと頭を下げる。こんな人間が店子《たなこ》などにはてきびしいのだろう、律之助はそう思ったが、じっさい長屋の者たちのようすには、それがよくあらわれていた。

「なんでございますか、その」と源兵衛は別れ際に云った、「あの件でなにかまだ、その、御不審なことでも、――」

「うん、ほんのちょっとしたことだが」と彼はさりげなく云った、「一つ二つ納得のいかないところがあるんでね、たいしたことじゃないが」

「すると、旦那《だんな》が御自分で、お調べなさるんですか」

「そのつもりだ」と彼は答えた。

「それはどうでしょうかな」源兵衛は横眼ですばやく彼を見、躊《ため》らうように云った、「こんなことを申してはなんですが、この辺のにんきの悪いことはもうお話のほかでして、土地に馴《な》れたお手先衆でも、うっかりすると暗がりから棒をみまわれるくらいですから」

「そうらしいな」

「よけいなことを申上げるようですが、馴れた方にでもお命じなすったほうが御無事かと存じますが」

「なに、それほどのことでもないんだ」

律之助は軽く云いそらした。

彼は三日続けて冬木町へかよった。二日休んで、そのあいだの見聞を整理した。それだけでみると、まるっきり得るところなしであった。三日間に会って話した人間は、男女九人だったが、かれらはなにも語らない、誰も彼も云いあわせたように、「へえ」とか「そんなようです」とか「知りません」などと答え、少し諄《くど》く問いつめるとその返辞さえなくなり、木偶《でく》のように黙りこんでしまうのであった。

彼の知りたいのは左の三カ条であった。

――お絹と卯之吉は恋仲ではなかったか。他にお絹にいいよっていた者はないか。

――当夜、二人のほかに誰か見かけなかったか。

だが、どの問いにもはっきり答える者はなかった。

役人に対するかれらの敵意の激しさは、初めの日に経験した。子供たちまでが(むろん親や周囲の影響だろうが）敵意を示し、嘲弄するといったふうである。律之助は整理した記事を検討しながら、幾たびも溜息《ためいき》をついた。しかし、お絹は下手人ではない、という直感だけはますます強くなった。

「かれらはなにか知っている」と彼は自分に云った、「言葉を濁したり、とぼけたり、急に黙りこんだりするのがその証拠だ、あれは反感や敵意だけじゃない、慥《たし》かになにか知っているからだ」

「おれはそいつを摑《つか》んでみせるぞ」と彼はまた云った、「おれのこの手で、必ず摑みだしてみせるぞ」

次にでかけた日は雨が降っていた。

律之助は卯之吉の父親に会った。伊与吉は植木職（手間取りだったが）なので、晴れている日は稼ぎに出るため、それまで会う機会がなかったのである。――伊与吉もまたあまり話はしなかった。瘦《や》せて骨ばった軀つきの、気の弱そうな老人だったが、死んだ卯之吉の孝行ぶりを自慢したり、その子に死なれた老いさきのぐちを、くどくどとこぼすばかりで、こちらの肝心な質問になると、殆《ほと》んど満足な答えをしないのであった。

「私は下手人はほかにあると思うんだ」と律之助は繰り返した、「私は本当の下手人を捜しだしたいんだ、おまえだって自分の伜《せがれ》を殺した下手人がほかにあるとすれば、そいつを捜しだしたいと思うだろう、そうじゃないか」

「へえ」と伊与吉は眼を伏せた、「それはまあ、なんですが、べつにそうしたからって、死んだ卯之吉が生きけえって来るわけじゃあねえし」

「じゃあ訊くが、下手人でもないお絹が、お仕置になるのも構わないのか」

「お絹ぼうは」と伊与吉が云った、「下手人じゃあねえのですか」

律之助は絶句した。伊与吉の仮面のように無表情な顔と、その水のように無感動な反問とは、殆んど絶望的に、人をよせつけないものであった。伊与吉の家を出た彼は、蜆河岸《しじみがし》へいってみた。

雨はさしてつよい降りではないが、そこはひっそりとして、掘割の繫《つな》ぎ船にも人影はなかった。彼は空き地へ入ってゆき、そこに佇《たたず》んで、あたりを眺めまわした。

「此処《ここ》でなにかがあった」と彼は口の中で呟《つぶや》いた、「口書に記された以外のなにごとかが、——この雑草どもはそれを見ていた」

空き地にはところ斑《まだら》に雑草が生えていた。そこはかつて砂利置き場にでも使ったのか、いちめんに礫《こいし》がちらばっていて、その合間あいまにかたまって草が伸びている。もう晩秋のことで、みな枯れかかって茶色にちぢれ、なかにはすっかり裸になって、白く曝《さら》された茎だけになったのもある。そうして、それらは雨に打たれながら、近づいている冬の寒さをまえに、ひっそりと息をひそめているといったふうにみえた。

「おまえたちは見ていたんだ」と彼は草を眺めながら云った、「七夕の夜ここでなにがあったかを、——おまえたちに口があったら、それを云うことができるんだのにな」

さしている傘に、雨の音がやや強くなった。律之助はやがて源兵衛店《げんべえだな》のほうへ戻った。

その日はお絹の父に会い、そのほかに三人の者と話してみた。お絹の父の勝次は寝たきりだし、舌がよくまわらないので、纏《まと》まったことはなにも聞けなかった。しかもそばに直次郎がいて、絶えまなしに話しかけ、菓子を出して来て自慢そうに喰べたり、着物を捲《まく》って向う脛《ずね》の古い傷あとをみせたり、四つか五つの子供のように、玩具《おもちゃ》を持って来て「いっしょに遊ぼう」とせがんだりする。それを飽きずに繰り返すので、律之助はうんざりして立ちあがった。

他の三人との話も、このまえと同じように徒労だった。一人は土屋の人足、一人はぼて振、もう一人は御札売りだったが、ちょっとでも事件に関係のある話になると、みな敏感に口をそらして、そらとぼけた返辞しかしないのであった。

「へえ、さようですか、私はちっとも存じませんな」

「なにしろ稼ぎに追われて、長屋のつきあいなんぞしている暇がねえもんだから、へえ」

「あっしは引越して来たばかりで、そういうことはまるっきりわかりません」

では引越して来たのはいつだと訊くと、「まだ三年にしかならない」という、すべてがそんな調子だった。

——お絹自身が下手人だと主張するくらいだから、そう簡単にはゆかないに違いない。

律之助はそう覚悟してかかったのだが、この抵抗の強さには少なからずたじろいだ。それまでにわかったことは、卯之吉とお絹が恋仲でないにしても、かなり親しくしていたということ。また卯之吉は二十五にもなるのに、やむを得ないつきあい以外には酒もあまり飲まず、女遊びなどもしないので、なかまから変人扱いにされていた。などというくらいのことだけであった。

「二人を恋仲だったとしよう」雨のなかを歩きながら、律之助は呟いた、「そこへ誰かが割込んで、お絹の奪いあいになった、そうしてその男が卯之吉を殺した、——これがもっとも有りそうな条件だ、しかし、そうではない、二人が恋仲だったとすれば、卯之吉を殺されたお絹は相手に復讐《ふくしゅう》するだろう、恋人を殺されたのに、自分が下手人などとなのって出るわけがない、どうしたってそんな理由があるわけがない」

彼は河岸っぷちで立停った。

「父さん」と彼は呟いた、「こいつは私の勘ちがいかもしれませんね」

はがね色によどんだ堀の水面が、やみまもなく降る雨粒のために、無数のこまかい輪を描き、そして陰鬱《いんうつ》な灰色にけぶっていた。——彼はやや暫《しばら》く、茫然《ぼうぜん》とその水面を眺めていたが、ふと、うしろに人のけはいがしたように思い、振返ろうとするとたん、うしろからだっと、猛烈な躰当《たいあた》りをくらった。

五

躰当りをくった瞬間、律之助の頭のなかでいつかの悪たれ共の言葉が、閃光《せんこう》のはしるように閃《ひらめ》いた。

躰を躱《かわ》す暇はなかった。反射的に振った右手で、偶然なにかを掴んだ。それは相手の着物の衿《えり》で、がっしと掴んだまま、堀の中へ落ちこんだ。相手もいっしょだった、相手は掴まれた衿を振放そうとしたが、躰当りをした勢いがついていたのと、律之助の引く力とで、とんぼ返りを打ちながら、いっしょに落ちこんだ。

殆んど同躰に落ちて沈んだが、律之助は水の中で相手をひき寄せ、両足で相手の胴を緊《し》め、もっと底の方へ沈めた。相手はけんめいに暴れた。二人はいちど浮きあがったが、そのとき彼は相手の横面《よこつら》を殴り、また水の中へ引き込んだ。「助けてくれ」相手が悲鳴をあげた、「おら泳げねえ、死んじまう」そして「がぶっ」と水を嚙《か》み、気違いのように暴れた。律之助はそれを強引に押し沈め、水の中で押えつけ、息をつきに浮いて、また押し沈めた。相手が暴れるので、彼もちょっと水を飲んだ。塩からくて、臭みのある水だった。——三度めに沈めると、相手の軀《からだ》からすぐに力がぬけた。そこで律之助は浮きあがったが、脱力した相手の軀が重たくて、水面へ出るのに骨が折れた。

浮きあがってみると、両岸に繫いである船から、四五人の者がこっちを見て、なにか口ぐちに叫んでいた。岸の上にも立停っている者がいた。

「綱はないか」と彼は叫んだ、「こいつ溺《おぼ》れているんだ、綱を投げてくれ」

「いま舟が来ます」とすぐそこに繫いだ荷足船《にたりぶね》の上から、船頭らしい男が云った。

櫓《ろ》の音がするので、振返ると、ちょき舟が一艘《そう》こっちへ近づいて来た。向う岸から漕《こ》ぎだしたらしい、鉢巻をした半纏《はんてん》着の若者が、雨に濡《ぬ》れながら巧みに櫓を押している。——律之助は男の軀を支えながら、自分の腰が軽いので、刀をなくしたなと思った。しかし、水の中だから軽く感じたのであろう、両刀ともちゃんと腰にあるのがすぐにわかった。

「気を喪《うしな》ってるだけだ」舟が来ると、律之助が云った、「ちょっと手を貸してくれ」

「へえ、あっしがあげます」と若者は踞《かが》んで両手を伸ばした、「旦那、大丈夫ですか」

「おれは大丈夫だ――いいか」

「よいしょ」若者は男を舟の上へ引きあげた。「おっ、こいつ六助じゃねえか」

律之助も舟へあがった。

「知っている男か」と律之助が訊《き》いた。

「蛤町の六助っていう遊び人です」

「遊び人――」彼は手拭《てぬぐい》を出して絞り、それで髪の水を拭《ふ》きながら首を傾《かし》げた、「よし、平野町の番所へやってくれ」

半刻《はんとき》ばかり経《た》って、――

律之助は番所へ着くとすぐに、番太の一人を相模屋《さがみや》へやって、着物を都合してくれるように頼み、他の二人の番太が六助の介抱をするのを視《み》ていた。六助は気絶していただけなので、すぐに息をふき返し、多量の水を吐いた。そこへ相模屋から、番頭の茂吉が必要な品をひと揃《そろ》え持って来た。――相模屋は質両替をやっているし、近くに適当な店がなかったから頼んだのである。古いものでいいと断わらせたのだが、茂吉の持って来たのはみな新しい（ゆきたけは少し合わなかったが）品であった。

「おら、なにも饒舌《しゃべ》らねえぞ」六助はいきなり云《い》った、「石を抱かされたって、饒舌るこっちゃあねえ、さあ、どうでもしろ」

そのとき律之助は着替えをしていた。そして番頭の茂吉がそばで手伝っていたが、それを聞いて不審そうに律之助を見あげた。

「これどういうことでございますか」と茂吉が訊いた、「あの男が、なにか致したのでございますか」

「いやなんでもない、溺れていたから助けてやっただけだ」

「然《しか》しなにか、いま」と茂吉が云った、「石を抱かされても饒舌らないとか申しましたが」

「酔ってでもいるんだろう」彼は帯をしめ終って、ゆきたけを眺めながら云った、「――結構だ、店の暇を欠かせて済まなかったな、私は南の与力で花房律之助という者だ、明日にでも店へ寄るから、代銀を調べておいてくれ」

「いえ、とんでもない、お役に立ちさえすれば、手前どもではそれでもう」

「明日ゆくよ」と彼は云った、「済まなかった」

茂吉は帰っていった。それから律之助は、まだ横になっている六助のそばへいった。

「おい、——」と彼は云った、「ぐあいはどうだ」

六助は黙っていた。年は二十七八、色の黒い骨張った顔で、わざとらしく月代《さかやき》を伸ばしている。髭《ひげ》はきれいに剃《そ》っているので、月代はわざと伸ばしていることがわかった。

「おまえいま、なにも饒舌らないといいばったな」と彼は云った、「石を抱かされても、なんぞとひどく威勢のいいことを云ったが、——つまり、なにか饒舌って悪いことがあるんだな」

「どうでもいいようにしてくれ」六助はふてたように云った、「おら、なんにも云わねえ、もう口はきかねえから、しょびくなりなんなり好きなようにしてくれ」

「この野郎」と番太の一人が云った、「てめえ旦那《だんな》に助けて頂いたのに、なんて口をききゃあがるんだ」

「のぼせてるんだ」律之助は濡れた両刀を持って、上り框《がまち》のほうへ来た、「うっちゃっとけばおちつくだろう、済まないが懐紙と手拭を三本ばかり買って来てくれ」

彼はそくばくの銭を番太の一人に渡した。その番太はすぐに出ていった。彼は上り框に腰をかけ、土間の炉の火へ両手をかざした。

この自身番は三カ町組合なので、町役二人に番太が三人であるが、町役はどこかにもめ事があるとかで、二人とも留守だった。「呼んで来ましょう」というのを、律之助はそれには及ばないと断わり、やがて買って来た懐紙と手拭で、刀の手入れをしながら、三人の番太と暫く話した。

——おれの勘は当ったぞ。

彼は心の中でそう繰り返した。

——この男は誰かに頼まれた、誰かに頼まれておれを殺すか、少なくとも再吟味を妨害しようとしたんだ。

なにも饒舌らない、というのがその証拠であろう。彼は初め考え違いをした。悪童たちの云ったとおり、住民たちの敵意から、そんなことをされたのだと思った。しかしそうではない、六助というその男は誰かに頼まれた。この再吟味を恐れる誰かが、六助に頼んでさせたことだ。

——こんどこそ慥《たし》かだ。

と彼は心の中で叫んだ。

——おれはそいつをつきとめてみせるぞ。

刀の手入れが済むと、律之助は話をやめて帰り支度をした。

「騒がせたな」と彼は云った、「帰るから駕籠《かご》を呼んでくれ」

べつの番太がすぐにとびだしていった。

「この野郎をどう致しましょう」

「立てるようになったら帰らしてやれ」

「おっ放していいんですか」

「いいとも」彼は云った、「まさか銭を呉《く》れてやることもないだろう」

向うで六助が寝返りを打った。二人の番太はあいまいに笑った。かれらは事実を知らなかった、ただ溺れている六助が助けられたものだと信じ、それにしては腑《ふ》におちないところがある、というくらいに思っているようであった。――やがて駕籠が来ると、律之助はなにがしかを包んで、そこに置いた。

「みんなで菓子でも喰《た》べてくれ」

そして彼は立ちあがった。

六

「それはいつのことだ」

「五日まえだ」

「で、――そいつを」と高木新左衛門が云った、「そのまま放してやったのか」

「うん」と律之助は頷《うなず》いた。

「よけいなお世話かもしれないが」と高木が云った、「律さんのやりかたはおかしいよ、そんなふうに聞きこみをして廻るぐらいで、なにか出ると思ってるのかい」

「昨日借りた金のことなんだが」

「まあお聞きよ」と高木が云った、「たとえばその六助というやつをいためてみれば、頼んだ人間がわかる、というふうには思わないのかね」

「思えないね、そう思えないんだ」

「どうして」

「ちょっと口では説明できない」と律之助は云った、「どう云ったらいいか、――つまり、これは普通の探索という方法ではだめだ、自分の勘で当ってゆくよりほかにない、という気がするんだ」

「悠暢《ゆうちょう》なはなしだな」と高木が云った、「それで望みがありそうかね」

「ありそうだね、六助という男の現われたのがその証拠さ、いちどはちょっと諦《あきら》めかけたんだが」

「断わっておくが」と高木が云った、「あの娘にはまもなく申し渡しがあるらしいよ」

律之助は「あ」という顔をした。

「ことによると、五六日うちかもしれない、どうやらそんなような話だったよ」

「――慥かなんだな」

「らしいね、もう月番（老中）へ文届けを出したそうだから」と高木が云った、「とにかくそのつもりでやってくれ、いよいよとなったらまた知らせるよ」

律之助は頷いた。

「それで」と高木が云った、「昨日の金がどうしたんだ」

「うん、あれは暫く借りておけるかどうか、聞いておきたかったんだ」

「いいだろう、おれがうまくやっておくよ」

律之助は「頼む」と云った。

役所を出た彼は、数寄屋橋《すきやばし》のところで辻駕籠《つじかご》に乗り、深川へいそげと命じた。蛤《はまぐり》町《ちょう》の堀に面した、正覚寺の門前で駕籠をおり、寺の中へ入ってゆくと、差配の源兵衛が迎えに出て来た。

「集まっているか」と律之助が訊いた。

「へえ」と源兵衛が答えた、「なかで日当に不服を云う者もありましたが、あらまし集まっております」

律之助は頷いた。

彼はまえの日、源兵衛に命じて、「日当を出すから」といい、お絹と卯之吉の相長屋の者を、その寺へ集めさせた。両方で三十一世帯、稼ぎ手の男には二匁《もんめ》、女には米三合というきめ（費用は役所から借りた）である。当時は腕のいい大工でも日に三匁がたいがいの相場だから、不服を云われる筈《はず》はなかった。

かれらは本堂に集まっていた。だらしなく寝そべったり、やかましく話したり笑ったりしていたが、律之助が入っていって須弥壇《しゅみだん》の脇《わき》に坐《すわ》ると、かれらも静かになり、こっちへ向いて坐り直した。

「今日、此処《ここ》へ集まってもらった理由は、たいていわかっていると思う」

律之助はそう口を切った。

それから彼は事件の内容を詳しく話し、お絹が下手人である筈はないと主張した。二人が好きあっていたことは慥かである、しかし卯之吉にも父親があるし、お絹には寝たきりの父と、白痴の弟があるので、結婚はできないが、さりとて諦めてしまったようでもない。というのが、――卯之吉は二十五歳にもなるのに、まだ嫁も貰《もら》わないし、酒も飲まず、わる遊びもせずに稼いでいる。お絹もあたりまえならもっとみいりの多い、楽なしょうばいがある筈だ。たとえ身売りをしないまでも、あの縹緻《きりょう》なら相当な料理茶屋で稼ぐこともできるだろう、それをそうはしないで、手足を汚してその日稼ぎを続けて来た。聞くところによると石担《いしかつ》ぎや土方までやったそうだ、――これは卯之吉に義理を立てていたのではないか。二人のあいだに「やがては夫婦になろう」という約束があって、卯之吉はそのために身を堅く稼いでいたし、お絹も浮いたしょうばいで楽をしようとしなかったのではないか。

「私はそうだったように思う」と律之助はかれらを見た、「みんなは相長屋だから、私よりも詳しく知っている筈だ、もしも私の想像がまちがいで、二人はそんな仲ではなかったと、知っていて云うことのできる者がいたら、そう云ってくれ」

誰もなにも云わなかった。律之助が端のほうから、順々に顔を見てゆくと、みな眼を伏せたり顔をそむけたりした。

「よし、では私の想像が当っていたものとして続けよう」と彼は云った、「私は最近まで牢廻《ろうまわ》りを勤めていた、そして事件の内容は知らずにお絹を見て、こんな牢などに入るような娘ではないと思った、ちょっと信じられないかもしれないが、われわれのような役を勤めていると、ふしぎにそういう勘がはたらくんだ」

それから彼は口書を読んだこと、その内容がどうしても腑におちないので、吟味与《よ》力《りき》になったのを幸い、再吟味の決心をしたこと。そして、お絹自身も真実を語らないし、冬木町の長屋をまわっても、誰一人として助力してくれる者のないこと、などを諄々《じゅんじゅん》と述べた。

「頼む、頼むから力を貸してくれ」と律之助は云った、「卯之吉のほかに、誰かお絹につきまとっていた者がある筈だ、お絹が下手人だとなのって出たには、なのって出るだけの理由がある筈だ、ほんのひと言でいい、奉行所の面目にかけても、決して掛り合になるようなことはしない、どうか頼む、思い当ることがあったらひと言でいいから云ってくれ」

かれらはやはり黙っていた。頑《かたく》なに沈黙を守るというよりは、彼の云うことなどまるで聞いてもいなかった、というふうにみえた。

「だめか、――」と彼は云った、「貧乏な者には、貧乏な者同志の人情がある筈だ、相長屋の一人は殺され、一人は無実の罪でお仕置になろうとしている、それを黙って見ているのか、黙って指を咥《くわ》えて見ているのか」

大勢の者と膝《ひざ》をつき合せて語れば、なかに一人くらいは義憤に駆られて口を割る者があるだろう。多人数の前だと、常にない勇気を出してみせる者がよくある。律之助はそれを覘《ねら》ったのだが、やはり結果は徒労のようであった。

――なんという腰抜け共だ。

彼は怒りのために胸が悪くなった。しかしけんめいにそれを抑えて云った。

「此処で云えなければ、私が訪ねていったときそう云ってくれ、頼むよ」

そして差配の源兵衛に、日当を分配するように命じた。

七

律之助は寺から出ていった。

力のぬけた、だるいような気持で、冬木町のほうへ歩きだすと、寺の土塀《どべい》に沿った横丁から、一人の若者がひょいと出て来て、こちらを見るなり立停り、それからすぐに、身を翻《ひるがえ》してうしろへ走り去った。

ほんの一瞬のことであったが、その若者の顔を律之助は見た。吃驚《びっくり》したような眼と、伸ばした月代《さかやき》と、蒼黒《あおぐろ》いような骨ばった顔を。

「六助だな」と律之助は呟《つぶや》いた。

そして土塀の角までいって、その横丁を覗《のぞ》いたが、若者の姿はもう見えず、そこに四五人の子供たちが遊んでいるばかりだった。

——そして、その子供たちはいっせいにこちらを見たが、中の一人が「また来たのかい」とよびかけた。

「よう、――」と律之助は云《い》った。それはいつかの、伝次というあの悪童であった。

「よう」と律之助は云った、「はたちのあにいか、どうした」

「そりゃあおらの云うこった」と子供は云った、「こないだあんなめにあったくせに、おじさんまだ懲《こ》りねえのかい」

律之助は子供の眼をみつめ、それから云った。

「おまえ見ていたのか」

「いなくってよ」とその子供は云った、「いまだって六さんが逃げたのを見てたぜ」

「六助を知ってるんだな」

「知ってればなにか訊こうってのかい」とその子供は云った、「へっ」と彼は小賢《こざか》しく肩をしゃくった、「そんなまねしてると、こんどこそ本当に大川へ死骸《しがい》が浮くかもしれねえぜ、悪いこたあ云わねえから、この辺をうろうろするのはもうやめたほうがいいぜ」

「手に負えねえ餓鬼どもだ」と、うしろで声がした。律之助が振返ると、しなびたような老人が立っていて、彼に会釈《えしやく》をした。

「わたしゃあ弥五《やご》という船番ですが」とその老人は云った、「よろしかったらわたくしの小屋でちょいとひと休みなさいませんか」

律之助は老人の顔を見た。その老人は寺へ集まった者たちの中にいたようである。彼は頷《うなず》いて「休ませてもらおう」と云った。

その小屋は亀久橋の角にあった。腰掛のある一坪の土間と、畳三帖《じょう》ひと間だけの雑な小屋で、老人はそこから、岸に繫《つな》いである船の見張りをするのだと云った。

「こんな狭い堀へ入る船だから、ろくな荷は積んじゃあいませんが、それでもうっかりすっと、なにかかにかやられるもんですから」と老人は云った、「なにしろこの辺の人間ときたら、いや、こっちもそんなことの云える柄じゃあございませんがね」

老人は土間の焜炉《こんろ》で湯を沸かしながら、おっとりした調子で自分のことを語った。

――弥五郎というのが本当の名で、若いじぶんから船頭になった。結婚を二度したが、二度とも失敗し、それ以来ずっと独身をとおした。中年以後、水売りの船を三ばい持ったこともある、酒と博奕《ばくち》でそれも失い、足腰がきかなくなってから、この堀筋の頭《かしら》たちの好意で、船番をするようになった、というように話した。

律之助は黙って聞いていた。弥五は沸いた湯で茶を淹《い》れ「お口には合わないだろうが」と律之助にすすめると、自分も茶碗《ちゃわん》を持って、畳敷きの上り框《がまち》へ腰を掛けた。

「さっき寺でお話をうかがいました」と弥五は云った、「それで申上げるんですが、

――旦那《だんな》のお気持はよくわかりますが、もうお諦めなすったほうがいいと思うんですがな」

「――どうしてだ」

「どんなに旦那が仰《おっ》しゃっても、みんなは決してお力にはなりません、たとえなにか知っているにしても、それを云う者は決してありゃあしませんから」

「つまり、――」と律之助は云った、「みんな誰かを恐れているというわけか」

「いいえ、自分たちがなにを云ってもむだだ、ということをよく知っているからです」

「どうして、なにがむだなんだ」

「われわれのような、その日の食にも困っている人間は、なにを云っても世間には通用しません」と弥五は云った、「仮に旦那にしたってそうでしょう、土蔵付きの大きな家に住んで、財産があって、絹物かなんぞを着ている人の云うことと、その日稼ぎの、いつも腹をへらしている人足の云うことと、どっちを信用なさいますか、いや、お返辞はわかってます」

弥五は戸口を見て首を振り、「あっちへいって遊びな」と云った。律之助が見ると白痴の直次郎が戸口に立っていた。彼は律之助に笑いかけ、「あ、あ」といいながら、手に握っている菓子を見せた。

「旦那の仰しゃることはわかってます」と弥五は云った、「が、まあ聞いて下さい、私の十五のときのことですが、人に頼まれて賭場《とば》の見張りに立ったことがありました」

弥五は賭場の見張りとは知らなかった。小遣い銭が貰えるので、云われるとおり見張りに立ったのだが、手入れがあって、みんな逃げたあと、彼一人が捉《つか》まってしまった。それから目明しに責められた。

――きさまの親分の名を云え。

――賭場へ集まった者は誰と誰だ。

ちょうど賭博《とばく》厳禁の布令の出たときであった。自分は知らずに頼まれたと云ったが、てんで信用しないし、拷問《ごうもん》にかけると威《おど》され、恐ろしくなって、頼んだ男の名を告げ、その人に訊《き》いてくれればわかると云った。するとその目明しは、――その男となにか利害関係があったらしい、――この野郎でたらめをぬかすな、といって殴りつけた。

「その目明しは云いました」と弥五は微笑した、「そういうことが云いたかったら、人のいないところで壁か羽目板にでも云うがいい、そうすれば痛いめにだけはあわずに済む、覚えておけってな、――まったくです」と弥五は微笑したまま云った、「わたくしゃあつくづくそうだと思いました、なにか云いたいことがあったら、壁か羽目板にでも向って云うに限る、そうすれば、少なくとも痛いめにはあわずに済む、――私だけじゃない、いつも食うに追われているような貧乏人は、多かれ少なかれ、みんな同じようなめにあって、懲りて、それこそ懲り懲りしていますからな、……へえ、連中からなにかお聞きになろうということは、わたくしゃあむだだと思うんでございますよ」

律之助は頭を垂れていた。

「うんめえ、あ」と戸口で直次郎が云った、「おいたん、ね、こえ、うんめえ」

律之助は茶碗を置いて立った。

八

「有難う、じいさん」と律之助は云った、「なるほどそんなこともあるかもしれない、私には、なんとも云いようもない、しかし、――」彼はちょっと口ごもった、「とにかくやってみるよ、たとえ世の中がそうしたものだとしても、それならなおさら、やってみる値打がありゃあしないか」

弥五は微笑しながら頷いた。律之助は赤くなった。

「じいさんから見たら青臭いかもしれないが」と彼は云った、「とにかく、やるだけはやってみる、——お茶を有難う」

小屋を出た彼は、そのまま蜆河岸《しじみがし》へいった。いっしょに直次郎がついて来た。直次郎は例によってしきりに話しかけるが、彼は黙って、兇行《きょうこう》のあった空き地へ入っていった。

伝次たちがこの菓子を取ろうとするんだ、と直次郎がまわらない舌でいった。いつも取ろうとするんだ、「わからんな」が伝次たちには買ってやらないから、いつもおれのばかり取ろうとするんだ、と云った。

「ひどいもんだ」と律之助は呟いた、「——ひどいもんだな、じいさん」

彼は枯れかけた雑草を眺めまわした。するとふいに、彼の頭の中でなにかがはじけた。彼は直次郎のほうへ振返って、その手に持っている菓子を見た。それは（いつかのと同じ）鹿子餅《かのこもち》であった。

——家には玩具《おもちゃ》なんぞもあった。

雨の日に訪ねたとき、直次郎はやはり菓子を喰《た》べていた。玩具を出して来て、いっしょに遊ぼうとせがんだりした。

——玩具は新しかった。

まだ新しかったようだ、と律之助は思った。どっちも不似合いだ、鹿子餅も玩具も。稼ぎ手のお絹は七十余日まえからいない、たぶん相長屋の者たちが、協同で二人をやしなっているのだろう、たぶんそうだろう。

「そうとすればなおさら、鹿子餅や玩具はおかしい」と彼は呟いた、「――待てよ」

律之助は直次郎を見た。

「その菓子は誰から貰《もら》ったんだ」

「う、――」と直次郎はいった。

「いまなんとかいったようだな、誰かが伝次たちには買ってやらないって、――誰が伝次たちには買ってやらないんだ」

直次郎の顔に苦痛と恐怖の表情があらわれた。それはいたましいほど直截《ちょくせつ》に、苦痛と恐怖感をあらわしていた。

――口止めをされているな。

と律之助は思った。よほど厳しく口止めをされたのだろう、いま訊いてもだめだ。彼はそう思って歩きだした、慥かに直次郎はその名をいった、うっかりして聞きのがしたが、慥《たし》かになんとかいった筈《はず》だ。

「思いだしてみろ」と彼は舌打ちをした、「――うん、思いだせないか」

律之助は差配の家へ寄った。

源兵衛は家にいた。源兵衛は日当の分配を済ませたといい、残った金を返した。律之助はそれを受取って、勝次と直次郎を誰が世話しているか、と訊いた。長屋の者が面倒をみている、と源兵衛が答えた。長屋の者だけかと訊くと、家主の相模屋でも助けていると答えた。主人の儀平が哀れがって、米味噌《こめみそ》ぐらいはみてやれ、といったのだそうである。

「そうか」と律之助がいった、「相模屋が付いているんなら安心だな」

「ええまあ」と源兵衛はあいまいにうす笑いをし、それから急になにかをうち消すような調子で、「しかし旦那は渋うがすからな」といった。

律之助は直次郎の言葉を思いだした。源兵衛が「旦那は渋いから」といった。その「旦那」が記憶をよび起こしたらしい。

——わからんな。

若旦那だ、と律之助は思った。

「ええと」と彼はいった、「相模屋には息子が二人いた筈だな」

「相模屋さんにですか、いいえ」

「二人じゃあない」と彼はまたいった、「するとあれはひとり息子か」

「清太郎さんですか」

「うん」と律之助はいった、「私はてっきり二人いるんだと思った」

源兵衛は黙った。律之助は源兵衛を見た。源兵衛は黙っていた。律之助の胸はどきどきした。彼は「面倒をかけたな」といって、差配の家を出た。彼の頭は回転し始めた、さっきなにかがはじけたように感じたが、それからしだいに思考がまとまってゆき、中心がはっきりうかびあがって、それを軸にくるくると回転し始めたようであった。

彼は平野町の番所へ寄った。そして、番太の一人を外へ呼びだした。

「おまえに頼みがある」と律之助は囁《ささや》いた、「明日相模屋の清太郎をお手当にするから、逃げないように見張っていてくれ」

「若旦那をですか」とその番太は息をのんだ。

「そうだ」と彼はいった、「誰にもいうな、いいか、勘づかれないようにしろよ」

その中年の番太は「へえ」といった。律之助は上ノ橋《かみのはし》で辻駕籠《つじかご》に乗り、まっすぐに南の役所へいそがせた。役所へ着くと、梶野和兵衛《かじのわへえ》という同心を呼び、相模屋清太郎の看視を命じた。和兵衛は「臨時廻り」が分担で、わけを話すとすぐに了解した。

「そいつは番太が内通しますね」

「それが覘《ねら》いなんだ」と律之助はいった、「番太は町に雇われた人間だし、相模屋は土地の大地主で家主だからな、——これで清太郎が動いてくれれば、しめたものなんだが」

「逃げるようだったら縛りますか」

「高とびをするようならね」と律之助はいった、「しかし任せるよ」

「承知しました」

「なにかあったら家のほうへ知らせてくれ、夜中でも構わないからね」と彼は念を押した、「変ったことがなくとも、私のゆくまで見張りは頼むよ」

「承知しました」と和兵衛は云った。

梶野和兵衛は手先を二人伴《つ》れてでかけた。律之助もいっしょに役所を出たが、堀端《ほりばた》でかれと別れ、辻駕籠をひろって小伝馬町の牢屋《ろうや》へいった、石出《いしで》帯刀《たてわき》は登城ちゅうであったが、志村吉兵衛がいて、彼が用件を話すと、すぐにその手配をしてくれた。

頼んだのはお絹と話したいこと、そしてお絹との対話を、隣りの部屋で記録してもらうことであった。

「その役の者を二人控えさせました」と志村が用意のできたことを知らせた、「二人とも達者ですから、懸念《けねん》なくお話し下さい」

律之助は「よろしく」といって立った。

詮索所《せんさくじょ》へゆくと、もうお絹が坐《すわ》っていた。ほかには誰もいず、狭い白洲《しらす》は、黄昏《たそがれ》ちかい片かげりで、いかにもひっそりと、うすら寒げにみえた。お絹はこのまえと同じように、おちついた静かな顔をしていた。

「おまえに知らせることがあるんだ」と律之助は口を切った。

九

お絹は黙って眼をあげた。

「おまえはこのまえ、父親や弟のことはもういいんだ、といったな」と彼は云《い》った、「二人のことはもう心配はない、といったように思うが、そうじゃなかったか」

お絹はけげんそうな眼をした。

「どうしてですか」と彼女はいった。

「稼ぎ手のおまえがいなくなったあと、寝たっきりの親や、あたりまえでない弟がどうして生きてゆくか、私はそれが心配だった」と彼はいった、「おまえは気にしていなかった、それで、なにかわけがあるのかと思った、稼ぎ手のおまえがいなくなっても、二人が安楽に暮してゆけるような、なにか特別な理由でもあるのかと思った、そうじゃあなかったのか」

　お絹の眼に警戒の色があらわれた。

「そうじゃなかったのか」と律之助はいった。

「どうしてですか」とお絹はいった。

「知りたいか」と彼はいった、「知りたくなければはなしはべつだ、おまえは自分から お仕置を望むくらいなんだから、親や弟は、乞食《こじき》になろうと、飢死にをしようと構わないかもしれない」

　お絹の顔が歪《ゆが》んだようにみえた。しかしなにもいわなかった、律之助も黙って暫《しばら》く待ち、それから静かに立ちあがった。

「待って下さい」とお絹がいった。

　律之助は構わず歩きだそうとした。

「待って下さい」とお絹が叫んだ。

　律之助は振返った。

「お父つぁんや直がどうかしたんですか」

「聞きたいか」

「旦那《だんな》はお父つぁんや直にお会いになったんですか」

「会った」と彼はいった、「まだ長屋にいることはいたからな」

「まだって、――どういうわけですか」

「わからないのか」

お絹は黙った。律之助はまだ立っていた。

「親は寝たっきりの病人、弟は自分のことさえ満足にできない」と彼はいった、「それで稼ぎ手のおまえがいなくなって、あとがどうなるかわからないのか」

お絹はこくっと唾《つば》をのんだ。律之助は立ったままで、お絹を見おろした。

「長屋の者たちに人情があったって」と彼は続けた、「みんな自分たちの暮しに追われている連中だ、雨が四五日降れば、自分の子に食わせることもできなくなる連中だ、十日や半月なら米味噌《こめみそ》くらい貢《みつ》ぐこともできるだろう、しかし、――五十日も七十日も、そんなことが続くかどうか、おまえにはよくわかってる筈じゃないか」

「それじゃあ」とお絹がいった、「お父つぁんや直は、どこかよそへゆくんですか」

「よそへだって、――」

「そうじゃないんですか」

「おまえは」律之助は坐った、「二人が閑静な田舎へでもいって、暢気《のんき》に遊んで暮せるとでも思っているのか」

お絹の顔がひきしまり、律之助を見あげる眼はおちつきを失って、不安そうな色を帯びてきた。

「長屋を出ることは憔かだよ」と彼はいった、「また、いざり車ぐらいは、長屋の者たちが拵《こしら》えてくれるようだ、直次郎だって、いざり車を曳《ひ》くことぐらいはできるからな」

「嘘《うそ》です」お絹が叫んだ、「そんなことがあるもんですか」

「どうして、――」

お絹は黙った。

「どうして嘘なんだ」と彼はいった、「あの二人になにかほかのことができると思うのか、寝たっきりの病人を抱えて、直がちゃんと稼いでゆけるとでも思うのか、――冗談じゃない、直にはいざり車を曳くことはできるだろう、一文めぐんでくれ、ぐらいのこともいえるかもしれない、雨の降るときはお寺かお宮の縁の下へ入って」

とつぜんお絹が叫び声をあげた。

「嘘です、嘘です、そんな筈はありません、旦那は嘘をいっているんです」

「そんな筈がないって」と彼はいった。

「そんな筈はありません」とお絹がいった、「どうしたって、どんなに間違ったたって、お父つぁんや直が乞食になるなんて」お絹の眼から涙がこぼれた、「そんな、そんなひどいことがあるもんですか、そんなむごいことが」

「あったらどうする」と律之助はいった、「血のつながる親類でも、人殺しなどをした者が出れば、その家族とはつきあわなくなる、それが世間というものだ、まして他人同志のあいだで、そんな者の面倒をいつまでみてゆけると思うか」

「約束をしたんです、あの人は約束をしたんです」

「相模屋の清太郎か」

「あの人はちゃんと約束したんです」お絹は泣きだした。泣きながら彼女はいった、「お父つぁんや直は、一生安楽に暮させてやる、土地がいづらければ、どこか湯治場《とうじば》にでもやって、一生不自由のないように面倒をみてやる、相模屋の暖簾《のれん》に賭《か》けて約束するって」

「それで清太郎の身代りになったのか」

「あたしはもう、疲れてました、しんそこ疲れきってました」お絹はしゃくりあげながらいった、泣く児《こ》が泣き疲れて、うたうような調子で、お絹はゆっくりと続けた、「お父つぁんや直が、安楽に暮してゆけるなら、自分はどうなってもいい、卯之《うの》さんは死んじまったし、生きていたってしようがない、生きているはりあいもないし、もう躯《からだ》も続かない、なんでもいいから休みたい、手足を伸ばして、ゆっくり、いちど休めたら、それでもう死んでもいいいと思ったんです」

律之助はなにもいわなかった。

「八つの年におっ母《か》さんに死なれてから、あたしずっと働きとおしました」とお絹はいった、「お父つぁんに倒れられてからは、二人をやしなうために、自分は三日も食わずに働いたこともあります、でも疲れきっちゃいました、——お父つぁんがなんとかなったら、卯之さんといっしょになる約束でしたが、その卯之さんも死んじまったし、お父つぁんと直のことはひきうけてくれるというもので、それであたしは承知したんです」

「清太郎を呼んでやろうか」と彼がいった。

「あたしは約束は守ってもらえると思ってました」とお絹はいった、「二人のことは安心だし、この牢屋へ来てっから、生れて初めて、ゆっくり手足を伸ばして休めたし、——本当に生れてっから初めて、暢《のん》びり休むことができたし、もういつお仕置になってもいいいと思っていたんです」

「清太郎を呼んでやろう」と彼はいった。

「あたしいってやります」とお絹はいった、「あたしも約束を守ったんだから、あの人も約束を守って下さいって、――あたしそういってやります、ええ、きっとそういってやります」

十

律之助は高木新左衛門と酒を飲んでいた。

三十間堀の船宿の二階で、外は雨であった。あけてある窓から、対岸に並んだ土蔵と、その上の、鬱陶《うっとう》しく雲に塞《ふさ》がれた雨空が見えた。

「清太郎は逃げようとしたのか」

「その晩、菱垣船《ひがきぶね》に乗ろうとした」と律之助がいった、「それでしかたなしに、梶野は縛ってしまったらしい」

「ばかなもんだ」と高木がいった、「――しかし、お絹が口を割ったとすれば、居据《いすわ》ってしらをきるわけにもいかなかったろうがね」

「もちろん親が逃がしたのさ」

「殺したのは、――」

「二人が逢曳《あいびき》をしているのを見たんだ」

「ふん」と高木はいった、「金持のひとり息子か、……ああいう手合にはよくあるやつさ、大地主で、質両替商で、家主で、土蔵には金が唸《うな》っている、金で片のつかない事はないと思ってるんだ」
「おれはまいった」
「長屋の連中もつかまされたんだな」と高木がいった、「貧乏ということは悲しいもんだ」
「おれはまいったよ」と律之助はいった、「長屋の女房《にょうぼう》たちの露骨な敵意も、子供たちの悪童ぶりも、弥五《やご》の若いじぶんの話も相当なものだった、しかし、お絹が、――疲れた、といったときにはまいった」
「盃《さかずき》があいているぜ」
「あたしは疲れた、しんそこ疲れきってました、といわれたときには、おれは、――」と律之助は頭を垂れ、それから、低い声でいった、「お絹が罪を背負ったのはそれなんだ、親や弟が安楽に暮せる、卯之は死んだ、生きているはりあいがない、そういうことよりも、生きることに疲れきって、ただもう疲れることから逃げだしたいという気持で、――ああ、おれにはそれがよくわかった、おれはそのことだけでまいったよ」
「まいったのはもうわかった、盃を持てよ」
「まいったのがわかったって」

「盃を持ってくれ」と高木がいった、「まいったことはわかったから、もう一つのことを話してもらおう、——律さんはどうして、この事件を、そう熱心に再吟味する気になったのか、わけはあとで話すと、いつかいった筈《はず》だぜ」

「一杯ついでくれないか」

「重ねてやれよ」高木は酌《しゃく》をした。

「こうなんだ」

「もう一つ、ぐっとやれよ」

「こうなんだ」と律之助がいった、「——父が死ぬときに、遺言のようなことをいった、父の誤審がもとで、無実な者を死罪にしたことがある、誤審ということがわかったのは、三年もあとのことだったそうだ、父はそれ以来、良心に責められて、一日も心のやすまるときがなかった、もともと、人間が人間を裁くということが間違いだ、しかし世間があり秩序を保ってゆくためには、どうしたって検察制度はなければならないし、人間が裁く以上、絶対に誤審をなくすこともできないだろう、——父はそういった、自分の誤審は殆《ほと》んど不可抗力なものだった、それは同僚も上司も認めてくれたが、それでも良心はやすまらなかった、無実の罪で死んだ者のために、いつも冥福《めいふく》を祈りながら、とりかえしのつかない自分の罪に、夜も昼も苦しんだ、父はそういった、──だから、おまえだけはこの勤めをさせたくないって」

「しかもすすんで勤めに出た」

「すすんでね」と律之助は窓の外を見た、「もしできるなら、父の償いがしたい、一つでも償いをして、死んだ父にやすらかに眠ってもらいたい、そう思ったのでね」

「それは、知らなかった」と高木はいった、「そういうことなら、今日の酒は、二重の祝杯ということになるじゃないか」

「どうだかな」

「なにか不足があるのか」

「お絹は牢屋《ろうや》のほうがいいといった」と律之助はいった、「──長屋へ戻れば、お絹はまた稼がなければならない、寝たっきりの親や、白痴の弟を抱えて、──」

「しかし、やがては、おちつくところへおちつくさ、それは一人のお絹の問題じゃあない」

「慥《たし》かにね、──」と彼はいった。

律之助は窓の外を見ていた。雨の三十間堀へ、苫《とま》を掛けた伝馬船《てんません》が一艘《そう》、ゆっくりと入って来るのが見えた。


（「オール読物」昭和二十九年十月号）

ほたる放《ほう》生《じょう》

一

村次は殆《ほと》んど一刻《とき》ちかくもお秋を放さなかった。

泊りの客があるのだから堪忍《かんにん》してくれ、とお秋は囁《ささや》き訴えたが、村次は耳もかさなかった。お秋は哀訴はしたが抵抗はしなかった。抵抗してもむだなことはわかっているし、自分にその力のないこともわかっていた。

——また始まるのだ、また泣かされるのだ。

繰り返しおそってくる陶酔と苦痛と忘我のなかで、お秋はそう思い、悲鳴をもらさないために、袂《たもと》のさきをまるめて口の中へいれ、力かぎり嚙《か》んでいたが、それでも喪神しそうな瞬間と瞬間には、(かなり高く声がもれるのを)自分の耳で聞いたようであった。

どのくらい眠ったらしい、窓から吹きこんでくる風でお秋はふと、うっとり眼をあけた。

窓框《まどがまち》によりかかって、村次が煙草《たばこ》を吸っていた。

行燈《あんどん》が暗くしてあるので、煙管《きせる》の火が息づくたびに、村次の顔がぼうと明るく浮いて見えた。おもながで、少し顎《あご》がしゃくれて、凄《すご》みのきいたいい顔である。――十年まえ、初めて知りあったころは、三津五郎になるまえの簑助《みのすけ》に似ている、といわれたものであった。いまは年も三十七になるし、長いあいだの荒《すさ》んだ生活で、膚《はだ》も硬くなった。皺《しわ》も出てきた。しかしそれはそれなりに、中年の渋い味といったものが加わって、以前とはべつの魅力を感じさせるようであった。

――そうだ、簑助に似ていると云《い》ったのは、おそめ姐《ねえ》さんたちだった。

お秋は彼を眺めながら、うっとりとそう思った。

――あれはあたしが十八で、品川から氷川門前へくらがえしたときだったわ、もう十年になるのねえ。

骨まで溶けてしまいそうな、深い倦怠《けんたい》と疲労のために、またうとうとと眠りかけた。すると村次が「秋ぼう痩《や》せたな」と云った。胸の底へしみとおるような、情のこもった声であった。

――この声よ、この声だわ。

とお秋は眼をつむったまま思った。

――この声でくどかれると、あたしはすぐばかみたようになってしまうんだわ。

村次は「うん」と独りで頷《うなず》き、痩せるのも当然だ、おれが苦労のさせどおしだからな、と云った。ずいぶん長いこと苦労をさせた、じつに済まない、心のなかではいつも詫《わ》びを云っていたんだ。しかしもうこんなことも長くはない、本当だぜ、いま一つ手掛けた仕事があって、これがものになれば楽をさせてやれる。こんどの仕事は必ずものになるし、おまえもこんどこそきれいに足を洗えるだろう。そうして二人で世帯《しょたい》をもつんだ、下谷《したや》か浅草あたりの、静かな横丁に家を借りて、ばあやと小女《こおんな》ぐらい置いてもいい、夫婦っきりで暢《のん》びり暮すんだ。本当だぜ、と村次は云った。

彼がそんなに口かずをきくのは、絶えてないことであった。これまでの彼は、いつもきまって二た言か三言、それも枯枝でも折るような調子でしかものを云わず、それでお秋を思うままにして来た。

「もう少しの辛抱だからな」と村次は煙管をはたいて振返った、「おれもようやくおちつくことができそうだから、……おい、聞いているのか」

お秋は「ええ」と答えた。村次はちょっと黙っていたが、「おれの云うことがわかったのか」と云った。お秋は眼をあいて彼を見、うっとりと微笑しながら頷いた。

「そんならあんな客を取るな」と村次は云った、「しょうばいは年寄に限る、年寄だけを客にしろって、云ってあるだろう」

「そうよ、あんたの云うとおりよ、なかまの人たちにはいやらしいって悪口を云われるけれど、あたしはどこでもそれでいい稼ぎをしたわ」とお秋が云った、「年寄は無理なことをしないし、大事にしてあげれば、きっと余分にはなを呉《く》れるわ、あたし、あんたの云うとおりに稼いで来たことよ」

「じゃあ向うの客はなんだ」

「船忠の藤吉《とうきち》さんよ、あの人のことは話してあるでしょ」

「あの客は年寄か」と村次が云った、「あいつはまだ二十七だぜ」

「だってしょうばいですもの、ときには断われないことだってあるわ」

「三年もまえからか」と村次が云った、「三年もまえから断われないときばかり続いてるのか」

「あの人のことはわかってる筈《はず》じゃないの」とお秋が云った、「いくらふっても諦《あきら》めないし、断わってもきかないし、お内所のほうにはよけいなはなをはずむし、金で縛られてるからだだもの、それでも客に取らないなんて、云える道理がないじゃないの」

「まあいいさ、まあいい」と村次は煙管をしまった、「道理の話はまたのことにしよう、だが断わっておく、あいつを客に取るのはよせ」

　お秋は彼の眼を見た。

「今夜はっきりそう云うんだ、これっきり来てくれるなってな」と村次が云った、「さもないととんだ事になるからって、――いいか」

お秋はゆっくりと起きあがった。

村次は非人情な、貪《むさぼ》るような眼でお秋を眺め、それから立って着替えをした。お秋も脱ぎすてたものを下から着直し、扱帯《しごき》をしめて鏡台の前に坐《すわ》り、鏡の蓋《ふた》を取った。

「それでいいの」とお秋は鏡を覗《のぞ》きながら云った、「ほかになにか話があったんじゃないの」

村次は行燈を明るくして、鏡台の脇《わき》へ直してやりながら、「べつに、――」と云った。お秋は手早く水白粉《みずおしろい》をすりこみ、髪を撫《な》でつけた。

「あげ汐《しお》らしいな」と村次が云った、「風がひどく磯臭《いそくさ》いぜ」

お秋は彼といっしょに廊下へ出た。

村次は「また二、三日うちに来るぜ」と云って、内所へはいっていった。そこでまた女主人にあいそを云うのだろう、お秋は手洗いを済ませてから、いちばん端の四帖《よじょう》半《はん》へいった。藤吉は窓に凭《もた》れて、ぼんやり外を眺めていた。浴衣《ゆかた》に細帯をしめた軀《からだ》は、筋肉質でひき緊《し》まっているし、船宿の船頭という職にふさわしい、潮やけのした顔は、いこじな、はねつけるような表情のために、硬《こわ》ばっていた。

「おそくなってごめんなさい」お秋は男のほうは見ずに、行燈を暗くしながら云った、「——蛍が飛んでるでしょ」

「海はあげてるらしいな」と藤吉が云った、「ずいぶん潮の匂《にお》いがするよ」

男ってそんなに潮の匂いがわかるのかしら、お秋はそう思いながら、蚊遣《かや》りのぐあいをみて、寝床の上へ横になり、「もうおやすみなさいな」と低い声で云った。藤吉はそれには答えず、黙って、思いだしたようにゆっくり団扇《うちわ》を動かしていたが、やがて「このあいだの返辞を聞かせてくれないか」と云った。

お秋は溜息《ためいき》をついて、眼をつむった。

「なんの話でしたっけ」とお秋はぼんやり訊《き》き返した。

二

忘れたふりをするな、と藤吉は云った。旦那《だんな》が付いて船宿が出せる、夫婦になってくれと頼んだ筈だ。ああそのことなの、とお秋が云った。それなら返辞をするまでもない。初めからちゃんと断わってあるわ、お願いだからその話はよしてちょうだい、とお秋は云って、また溜息をついた。

「あの男のためか」と藤吉が訊いた。

「藤さん」とお秋が云った、「ここは遊ぶところよ、あたしたちはしょうばいだから、面白く遊べるようにお客をあやすわ、お客だってあやされるのを承知で、払うはな代だけ面白く遊ぶんじゃないの、本気になって惚《ほ》れたり、夫婦になろうなんていうのはよその世界のはなしよ」
「そのことはまえにも聞いた」
「そうよ、まえにも云った筈よ」
「だがそうでないばあいだってある、たとえ遊びだとわかっていても、男と女だ、人間同志なら死ぬほど好きになることだってある」と藤吉は云った、「おれは初めて逢《あ》ったときからおまえが好きになった、初めて逢った晩からずっとだ」
「あたしはだめなの、あたしはどうしてもそういう気持になれないのよ」
「あの男のためか」
「あたしはこういう性分なのよ」
「あの村次という男のためだな」
「あの人には関係のないことだわ」とお秋は眼をあいて、男を見た、「誰にもかかわりなんかない、あたしがこんな性分なんだっていうことよ」とお秋は云った、「ねえ藤さん、あんたの気持ほんとにうれしいけれど、あたしはこんなにからだもよごれてるし、どうしてもそういう気持になれないんだから、済まないけれど諦めて下さいな」

「もう来るなっていうことか」

「いやな事が起こりそうなの」とお秋がしめっぽい調子で云った、「遊びもしないあたしなんかのために、いつまであんたに散財させるのも悪いし、いつまでこんなことをしていると、なにか悪い事が起こりそうな気がするのよ」

「あの男がそう云ったのか」

「あたしの云うことを聞いてちょうだい」

「いやだ」と藤吉は遮った、「おれは本気なんだ、諦めるもんか、おれは」と彼は団扇で片方の手を打った、「おれはあの男から秋ちゃんを取返してみせる、きっと取返してみせる、あいつは悪党だ」

「あの人には関係のないことよ、あの人のことをそんなふうに云わないで下さいな」

「秋ちゃん」と藤吉が云った、「おまえそんなにあいつが好きなのか」

お秋は返辞をしなかった。

藤吉はお秋を見た。彼女の顔は固く硬ばっていた。一瞬まえまでのやさしくのびやかな表情が、まるで仮面でもかぶり替えたかのように、けわしく、屹《きっ》と硬ばっていた。

藤吉は眼をそらし唇を歪《ゆが》めながら、頭を振った。お秋は起きあがって、鬢《びん》へ手をやりながら、「汗を拭《ふ》いて来るわ」と云った。

藤吉は黙って窓の外を見ていた。

お秋は立ちあがって、静かにその部屋を出た。ちょうど内所から女主人のおつねが出て来たところで、（自宅へ帰るのだろう）小さな包を抱え、帯の前を撫でながらこっちへ来た。――四十五になるおつねは入舟町に家があり、病気で七年も寝たっきりの亭主と、酒と賭博《とばく》好きの実母がいる。そこからこの店へかよってくるのだが、病人の医薬代や、母親の浪費をまかなってゆくのは、相当に苦しいようすであった。

「あの人いましがた帰ったよ」とその女主人はお秋に云った、「お土産を貰《もら》ったから、こんどのときお礼を云っといてね」

「もう四つ半（午後十一時）くらいかしら」

「秋ちゃん」と女主人が云った、「あの人、今夜もねだらなかったらしいね」

「ええ、少しは景気がいいんでしょ」

「気をおつけよ」と女主人は出口のほうへ歩きながら云った、「お金をねだるうちはいいけれどね、ねだらなくなると、――まあ、ひでちゃんの鼾《いびき》の大きいことったら」

お秋はくすっと笑った。三人いる女たちの一人、おひでの部屋ですさまじいような鼾が聞えていた。お秋は女主人の履物を出してやりながら、「あの話は纏《まと》まったんですか」と訊いた。ああどうやらね、と女主人が云った。「まるで田圃《たんぼ》からあがったっていうような娘だけれどね、ときちゃんがいなくなるんじゃしかたがないからさ、年は十七だっていうけれど、十四五にしきゃみえないのよ」いつ来るんですか。明後日《あさって》だろうよ、と女主人は云った。

「蚊遣りの火に気をつけてちょうだい」

「ええ」とお秋が云った、「旦那をお大事に、おやすみなさい」

「おやすみ」と云って外へ出た女主人は、そこで「きゃっ」というような声をあげた。

お秋はぎょっとし、「どうしたの」と覗《のぞ》いた。

「ああびっくりした、人魂《ひとだま》かと思ったよ」と女主人が云った、「ごらんな、蛍があんなに固まって飛んでるでしょ」

お秋は外へ出た。

向うの灯《ひ》を消している「油屋」の庇《ひさし》のところに、蛍が群がり集まって、青白い光りを明滅させながら、右へ左へと揺れ、あがったりさがったりしながら、一団となって飛び狂っていた。まあきれいだ、とお秋が云った。あたしゃてっきり人魂だと思ったよ、と女主人が云った。まだこんなに動悸《どうき》が打ってるわ。臆病《おくびょう》なかあさんね、おやすみなさい。おやすみ、と女主人は云《い》って、肩を竦《すく》めながら、いそぎ足に去っていった。お秋は戸閉りをし、おときとおひでに（部屋の外から）蚊遣りの火に気をつけるように、と声をかけた。二人とも寝ぼけた返辞をしたが、おそらく、どちらも蚊遣りなどはもう消えていることだろう、蚊にくわれるくらい平気な年ごろなんだ、そう思いながら、お秋は軀を拭くために勝手へいった。

端の四帖半へ戻ると藤吉は寝ていた。

お秋は閉めてあった窓をあけ、団扇を使いながら暫《しば》く外を眺めていた。

――九月はおっ母さんの七年だわね。

お秋はぼんやりそう思った。七年の法事にはお寺へゆかなければならない、三年忌はやらなかったし、このところお経料も届けてないんだから、「あたしも不孝者だわね」とお秋は心のなかで呟《つぶや》いた。

藤吉が静かに寝息をたて始めた。

三

おせんという娘の来た日に、この「土地」へ十五人伴《づ》れの客が来て騒いだ。ここは洲《す》崎《さき》弁天社の地続きで、六軒しか店がないし、正式に許可されたものではなく、店の名も「染屋」とか「油屋」「よね屋」「研屋《とぎや》」「粕屋《かすや》」「藁屋《わらや》」などといっていた。また女たちも一軒に三人までしか置かず、——それを条件に黙認されているのだが、客に酒食を供することや、歌舞音曲などは禁じられていた。尤《もっと》もそれが守られるのは僅《わず》かな期間で、いつか酒食も出し、歌ったり騒いだりが始まり、そこでお叱《しか》りが出ると、また暫くは禁を守る、というぐあいであった。……その日の十五人伴れの客たちは、六軒の店へ分れてあがり、日の昏《く》れるまではめを外して騒いだ。かれらは麻布のほうの大工職で、一人がこの「土地」のことを知っており、弁天詣《べんてんもう》でにかこつけて来たらしい。その一人はすっかり先達ぶって、「春に来れば汐干《しおひ》狩《がり》ができる」とか、「こういう鄙《ひな》びたところの遊びも乙《おつ》なものだろう」などと、一軒ずつ廻《まわ》っては自慢していた。たしかに鄙びている、西は洲崎弁天の広い境内、北は道を越した向うが木場《きば》で、東は芦原《あしはら》や沼や、蓮池《はすいけ》などの続く荒地、そうして南は、二段ばかり芦原があって、そのさきが海になっていた。

お秋のいる「よね屋」には、二人あがったきりなので、おときとおひでに任せ、お秋は自分の部屋で解《ほど》きものをしていた。そこへ女主人のおつねが、その娘を伴れてはいって来た。——おときが借金をぬいて、男と世帯をもつことになっているので、その代りに入れたのであるが、女主人の云ったとおり、年も十五歳くらいにしかみえないし、色が黒く、痩《や》せて、眼ばかり大きくて、その眼が怯《おび》えた猫のように不安と敵意の色を帯びていた。

「お秋ねえさんだよ」と女主人が云った、「これから面倒をみてもらうんだからね、——秋ちゃん、よろしく頼みますよ」

「おせんちゃんていうのね」とお秋が娘に云った、「あとでいっしょにお湯へゆきましょ、あんまり頼まれ甲斐《がい》のないほうだけれど、仲良くしましょうね」

娘は黙っておじぎをし、かたくなに俯向《うつむ》いて、膝《ひざ》の上で両手の指を揉《も》み合せていた。

二人が立ったとき、お秋が女主人だけを呼びとめた。

「かあさん、みつけものよ」とお秋は女主人に云った、「あの娘は縹緻《きりよう》よしになるわ」

「あんなたどんみたような顔でかい」

「みていてごらんなさい」とお秋は解きものを取りあげながら云った、「半年ぐらいするといい稼ぎ手になってよ」

「そうあってくれるといいけれどね」

「あの娘はみつけものよ、あの娘をみつけた人は眼がたかいわ」とお秋は云った、「世話をしたのは誰、——清兵衛《せいべえ》さんですか」

「清兵衛さんじゃないの」と女主人は出てゆきながら云った、「そうかねえ、そうであってくれるといいねえ」

お秋は解きものにかかった。おときとおひでの部屋が静かになっていた。

四

娘の来た翌日、おときは去っていった。

おせんという娘は、笊《ざる》の中の蛤《はまぐり》のように自分の殻《から》をきっちり閉めたまま、誰も近よせないという感じだった。あたしもこんなだった、とお秋は思った。十年の経験で、こんなふうにそっけないような娘が、却《かえ》ってからだの中に火を持っているのだ、ということを知っていた。

——お嫁にゆけばいいおかみさんになるんだけれど。

とお秋は思った。この世界へはいってしまうとおしまいだわ、この娘も人のために一生苦労するにちがいない。女って哀《かな》しいもんだわね、とお秋は心のなかで呟いた。ちゃんとした廓《くるわ》などと違って、こういう「土地」では躾《しつけ》などは二の次で、すぐに稼がせるのが常だった。ことにおときが欠けたあとだから、女主人は早くおせんに客を取らせたいらしい。だがお秋はそれを止めた。

——こういう娘は初めが大切よ。

とお秋は云った。もう少し馴《な》れるまで待つほうがいい、そのあいだ自分がこの娘の分まで稼ぐから、とお秋は云った。そして、お秋は云ったとおり、客を選ばず稼いだ。これまでは老人だけに限っていたし、（藤吉という客だけをべつとして）そのために稼ぎ高もよかった。お秋はもう二十七になるから、若い客には無理だと女主人は思ったが、そのつもりになって着物や化粧を変えると、十八歳のおひでよりも眼立ってみえ、客も多くついた。

「あんたってふしぎな人だね」と女主人が云った、「ちょっとお粧《つく》りを変えるとあたしでさえ見違えるほど、きれいで若くなるじゃないの」

「よしてよ、かあさん」とお秋はしらけた顔で云った、「夕焼け空、散《ち》り際《ぎわ》の花だわ」

女主人は溜息《ためいき》をついて、「村さんがいなければねえ」と云った。「大卯《おおう》」の御隠居にも身請けをされて、楽な暮しができるのに、ほかにも世話をしようという人がなんにんもいるのにねえ、どうしてあんな人のために苦労するんだろう、と女主人は云った。

「あの人のこと、云わないでちょうだい」とお秋が遮った。

「ひとこと云っとくけれどね」と女主人は云った、「いまのうちに手を切らないと、いつかきっと泣かなくちゃならなくなるよ」

「もうさんざん泣いたわ」とお秋が云った、「あの人のために泣く涙なんか、もう残ってはいないことよ」

「それでも手を切る気になれないのかねえ」

「たぶんこれが性分なんでしょ」とお秋はひとごとのように云った、「——品川から始まって十年、江戸じゅうの岡場所《おかば》という岡場所《しょ》をすっかりまわったようなものよ」

「くら替えさせられては、お金をねだられてね」と女主人が云った、「こんな洲崎のはてまで来れば充分じゃないの、秋ちゃん」

「でもあの人もおちつくじぶんよ」とお秋が云った、「もう三十七ですものね、そろそろ自分でも考えだしたらしいし、こんどは本気でなにか始めたようよ」

　女主人は顔をそむけた。

　お秋は女主人を見た。急に黙ったので、どうしたのかと思ったのだが、女主人はなま欠伸《あくび》をし、「あらいやだ」と伸びあがって、窓の外を見てごらんな、粕屋さんのよっちゃんがまた川で軀《からだ》を洗ってるよ、と云った。お秋も伸びあがって見た。樒《しきみ》の生垣《いけがき》の向うに、木場の堀から海へおちる小川がある。幅が六尺ばかりで、両岸にびっしり芦が茂っているが、その川の中で、若い女が一人、素裸になって軀を洗っていた。——逞《たくま》しく肥えた軀で、あらわな胸や腰、脂肪でくくれた腹や太腿《ふともも》など、いさましく堂々とむきだしで、水玉の散った肌が、夏の午後の陽をあびてきらきらと光っていた。

決して珍しいことではない、この「土地」では不景気が続くと、女たちは銭湯へゆく銭も無くなる。するとその小川へはいって、髪も洗うし軀も洗うのである。ここは地はずれだから、通る人は殆《ほと》んどないが、木場で働いている男たちにはまる見えだし、よくかれらから大きな声でからかわれる。しかし女たちは少しもめげない、むしろみだらに誇張した姿勢をみせ、ずけずけと露骨な言葉で罵《のの》り返すのであった。

「粕屋さんの不景気も業だね」と女主人は立ちあがった、「すっかり風がおちちまったよ、今夜はまた蒸すこったろうね」

お秋は黙って女主人の顔を見た。

——なんだかへんね。

へんに話をそらしたりして、どうしたのかしら、とお秋は不審に思った。おせんという娘は、なかなかお秋になじまなかった。銭湯へもいっしょに伴《つ》れてゆくし、髪化粧や着付けなども教えてやった。もともとお秋はそういうことは嫌いで、これまでそんなふうに人の面倒をみたことなどはない、その点では自分でも薄情だと思うくらいだった。それがおせんだけにはなにかしてやりたくなり、つまり情が移ったと思うのだが、おせんのほうでは相変らず固く殻の中に閉じこもったふうだし、その眼にある敵意のような色も消えなかった。——銭湯で背中を洗ってやりながら、

「あんたの家はどこ」と訊《き》いてみたが、「せんじ（千住）のほうです」とぶっきら棒に答えただけであった。そして、両親やきょうだいはいるのか、どんなしょうばいをやっているのか、などという問いには、かたくなに口をつぐんで、ひと言も答えようとはしなかった。

「おせんちゃん」と或《あ》る日お秋は云った、「あんたあたしが嫌いなの」

おせんは黙って俯向いた。

「嫌いなら嫌いだって云って」とお秋は少し高い声で云った、「あたしなにも無理に世話をやこうっていうんじゃないんだから、いやならいやだとはっきり云ってちょうだい」

「ねえさん」とおせんは顔をあげてお秋を見た、「あたしそんな、そんな、……」

言葉はそこで切れ、大きくみはった眼から、ぽろぽろと涙がこぼれ落ちた。

「いいのよ、泣くことはないの」とお秋は云った、「あんたの気持がわからないから訊いただけじゃないの、嫌いでなければそれでいいのよ」

おせんは眼を拭《ふ》きながら俯向いた。涙はこぼしたが、泣き声はださなかった。

——気性《きしよう》の知れない娘だこと。

とお秋は思った。

このあいだに藤吉が二度来た。二度とも、お秋は「泊り客があるから」と云って、彼を独りで寝かし、二度めは村次とかちあったので、明くる朝帰るときに見送りもしなかった。その二度めの、藤吉とかちあった晩に、村次はくら替えの話をもちだした。その晩、村次は内所で女主人と暫《しばら》く話してから、蛍籠《ほたるかご》を持ってお秋の部屋へ来た。「不動さまの縁日でね」と彼は云った、「子供のときを思いだしてつい買っちまったよ」

五

「いやな人ねえ」とお秋は蛍籠を受取りながら笑った、「蛍なんてこっちには売るほどいるじゃないの」

「うん」と村次は眼をそむけ、口の中でぽつんと云った、「人間せっぱ詰ると、自分でも呆《あき》れるようなばかなことをするもんだ」

お秋は「ああ」と思った。

――ああまただ。

と心のなかで思い、蛍籠を窓から出して、庇《ひさし》の桟にある釘《くぎ》へ懸けた。村次はそれっきり黙りこんだ。藤吉が来たので、ちょっとのま部屋をあけ、戻ってみるとおせんがいて、吃驚《びっくり》したように立ちあがった。そこに酒肴《しゅこう》の膳《ぜん》があり、おせんはすばやく出ていった。

「酒をもらったんだ」と村次が云った、「ゆうべまるっきり眠らなかったし、今夜もどうやら眠れそうもない、——一杯つきあってくれ」

「あたしお酒はだめ」

「一杯でいい、たまにはつきあってくれ」

「あたしはだめよ」とお秋は云った、「知ってるじゃないの、お酌しましょう」

お秋は燗徳利《かんどくり》を持った。

村次は黙って飲んだ。お秋が云いだすのを待っているのである、「どうしたの、なにかあったの」と云いだすのを、そのきっかけをつけるために、蛍籠を買って来たとすれば憎らしい、とお秋は思った。云いだすもんか、知らん顔をしていてやるわ、とお秋は心のなかで呟いた。

だが結局お秋は負けた。酒には弱い村次が三本も徳利をあけて、横になってからも苦しそうに呻《うめ》いたり、いつまでも寝返ったりしているのを見ると、ついがまんが切れてしまったのである。村次はすぐには話しださず、暫く黙っていて、それから起きあがって窓をあけ、庇の下に懸かっている蛍籠を見た。

「五疋《ひき》いるな」と彼は云《い》った、「朝夕三度くらい、水を吹っかけてやるんだよ」

「そんなことしたって三日とは生きちゃいないわ」とお秋は云った、「——さあ、どんな話だか聞かしてちょうだい」

そこで村次は話しだした。

取掛っている仕事（内容は云わなかった）が、金繰りの渋滞でゆき詰った。ここで三十両なければ御破算になってしまう、しかも三十両のくめんがつかない。この四五日それでとびまわっているが、八方塞《ふさ》がりでどうにもならない、というのであった。

——やっぱりそうだったのね。

とお秋は思った。いつもの手だ、この人は新しい口実さえ作ろうとしない。十年まえからまるで型で抜いたように、同じことを云うだけだ。そしてあたしは、……あたしはいつもそれに気づかないふうをして、自分からすすんで、「くら替えをしよう」と云いだすのだ。

——おかしなもんね。

そう、おかしいというよりほかに、なんと云いようもありはしない。あたしはまるでこの人とぐるになって、自分のこの躯を自分で痛めつけて来たようなもんだわ、とお秋は思った。

「わかったわ」とお秋は云った、「わかったけれど、あたしもう二十七になるのよ、この年で三十両なんて、そんなお金を貸すところがあると思って」

「おまえさえ承知ならあるんだ」

「こんなおばあさんで、三味線もろくに弾けないというのに」

「ちっと遠いんだが」と村次は云った、「常陸《ひたち》の潮来《いたこ》っていうところなんだが」

お秋はどきっとしたように彼を見た。村次は仰向いて、眼をつむっていた。もうこっちのものだ、とでも云いたげな、ぬけぬけと安心した色があらわれていた。

「もう話はできているのね」

「なにしろ急場のことなんで」と村次は云った、「あとで話せばわかってもらえると思ったから、内金と支度料を受取って来たんだ」彼は手を伸ばして、蒲団《ふとん》の下から財布を出し、その中から紙に包んだ物を出して、お秋の枕許《まくらもと》へ置いた、「これは支度料だ、おまえ取っておいてくれ」

お秋はややながいこと黙っていた。

――とうとう田舎落ちか。

ふと胸の中を凩《こがらし》が吹きぬけてでもゆくような、虚《むな》しくうそ寒いおもいにとらわれた。

「潮来か、――」とお秋は呟《つぶや》いた、「とうとう江戸から出てゆくのね」

「冗談じゃないぜ」と村次は寝返ってこちらを見た、「おまえは知らないからどんな田舎かと思うだろうが、どうして、新吉原《なか》にも負けないほど繁昌《はんじょう》なところだ」

そして村次は、潮来について語った。水戸《みと》の大洗《おおあらい》とか、鹿島《かしま》、香取《かとり》とか、筑波山《つくばさん》とかいう地名や、そこへ参詣《さんけい》にゆく人の群れが、みな潮来で財布をはたくとか、そこは菖蒲《しょうぶ》がきれいで、湖から魚が捕れ、景色がよくて、人は金を出しても保養にゆきたがるとか、——うますぎるような話を、眠たげな調子で語った。お秋はそれを殆んど聞いていなかった。そこが好ましい土地であろうとなかろうと、お秋にとっては同じことである。江戸じゅうの岡場所から岡場所を転々したあげく、ついに田舎へ身を売ってゆく。ことによると再び江戸へは帰れないかもしれない、その事実だけでたくさんだった。

「仕事がうまくはこべば、——これで順調にゆくことはもうわかってるが」と村次が云った、「おそくも秋になるまえに身請けにゆくが、それまで月に一度はきっと逢《あ》いにいく、ほんとだぜ、常陸といったって近いんだ、三日もあれば往《い》って帰って来られるんだから」

「いつここを立つの」

「おまえ気が向かないんじゃないのか」

「いつ立つのか訊いてるのよ」

「おれは無理にとは云わないんだぜ」

「そうよ、あんたは無理なんて云ったことはないわ」とお秋が云った、

「あたしたち運が悪いだけよ」すると涙がこみあげてきて、お秋は啜《すす》り泣きをしながら、まるで男を慰めるかのように続けた、「運が悪いということは誰の罪でもありゃしない、あたしに甲斐性《かいしょう》がないから、あんたの力になれないばかりか、いつも足手まといになるばかりで済まないと思ってるくらいよ」

「もうちっとの辛抱さ」と村次は云った、「仕事が波に乗るまで、それもせえぜえこの夏いっぱいだろうが、世帯をもっておちつけば、こんなことも笑い話のたねになるぜ」

「そうよ、運が悪いといったって切りがあるもの」とお秋は咽《むせ》びあげながら云った、「――でも、世帯をもつなら早くもたないと、あたしたち老《ふ》けてしまうわね」

お秋は俯伏《うつぶ》せに寝返り、寝衣《ねまき》の袂《たもと》を噛《か》みながら、声をひそめて泣いた。

立つ日がきまったら知らせに来る、たぶん二、三日うちだろう、と村次は云った。お秋は彼の手が伸びて来るだろうと思ったが、村次は向うへ寝返ったまま、団扇《うちわ》を動かしていた。

六

藤吉の部屋へもういちどゆかなければならない、と思いながら、お秋はいつか泣きねいりに眠ってしまった。

その夜半すぎ、——何刻《どき》じぶんかわからないが、女の（かなり高い）啜り泣きを聞いた。それは強くなり弱くなり、ふいにぷつんと跡切《とぎ》れたかと思うと、急速な引き息と喘《あえ》ぎに変り、そしてまた啜り泣きに戻った。「あたしまだ泣いているのね」とお秋は夢うつつのなかで思った。それともあの晩の夢をみているのだろうか、一刻以上もひとを放さなかったのだもの。でもこれはそうじゃない、これはまだ終りを知らない声だ。そう、あたしがまだ泣いてるのね、あたしが泣くなんてずいぶん久しぶりだわ、——まだ泣いてるわ、眠りながら泣いてるのね、とお秋はうとうとしながら思い、村次の寝床のほうへ手を伸ばした。そこには求める手がみつからなかった。お秋は手首に畳のこころよい冷たさを感じながら、そのまま深い眠りのなかへ沈んでいった。

七

明くる朝、お秋が起きたときは、雨が降っていて、村次も藤吉も帰ったあとだった。

るので、そう云われることは珍しくはないが「大卯」の隠居はずいぶん熱心で、断わるのに困ったくらいである。それで、潮来へゆくということは話さず、帰り際《ぎわ》になって「くら替えをするかもしれない」とだけ云った。

「そいつは淋《さび》しいな」と老人は云った、「くら替えではなく、じつはこれと世帯をもつんじゃあないのか」

「そんなら嬉《うれ》しいんですけれどね」とお秋は無関心に微笑した、「――おちついたらお知らせしますから、どうぞ忘れずにいらしって下さい」

老人は頷《うなず》いて、幾らかを包み「餞別《せんべつ》に」と云ってお秋に渡した。

大卯の隠居を送りだして、戻って来ると、内所から藤吉が出て来た。蒼《あお》い顔で、よろよろしながら、「部屋へいってもいいか」とお秋に呼びかけた。いいけれどちょっと片づけるわ、とお秋が云った。そのままでいいさ、おれも酒を飲むんだ、「おかみさん」と彼は内所へ向って云った。その膳をあっちへ持って来てくれ、酒のあとを頼むぜ。そう云って、自分からさきにお秋の部屋へはいっていった。おせんが膳をはこんでいるあいだに、お秋は女主人にようすを訊《き》いた。藤吉は昏《く》れがたに「傘を返しに来た」と云ってあがり、そのまま内所で飲んでいた、ということであった。お秋が、くら替えのことを話したか、と訊くと、「そんなことになるかもしれない」と匂《にお》わせた程度だ、と女主人は答えた。

「云ってくれなければよかったのに」とお秋は頭を振った、「ずいぶん酔ってるようだし、なんだか今夜はからまれそうな気がするわ」

「あんなにしんから秋ちゃんに惚《ほ》れきってるんだもの、あたし黙ってるわけにはいかなかったのよ」と女主人のおつねは云った、「――藤さんから初めて詳しい話を聞いて、あたし泣いたわ、あんなに男から想《おも》われるなんて女の冥利《みようり》よ、秋ちゃん」

「かあさん酔ってるのね」

「酔ってやしないよ、二つ三つ藤さんの合をしただけさ」と女主人は云った、「ついでだから云ってしまうけれど、あんたこんどくら替えしたら、村さんとの縁は切れてしまう、ってこと知ってるの」

「そうあってくれるといいと思うわ」

「知ってるの、あんた」

「縁が切れてくれればいいけれど」とお秋は立とうとした、「でもだめよ、かあさん、あの人はどうしたって切れてくれっこないわ、こんなのを本当の悪縁ていうんでしょ、自分でもだらしがないけれど、あたしだって」

「秋ちゃん」と女主人が遮った、「あんた知らないのね」

お秋は立ちかけたまま女主人を見た。

「あたし云ってしまうわ」と女主人は云った、「見ていてあんまりじれったいから云ってしまう、あんた村さんとおせんのこと知ってるの」

「おせんちゃんですって」

「二人はできてるのよ」

「まあいやだ」とお秋は笑った、「あの人とおせんちゃんとできてるんですって」

しかし女主人の眼の色に気づくと、お秋は急に膝《ひざ》がたよりなくなるような、妙な気分におそわれた。

「あんたに訊かれたときは黙ってたけれど」と女主人は続けた、「あの娘を世話してくれたのは村さんなのよ、口止めをされたんで黙ってたわ、でも二人ができてる仲だってことがわかったし、村さんのやりかたがあんまりひどいから云うの、どこから伴《つ》れて来たか知らないけれど、どうやら手籠《てご》め同様になにして、これからはあの娘を食いものにするらしいわ」

「だって、だってそんなこと」とお秋は吃《ども》った、「そんなこと、どうしてわかるの、かあさん」

「おせんが自分で云ったわ、初めはむりになにされたけれど、いまでは村さんが忘れられないって、あの人のためならどんな苦労でもするつもりだって、あたしにはっきりそう云ったわ」

お秋はくすくす笑いだした。

「いやだわ」とお秋は云った、「かあさんずいぶん酔ってるのね」

「ええ酔ってますよ、酔ってるから云う気になったんだわ」と女主人が云った、「あんたを銚子《ちょうし》なんてところへくら替えさせるのも、お金のためじゃなくって邪魔だからよ、あんたを遠くへ追っぱらって、こんどはおせんを食ってゆくつもりよ、それでもまだあんな人にみれんがあるの、秋ちゃん」

「銚子ですって、——潮来でしょかあさん」

「どっちだっておんなじよ」

「あたし潮来だって聞いたわ」とお秋は乾いた声で云った、「常陸の潮来よ、菖蒲の名所で、ほかにもいろんな名所があって、新吉原《なか》に負けないくらい繁昌な土地ですってよ」

「あんたって人は」と女主人は云いかけたが、首と手をいっしょに振った、「もうよすわ、藤さんが待ってるからいってあげなさい」

お秋は「そうね」と云って立ちあがった。

「もうひと言だけ云うけれど」と女主人が云《い》った、「あんた、よく考えてみるほうがいいよ」

お秋は「ええ」と微笑し、今夜はいくらか涼しいわね、と云いながら、廊下へ出た。部屋へゆくと、おせんが酌をしていて、お秋を見るとすぐに立った。お秋は「あんた」とおせんに呼びかけたが、眼をそらして「有難うよ」と云った。おせんは険しい眼ですばやくお秋を見、黙って部屋を出ていった。お秋は藤吉の向うへ坐《すわ》り、燗徳利《かんどくり》を持ったが、それはもう空なので、べつの一本のほうを持ってみて、それから「はい」と藤吉のほうへさしだした。

「一つ受けてくれ」と藤吉が云った、「今夜はいいだろう」

「ええ」とお秋は頷《うなず》いた、「いただくわ」

八

藤吉はお秋に酌をしながら、「いよいよお別れだってな」と云った。

――いやだ、そんなこといやだわ。

とお秋は心のなかで呟《つぶや》いた。

「いつか心がとおると思ってたが、とうとうだめだった」と藤吉は云った、「それでもおれは、三年間いい夢をみたと思うよ」

お秋は盃《さかずき》を返して酌をした。

――いやよ、そんなことさせやしないわ。

とお秋は心のなかで首を振った。

藤吉は初めて逢《あ》ったときのことを話し、それから今日までの、数かずの思い出を語った。お秋に話すのではなく、自分で自分に語りかけているように。……お秋はなま返辞をしたり、頷いたり、合槌《あいづち》を打ったりしながら、心のなかではまったくべつのことを思いつめていた。

――それがもし本当なら、いっそ死んでしまうほうがいいわ。

ああそうか、ほんとかもしれないわね、あんなにしてやってるのに、あの娘はどうしてもなつこうとしないし、ときどき仇《あだ》がたきでも見るような眼つきをするわ。そうよ、あの人はしこむのがうまいから、うぶな娘を馴《な》らすぐらいぞうさもないことだわ。ことによるとこの家へ来てからも、……ばかねえ、まさかそこまであの人だって、いくらなんでもそこまでずうずうしくは。お秋は「あ」と手を浮かした。

「危ねえ」と藤吉がお秋の手を押えた、「どうしたんだ、酒がこぼれちまうぜ」

「済みません、うっかりしちゃって」

「こっちへくれ」と藤吉は燗徳利を自分のほうへ取った、「さあ、もう一ついこう」

「酔ってもよくって」

「飲めるのか」

「あたし癖が悪いの」とお秋は盃を持った、「だから飲まないようにしてるんだけれど、本当は好きなほうなのよ」

「よし、酔ってくれ」と藤吉が云った、「介抱のし始めのしおさめだ、酔って暴れるなりからむなり、どうでも好きなようにしてくれ」

「じゃあ大きいのでいただくわ」

お秋は汁椀《しるわん》の蓋《ふた》を取ったが、ふと気づいて「そのまえにお酒をそいってくるわね」と云い、立って出ていったが、戻って来ると、ふと窓のほうを見、そっちへいって(庇《ひさし》に吊《つ》ってある)蛍籠《ほたるかご》を取り外した。

「水をやるのを忘れてたわ」とお秋は呟いた、「——まだ生きてるわ、可哀《かわい》そうに」

「放してやれよ」と藤吉が云った。

「そうね」とお秋が云った、「放してやりましょう」

お秋は籠に張ってある蚊屋《かや》を破り、中にいる蛍を、生垣の上へ振り落した。蛍は五匹いたが、樒《しきみ》の葉の上へ落ちると、二匹だけ息づくように光り、あと三匹は地面にこぼれ落ちたまま、うす青くほのかに光りながら、しかし動くようすはなかった。

あたしが泣いたんじゃない、あの泣き声はあたしじゃあない。

お秋は心のなかで云った。夢うつつだったけれど、手をやったらあの人はいなかった。そうだ、あれはあたしが泣いたのではない、ほかの部屋から聞えて来たのだ。

——くやしい、死んでやろう。

とお秋は心のなかで叫んだ。

「どうしたんだ」と藤吉が云った、「酒が来たぜ」

「ええ」とお秋が乾いた声で答えた、「いま放してやったら、生きていたのは二匹だけだったわ、あら、——その一匹がいま飛んだわ」

「来て飲まないか」

「水のあるところがわかるのねえ、川のほうへ飛んでいってよ」

お秋はそう云って膳《ぜん》のほうへ来た。

それから約一刻《とき》、お秋はひどく陽気に飲んだ。藤吉も陽気に相手をした。酔いのまわったお秋は藤吉に向って、「早くお嫁さんをもらって船宿をおやりなさい」と繰り返した。あたしのことは諦《あきら》めるの、男らしく諦めるのよ、あんたには悪いけれど、あんたとあたしとは縁がなかったのよ。もしかして、初めに逢っていたら好きになったかもしれない。いまだって嫌いじゃないのよ、嫌いなもんですか、あんたにはいつも済まない済まないと思って、「わかった、もういいよ」と藤吉が遮った。よかあないことよ、早くお嫁さんをもらいなさい、とお秋は繰り返した。

——死んでやる、あの人の見ている前で、あたし死んでやるわ。

とお秋は口で話すのとはべつに考えていた。あんまりひどい、あたしのいるこの家で、あたしが眠ってるまにあの娘と寝るなんて、いくらなんでもあんまりだわ。ああ苦しい、酔ったせいかしら、胸がつぶれそうに苦しい、ああ。

「もうだめだ、もうよせ」と藤吉が云った、「顔が蒼《あお》くなったぜ、苦しいんだろう」

「お嫁さんをもらいなさい」

「わかったよ、少し横になったらどうだ」

「おんなじことだわ」とお秋は首をぐらぐらさせた、「もうすぐ済んじまうんだもの、ながい苦しみじゃありゃしない、人間いちどはみんな死ぬんだから、そうだわね藤さん」

「さあ、ちょっと横になってくれ」と藤吉はお秋の肩を押えた、「いま枕《まくら》を取ってやる」

「あんたの膝を貸して」

お秋は崩れるように倒れ、藤吉の膝を枕にし、片手でその膝を抱えるようにした。

「秋ちゃん」と藤吉が囁《ささや》いた、「もういちどだけ訊くが、おまえこのおれと、——」

だがそこで彼は口をつぐんだ。

お秋が眉《まゆ》をしかめ、さもうるさそうに首を振ったからである。藤吉は口をつぐんで、じっとお秋の顔を見まもりながら、団扇《うちわ》を取って静かに蚊を追った。

「おまえを死なせやあしないよ」と彼は口の中でそっと囁いた、「おまえを死なせるもんか、どんなことをしたって、……秋ちゃん、おれはな」

そこで囁きは聞えなくなった。

——この人って諄《くど》いのね。

とお秋は眠りにひきこまれながら思った。でもいいわ、おんなじことだわ、なにもかもすぐに済んじまうんだもの。そうよ、あたし泣いたりなんかしないわ。十年。長いようで短い月日だったわね、ああ、起きなくっちゃいけないんだ、これ藤さんの膝だわ。

「眠んな、秋ちゃん」と藤吉が囁いた、「おれが蚊を追ってやるよ」

お秋は眠った。

障子に陽がさしたので、眼がさめると、明るい朝の部屋にお秋は独りで寝ていて、藤吉の姿はみえなかった。障子が眩《まぶ》しいので寝返りをうち、激しい渇きと、割れてしまいそうな頭の痛みのなかで、もういちど眠ろうとした。すると唐紙《からかみ》をあけて「藤さんが帰るわよ」とおひでの云うのが聞えた。

「悪いじゃないのさ」とおひでが云った、「送らなくってもいいの、秋ちゃん」

お秋は黙っていた。おひでは唐紙を閉めて去った。

九

お秋はその日と次の日いっぱい飲みつづけに飲んだ。

客が来ても断わった。なにも喰《た》べずに、酔うとごろ寝をし、眼がさめるとまた飲んだ。誰とも口をきかず、女主人が話しかけても返辞をしなかった。まるで白痴にでもなったようなぐあいで、村次が来たときも、すぐには誰ともわからないようであった。

村次が来たのは次の夜の九時すぎで、女主人に手土産を持って来、「明日お秋を伴《つ》れてゆく」と云った。そして女主人からお秋のことを聞いたが、「あいつ飲みだすと癖が悪いんで」と云いながら、お秋の部屋へいった。

村次を見るとすぐ、お秋は「だめよ」と手を振った。お客は取らないの、帰ってちょうだい、と舌ったるい調子で云った。

「いいかげんにしないか、おれだよ」

「おれって誰よ」とお秋は眼をすえた、「いったい誰、――ああ」とお秋は頭を振った、「なんだ、おまえさんか」

「明日の朝でかけることになったんだ」と村次は云った、「昨日から飲み続けだっていうが、もういいかげんにして寝なくっちゃだめだ、明日起きられないと困るぜ」

「そう、明日なの、明日、いよいよ立つのね」お秋はにっと笑った、「いいわ、じゃあ、ちょっと蓮池を見にいきましょ」

「もう寝なくっちゃだめだ」

「お名残りに蓮池を見るの」とお秋は力をこめて云った、「もう一生見られないかもしれないじゃないの、去年いっしょにいったでしょ、あの蓮池がいちばん蛍がきれいなのよ」

「そんなに酔っていちゃあ危ないよ、両側が沼だの田圃《たんぼ》だので、道は狭いし滑るぜ」

「いいわ、あたし独りでいくから」

「しょうがねえな」と村次は舌打ちをした、「酔うと手に負えなくなるんだから、いいよ、いっしょにいってやるよ」

「あらうれしい」とお秋は立ちあがった、「やっぱりあんただわ、手を貸して」

「いいわよ」とお秋は男の腕を取った、「今夜っきりだもの、みせつけてやるんだわ」

二人が部屋を出ると、向うにおせんが立っていて、すっと内所へはいるのが見えた。お秋はわりとしっかりした足どりで、「かあさん、ちょっと蓮池までいって来ます」と断わり、村次の腕を抱えたまま、土間へおりた。そこにある下駄《げた》を突っかけて、外へ出たが「あらいけない」と手を放し、「お酒を忘れたわ」と呟いた。

「お酒を持ってくるから先へいってて」とお秋は村次に云った、「蓮池、知ってるでしょ」

「知ってるよ」と村次が答えた。

「あとからすぐに追いつくわ」とお秋が云った、「すぐだからいってて」

そしてあとへ引返した。

部屋へ戻ると、お秋は鏡台の抽出《ひきだし》をあけ、剃刀《かみそり》を出して、ふところの紙でくるくると巻き、それを右の袂《たもと》へ入れた。顔が硬《こわ》ばって、軀《からだ》がひどくふるえ、舌が上顎《うわあご》へ貼《は》りついたようになった。

――殺してやる。

とお秋は思った。土瓶の口からなまぬるい水をこくこくと飲み、「殺してやる」と呟いた。憎い憎い憎い、だれが自分だけで死ぬものか、ああ憎い、胸のここで火が燃えるようだ、ちくしょう、ちくしょう。死ぬならあいつを殺してからだ。

お秋は立ちあがった。

店を出るとき、ひやかしの客と話していたおひでが、訝《いぶか》しそうな、もの問いたげな眼でこっちを見た。前の「油屋」にも、角の「染屋」にも、珍しく客があるようすで、唄《うた》う声や、女たちの高笑いが聞えていた。——堤へあがって右へ折れると、道はすっかり暗くなる。左側にある木場の堀が切れ、そこから道は細くなって、左も右も、芦《あし》の茂っている湿地や沼が続き、海のほうから吹いて来る汐臭《しおくさ》い風にゆられて、芦の葉がさやさやと鳴っていた。

その辺にいると思った村次の姿が見えないので、お秋は少しいそぎ足になった。

「もしか勘づいたのではないかしら」

呟きながら、蛍の飛び交っている暗がりの向うをすかして見ながら歩いていった。やがて、蓮池の二十間ばかり手前で、村次の黒い影に追いついた。

「おそくなっちゃったわ」とお秋が呼びかけた、「男の足って早いのね」

黒い影はこっちへ来た。

暗がりにぼかされた、その影はこっちへ来て、お秋の前に立塞《たちふさ》がった。お秋は（右の）袂の中で、包んだ剃刀をぐっと握った。黒い影がもっと黒く、はっきりと見え、お秋はおちついて近よっていった。

「さあいきましょう」とお秋が云《い》った、「そこが蓮池よ」

すると蓮池のあたりで「がぼっ」という水音がし、村次が「もう済んだよ」と云った。その声はしゃがれていて、村次の声のようではなかった。お秋は立停った。

「なにが済んだの」とお秋は訊《き》いた。

「あいつはおれが片づけた」とそのしゃがれた声は云った、「もういいんだよ」

お秋は「あ」といった。

蓮池のほうで、また鈍い水音がし、「お秋」と呼ぶ声が聞えた。「お秋」と云ったようで、口に水を含んだ、弱よわしくはっきりしない声であった。お秋はぞっと総毛立った。

「あんた……藤さんね」

「触らないでくれ、すっかり汚れてるんだ」

「藤さんね」とお秋が云った。

「触っちゃだめだ、触ると血が付くから」

「どうして」とお秋は吃《ども》った、「どうしてあんたが、こんなことを」

「生かしておけないやつだからだ」と男は云った、こんどははっきり藤吉の声であった。

「一昨日《おととい》の晩、よね屋のかみさんから話を聞いた、おれははらわたが煮えるようだった、おめえばかりか、あんな小娘まで餌食《えじき》にしやがって、どうしても生かしてはおけない、おれのこの手でやってやる、そう思って昨日からずっと見張ってたんだ」

蓮池でまた（微《かす》かに）呼ぶ声が聞え、ばしゃんと水音がし、そして、それっきりなにも聞えなくなった。

「だってどうするの」とお秋がふるえながら云っていた、「あんたがこんなことをして、一生がだいなしになっちゃうじゃないの」

「おれはやらずにはいられなかったんだ」

「あたしのためね」とお秋は泣きだした、「あたしがやろうと思っていたのに、あたしなんかのために、あんたが一生を棒に振るなんて、それであたしがよろこぶと思うの」そして衝動的に叫んだ、「逃げてちょうだい」

「なのって出るんだ」

「ごしょうだから逃げて」とお秋が叫んだ、「あたし自分でやるつもりで、ここに剃刀を持って来てるの、あたしがなのって出るから藤さんは逃げて」

「おめえは仕合せになるんだ」と藤吉は歩きだした、「蛭《ひる》はいなくなった、おめえの血を吸うやつはもういない、これからは仕合せになるんだ、秋ちゃん、祈ってるぜ」

「あたしもいく、いっしょにいくわ」

「下手人はおれ一人だ」

「伴れてって」お秋は泣きながら追った、「もうあんたからははなれない、あたし自分でやるつもりだったんだもの罪は同じよ、いっしょに伴れてって、藤さん」

「あばよ、秋ちゃん」と藤吉が云った、「仕合せになるんだぜ」

「待って、お願いだから待って」

だがお秋は転んだ。下駄が滑って、前のめりに転び、「藤さん」とお秋は叫んだ、「ごしょうだから待ってちょうだい、あたし転んじゃったのよう」

だが答えはなかった。

向うを見ると、蛍が飛んでいて、藤吉の姿は見えなかった。お秋は冷たい地面の上へ、俯伏《うつぶ》せになって、泣きだした。


（「講談倶楽部《クラブ》」昭和三十年八月号）

末っ子

一　彼に対する一族の評

祖父の（故）小出鈍翁《こいでどんおう》は云《い》った。

「平五か、そうさな、まあ悪くはあるまい、ばあさんが可愛《かわい》がりすぎたから、少しあまったれのようだが、まあそう悪くはないだろう、すばしっこいところもあるし、いい養子のくちにでも当れば、案外あれで芽を出すかもしれない、そんなうまいくちはなかなかあるまいが、まあ、あれはあれでいいだろう」

祖母の（故）いち女は云った。

「あれはしっかりした子ですよ、敬さんや杢《もく》さんとはまるで性質が違います、上の二人よりもしっかり者です、おじいさんがあまやかすし、末っ子だからあれですけれども、芯《しん》はしっかりした賢い子です、ええ、あたしは孫たちの中では平五がいちばん好きですね、まあ長い眼で見ていてごらんなさい、あの子はきっとずぬけた出世をしますよ」

父親の小出玄蕃《げんば》は云う。

「あいつはどうもかんばしくない、親の口からこんなことを云いたくはないが、いつか家名を傷つけるようなまねをするのではないかと危ぶまれる、第一に、あいつはこの父を尊敬していない、小さいじぶんからそうだ、一例をあげると、まだ赤ん坊のときだったが、さよう、生れて三十日も経《た》ったころからだろう、あいつは私の顔を見るとべろを出した、そんな赤ん坊のことだからべつに意趣があったわけではないだろう、偶然だろうと思ったのだが、どうもそうではないらしい、ほかの者にはしないのである、私の顔を見るとべろを出すので、いいこころもちはしなかった、こんなことは誰に話すわけにもいかない、妻にさえ話したことはないが、その当時の侮辱されたような気持はいまだに忘れることができないのである、その後ずっとあいつのすることを見てきたが、すべてがうわっ調子で、侍の子らしくない、七千二百石の旗本の子であるという自覚がない、誰も知らないだろうが、たとえば饅頭《まんじゆう》のこと、古足袋や古肌着のこと、また道具屋のことなど、私はみんな知っているのである、じつに、なんと云いようもない、三河以来の由緒《ゆいしよ》ある家柄を考え合せると、なんともなさけなくなるのである」

長兄の敬二郎が云う。

「あいつは末っ子のあまったれだ、末っ子は三文安いというが、祖父や祖母にあまやかされたのでおまけが付いてしまった、あのままでは養子のくちがあってもやれやしない、困ったやつだ」

母親のいつ女は云う。

「あたしにはあの子の気持がわかりません、あれは気ごころの知れない子です、末っ子だからあまやかしてはいけないと思って、できるだけ気をつけて育てたつもりですけれどね、いいえ、乱暴でもないしだらしがないというんでもありません。きょうだいじゅうではいちばん利巧でしょう、親に口返しをしたためしもなし、はいはいとよく云うことをきくんです、けれどそれはおもてだけで、はらの中はどうも人を小ばかにしているように思えてなりません、学問は聖坂《ひじりざか》へかよいましたし、武芸は道場が近いので柳生《やぎゅう》さままでした、聖坂へはいまでも、ときどき日講を聞きにゆくようですが、どちらも成績はよかったようで、ことによるとそんなことで慢心しているのかもしれません、お父さまや敬さんと気が合わないので、あいだに立つあたしは困るようなことがたびたびです、養子縁組のはなしも二度か三度ありましたが、敬さんが承知しないんですよ、いまのままで養子などにやったら小出の恥になるっていうんですの、それに本人もゆく気はないようです、もう二十四にもなるのにどうするつもりなのか、やっぱり末っ子なので、まだあまえた気持がぬけないのか、あたしにはわけがわかりません、本当にあれは気ごころの知れない子です」

長兄の妻はる女は云う。

「平五さんですか、さあ、わたくしよく存じあげませんのよ、主人の云うほどではないでしょうけれど、みなさん少し厳しすぎるのではないかと思いますけれど、でもわたくしにはよくわかりませんですわ、ええ、本当のところわたくしよく存じあげませんですのよ」

次兄の（木下の養子）杢之助《もくのすけ》は云う。

「あいつは末っ子のあまったれで、いくじなしのくせに向っ気が強くって、へんにこすっからいとこがあっていやなやつだ、ゆだんのならないおっちょこちょいだ、おれはあいつの顔を見るといつもぼんのくぼが痒《かゆ》くなったものだ、いまから云っておくが、あいつはろくなやつにはならないぞ」

長姉の（土方《ひじかた》へ嫁《か》した）よねは云う。

「平五さんは妙な子でした、あまったれで、そのくせませていて、少しも可愛げのない、きょうだいの情のうつらない子でした、土方の親類に婿《むこ》縁組のはなしがあって、いい縁だったのにあの子は断わったのです、あのときに土方も怒るしあたしもくやしゅうございましたが、いま考えてみるとそのほうがよかったと思います、あの子が土方の一族になるなんて、いま思うとぞっとするくらいです、父や母がいまでもあの子に手を焼いているかと思うと、本当に気の毒だと思います」

次姉の（米良《めら》へ嫁した）くには云う。

「あのひとですか、そうねえ、末っ子だし、おばあさまが猫っ可愛がりに可愛がりましたから、ちょっとあまったれなところもあるようだけれど、でも存外しっかりしているし、思い遣《や》りの深いところもあって、これは誰も知らないでしょうけれど、新《しん》庄《じょう》の叔父さまなどにはときどき貢《みつ》いでいるようですよ、うちでも主人がだいぶ贔屓《ひいき》で、小出では平五がいちばん人間ができている、などと云っています、あたしはこんな暢《のん》気《き》な性分ですし、あのひととは年も一つしか違いませんから、きょうだいじゅうではいちばん仲もよく、喧嘩《けんか》もした代りには、いまでもここへはよく遊びに来ます、あたしより米良に会うためかもしれませんけれど、貯《た》めたお金を預けているくらいですから、あたしのことも頼りにしているのだと思いますわ、ええ、いま養子のくちが一つあるんですよ、先方は小普請《こぶしん》ですけれど、五百石ばかりの内福なうちで、娘さんも温和《おとな》しそうな縹緻《きりょう》のいいひとなんです、どうして承知しないのか、あたしにはわかりません、先方ではぜひと云ってますし、米良もすすめているんですけれどね、なにか考えがあるんでしょうか、どうしてもうんと云いませんのよ」

叔父（玄蕃の弟で新庄へ婿にいっている）主殿《とのも》は云う。

「私は平五についてはなにも云えません、小出の兄があのとおりですから、ええ、小出の兄はできた人物ですし、私などはこんな貧乏ぐらしで、平五にもいろいろあれしてはいますけれど、しかし私にはなにも云えないです、兄がよく知っているでしょう、小出の兄は人物ですからね、ええ、私にはなにも云えないですよ」

二

その年は平五にとっていやな年であった。今年は厄年になりそうだぞ、と彼は思った。第一は正月の集まりに、次兄の李之助とやりあったことだ。毎年正月の六日に、親族の人たちが小出へ集まる。これは個別に年頭の回礼をする煩《はん》を省くためで、以前は一年ごとにもちまわりだったが、八年まえに先代の鈍翁が亡《な》くなってから、いつとなく小出だけへ集まるようになった。

——おやじのばかげた虚栄心だ。

と平五は心の中で冷笑していた。親族の中心におさまること、かれらから「木挽《こびき》町《ちょう》の御本家」とよばれること、そして骨董《こっとう》じまんをするのがいい気持なのである。集まるのは十二人だったが、三年ほどまえから九人に減った。おやじの骨董じまんに閉口したのだろう、と平五は思っているが、今年はさらに減って五人しか来なかった。

平河町の森内膳《もりないぜん》。神谷町《かみやちょう》の木下杢之助。薬師小路《やくしこうじ》の土方市之丞《いちのじょう》。田村小路の新庄主殿。それから榎坂《えのきざか》の米良平左衛門という顔ぶれであった。

「おやおや、おまえまだいたのか、平五」

酒宴がなかばごろになったとき、杢之助がそうよびかけた。平五より四つ上の二十八歳で、六年まえに木下へ養子にいったが、うちにいるじぶんから平五とは仲が悪かった。

平五は返辞をしなかった。彼は席次のことではらをたてていた。新庄の叔父が末席にいるのを、誰もなんとも云わないのである。主殿というこの叔父は、父の一人きりの弟で、三十二三になってから新庄へ養子にいった。そんな年まで部屋住でいたのと、養子さきの新庄がひどく貧乏なためだろう、もともと引込み思案な人だったが、みんなの集まるときは不必要にへりくだって、いつも末席の隅のほうに小さくなっている。平五はみかねて上座のほうへ直るように云い、ほかの者にもすすめられると、ようやく席を直すのだが、その日は平五のほかに誰もすすめる者がなかった。長兄の敬二郎などは、平五に向って、「うるさいぞ」と云ったくらいである。

——なにがうるせえんだ、おめえにも叔父に当る人だぜ。

と平五ははらの中でどなった。

——新庄がもっと金持ならへえこらおべっかを使うんだろう、ざまあみやがれ。
そして叔父の主殿に対してもはらがたった。だらしのない人だ、そんなことだから
みんなに軽蔑《けいべつ》されるんだ、などと思い、ふくれた顔で膳《ぜん》の上の物を喰《た》べていた。
「おい平五」とまた杢之助が云った、「おまえ耳がどうかしたのか」
「どうもしませんよ」
「じゃあおれの云ったことは聞えたんだろう」
「聞えましたね」
「聞えたのに返辞をしないのか」
「必要がないでしょう」と平五が答えた、「このとおり私はここにいるし、いること
は誰の眼にだって見えるんだから」
「おれが云うのはそんなことじゃない、養子の縁談があったのに断わったというから、
おまえになにか目算があるのだろうと思っていたところが、相変らずのそのそしてい
るから訊《き》いたんだ」と杢之助が云った、「おまえもう二十五になるんじゃないか」
「二十四ですよ」
「来年は五になるさ、どうするんだ」と杢之助が云った、「縁談のより好みなんかし
ていると、一生ひやめしを食うようなことになるぜ」

よけいなことを、と平五はかっとなった。

「結構ですね」と平五はやり返した、「養子にいっても小遣に不自由したり、好きな酒も飲めずにちぢこまっているくらいなら、ひやめしを食ってるほうがましですよ」

李之助の顔色が変った。

なんだって、それは誰のことをさすんだ、と李之助が云《い》った。誰のことでもありません。譬《たと》え話です、と平五が答えた。ごまかすな、いまのはおれへの当てつけだ、と李之助がいきりたち、つまらない応酬が始まって、すると、向うから長兄がよせと云った。

「黙れ平五、――」と敬二郎が云った、「よそへいったって兄は兄だぞ、しようのないやつだ、あやまれ」

平五は黙っていた。

「あやまれ」と敬二郎が云った、「あやまらないのか、平五」

そのとき米良平左衛門がとりなしにはいった。彼は敬二郎と同年の三十二歳だが、風貌《ふうぼう》も気質もずっと老成しているし、親族の中では唯《ただ》一人の平五の味方であった。ところでその平左衛門が、とりなすに事を欠いて、とんでもないことを云いだしたのである。

「もういいよ敬さん、そう叱りなさんな」と米良が云った、「貴方がたにはまだ末っ子のあまったれとみえるのだろうが、平さんも二十四になったし、もう想《おも》いをかけた娘さえあるらしいからね」

平五は口をあき、それから狼狽《ろうばい》して、「米良さん」と遮ったがまにあわず、森内膳がそれはいいと笑いだし、それにつられてみんなが笑った。父の玄蕃さえも笑って、ばかなやつだ、と云うのが聞え、平五は立ってそこから逃げだした。

三日ばかり経って、平五は榎坂の米良を訪ね、そのときのことをなじった。米良はにやにや笑って、あの手でなければ敬さんをそらせないと思ったのだ、と云った。

「気に障《さわ》ったら勘弁してくれ」と米良はあやまった、「しかし、そういう娘がいると話していたじゃないか」

「想いをかけたなんて云やあしません、或《あ》る店で二三度会ったと云っただけですよ」

「おやそうかしら」と姉のくにが良人《おっと》のそばから云った、「あのときの口ぶりだと、ずいぶん熱をあげているようだったことよ」

「そんなことがあるもんですか、それは思いちがいですよ、貴方がたまでがそんな」

「ばかに力をいれる」と米良がまたにやにやし、そして話をそらし、「――これから毎月一度、木挽町で寄合をすることになったのを知っているか」

「あの人には秋ちゃんの傘を出してあげたわ」とおひでが云った、「藤さんはいいって云ったけれど、あたしのを貸したわ」

「そう、有難う」とお秋は云った、「藤さんはなにか云ってなかった」

おひでは眠そうな顔で欠伸《あくび》をし、「傘はすぐに返すって云ったわ」と答えた。

雨は午《ひる》まえにあがったので、午後になってから、お秋は両国まで買い物にでかけた。支度料というのが三両あったので、単衣《ひとえ》の反物と夏帯を買うつもりだった。尾上《おのえ》町と相生《あいおい》町に知った店が二軒あり、お秋は両方へ寄ってみたが、欲しいような品がなかったし、ふと「その土地に合わないと困るな」と思った。それほど繁昌な処《ところ》なら呉服屋もあるだろう、「いっそ潮来へいって買うことにしよう」そうきめて、女主人とおひでには菓子、おせんには簪《かんざし》と櫛《くし》を土産に買い、駕籠《かご》に乗って帰った。

その夕方のことだが、おせんと銭湯へいって戻ると、内所で藤吉が酒を飲んでいた。お秋はそれを知らずに、馴染《なじみ》の「大卯」の老人が来ていたので、すぐにそっちの相手に出た。老人は木場の大阪屋卯兵衛という材木商の隠居で、年は六十三、閑観斎といって雑俳ではかなり知られているらしい。お秋が来たときからの馴染客であり、来れば酒を飲み、一刻ばかり世間話をして帰るのが、いつものきまりだった。——一年ほどまえに「世話をしよう」と云われて、断わったことがあった。老人ばかり客にす

「うちでですか、知りませんね」
「毎月十日の晩だ、平さんが退却したあとできまったんだよ」
こんどは平五が笑った、「そいつはお気の毒だな、おやじの骨董じまんをたっぷり聞かされるんでしょう」
「そうらしい、みんなもなにか一品ずつ持ち寄るということになった、つまりお互いに鑑識眼を高めようというわけさ」
平五は声をあげて笑った、「そいつはまるっきりお気の毒だ、おやじの講釈をたっぷり聞かされるだけですぜ、みんな承知したんですか」
「田村小路がまず双手《もろて》をあげた」
「なんですって、――あの叔父が、まさか」
「まっさきに妙案だと云った、みんなびっくりしたがね」と米良は微笑した、「――とにかく、来月の十日に第一回がある筈《はず》だよ」

三

平五はその寄合には出なかった。出ろとも云われなかったし、興味もないからで、しかしその場のようすはときどき耳にした。父や兄が話すのを聞くこともあるし、聖坂で森助三郎から聞くこともある。——助三郎というのは森内膳の子で、平五とは従兄弟《いとこ》に当り、年は二十二歳になる。学問がずばぬけてできるということだが、平五からみると純粋にできるのではなく、虚栄心のために成績だけあげているという感じだった。それは彼の話しぶりや議論のやりかたでもわかるし、あまり頭のよくないような者を好んで嘲弄《ちょうろう》する態度にも、よくあらわれていた。

平五は月に三回か五回か、聖坂学問所の日講を聴きにゆく。助三郎とはそのときたまに会うのだが、呼びとめられない限り、こっちから話しかけるようなことはなかった。三月に二回めの十日会があったあと、平五は助三郎に呼びとめられ、新庄の叔父が恥をかいた話を聞かされた。叔父は家伝の品だと云って、妙な香炉を持ちだしたという。それはあらためて見るまでもなく、ごくざつな仏壇用の品で、しかし叔父は「五代前から新庄家に伝わっているそうだ」と注を加えたため、みんなが笑いだしたということであった。

「しゃれてるじゃありませんか」と助三郎は喉《のど》で笑った、「みんなにはわからないんだな、新庄さんはなかなか茶人ですよ、そう思いませんか」

平五はその帰りに榎坂へまわった。米良平左衛門もそのとおりだと云った。

「とぼけているのか本気なのかよくわからないがね、おそらくとぼけているんだろうと思うが」
「あの叔父にとぼけるなんて芸ができるもんですか」と云って平五は溜息《ためいき》をつき、首を左右に振った、「しようのない人だ」
「そうだ、話は違うが、一つ聞いておきたいことがある」と米良は顔をあげて云った、「くにから聞いたんだが、平さんの預ける金が、かぞえてみたら二十両を越したというんだがね」
「ええ、八十三分になった筈です」
「なんだい八十三分とは」
「両なんていうと角《かど》が立つから、すべて分でかぞえることにしているんです、しかしそれがどうしたんですか」
「へえ」と米良が云った、「両なんていうと角が立つかね」
「なにしろ部屋住の身の上ですからね」
「それがなんだ、その部屋住の平さんが、三両や五両ならともかく、二、いや八十三分という金を溜めたとなると、預かっているこっちの責任も重くなる、どういう性質の金かということをいちおう聞いておきたいと思うんだ」
「話さなかったかな」と平五は首をかしげた、「姉さんに話しませんでしたかね」

「あたしは聞きませんよ」とくにが云った。

「米良さんは」と平五が急に問いかけた、「私が養子の縁談をどうして断わるかわかりますか」

　平左衛門はゆっくりと頭を振った。

「つまり」と平五が云った、「つまり養子にゆきたくないからです」

「それはそうだろう」

　くにがふきだした。

「そうじゃないんですよ、いや、ゆきたくないという気持には理由があるんです」と平五は云い直した、「新庄の叔父、木下へいった杢さん、ほかに友達で二人いますが、みんなそれは哀れなものですよ」

　平五は養子の哀れさを並べた。細《さい》を穿《うが》つといったような詳しさで、米良夫妻はいささかおどろいたようであった。

「なるほどね」と米良が云った、「正月のときに杢さんをやりこめていたが、ふーん、なるほど切実な問題なんだな」

「依田《よだ》さんはそんなことはないわ」とくにには反対した、「新庄さんや木下さんや、ほかの方たちのことは知らないけれど、依田さんに限ってそんなことはありませんよ」

依田というのは、米良夫妻がすすめた婿養子のくちで、いちど平五は会ったことがある。父親はやっぱり婿だそうで、会ったのは母と娘だった。娘の年は十七。母親に似て軀《からだ》つきは小柄であるが、縹緻《きりよう》もかなりいいし、しとやかで、いつも眼に微笑を湛《たた》えているという感じだった。婿養子にどうかと云われたのは、母娘に会ったあとの話で、先方はひどく乗り気だと聞いたが、平五はきっぱり断わったのであった。

「姉さんはそう云いますがね、杢さんの相手だって結婚するまえはよかったんですよ」と平五が云った、「それが子を一人産むとすっかり変ってしまった、二人の友達のほうも似たりよったりです、結婚するまえはしとやかに楚々《そそ》としていて、それが祝言《しゅうげん》してしまえばがらっと変るんですからね、小糠《こぬか》三合持ったらという俗言は決して誇張じゃありませんよ」

「それならそれでいいけれど、ではいったいどうするつもりなの、一生部屋住でくらすつもりなんですか」

「だから金を溜めてるんです」と云って彼は米良を見た、「五十両あれば御家人《ごけにん》の株が買えますからね」

平左衛門はちょっと黙っていて、それから静かに、「それは深謀遠慮だな」と云った。

「いろいろ当ってみると、五十両あれば買えそうなんです」と平五は云った、「侍の値打もさがったものですが、町人だとまた話は違うんですね、こっちが侍ならそのくらいでも相談になるらしいんですよ」

米良はふーんといい、それから、不審な点を思いだしたように、それにしてもこれだけの金をよく溜めたなと云った。

「よく溜めたといったところでまだ半分にも足りませんが、これには涙ぐましい話があるんですよ」と平五は云った、「ほかの者には云えないが、聞いてくれますか」

「自分で涙ぐましいって云ってれば世話はないわ」とくにが云った。

「後学のために聞きましょう」と米良は云った。

「恥からさきに話しますが、いちばん初めは七つの年です」と平五は続けた、「そのとき新庄の叔父は三十で、まだ木挽町に部屋住でいました、そして、もうそんな年では生涯ひやめしを食うことになるだろう、とまわりの者も云うし、自分でも諦《あきら》めていたんでしょう。私はそれを見ていて、子供ごころにも深刻に考えたんですね、こうしてはいられないと思ったことをいまでも覚えていますよ」

そして、ひたむきに金を溜めようと決心した。金を溜めてどうするという目的はなかった、金さえ持っていればという、漠然たる気持だったが、彼はむきになって実行した。

「ここが恥ずかしいところなんですが、小遣を溜めるだけでなく、そんな年で私は稼ぐくふうをしたんです」と平五は片手で自分の頬を擦《こす》った、「どうしたかわかりますか」

米良は黙って首を振った。

四

「初めは菓子ですよ」と平五は続けた、「午後のおやつに菓子を貰《もら》うんですが、露月の饅頭《まんじゆう》が五文だとすると、それを用人とか、侍長屋の子持ちのやつなどに、三文くらいで売るんです」

「まあ呆《あき》れた」とくにが眼をみはった、「まあおどろいた、そんな小さいくせにそんな悪知恵をはたらかせたの、あたしはとても本当とは思えないわ」

「その次は古い肌着でした」と平五は構わずに云った、「肌着だの古足袋だの、もちろん兄たちのおさがりですから、母だってそんなものを気にしやあしません、纏《まと》めておいて屑屋《くずや》へ払うんですが、その中からいくらかましなのを抜いておいて売るんです、侍長屋の人間や小者たちは結構よろこんで買いましたよ」

くには暢気《のんき》な性分であるが、弟の告白にはよほどこたえたらしく、しきりに「なさけない」とか、「外聞が悪い」とか、「こんなことってあるかしら」などと云って嘆息した。

「しかし」と米良は微笑しながら訊《き》いた、「よくそれが御両親に知れずに済んだものだな」

「知れなかったのは当然ですよ、だって私からそんな物を買ったなどということがわかれば、どんな罰をくうかもしれないでしょう、とにかくこっちはまだ頑是《がんぜ》ない子供なんですから」

「さぞ頑是なかったことでしょうよ」

「おまえがここで怒ってもしようがないさ」と米良は妻に云った、「酒の支度でもしないか」

くにが立ってゆくと、米良はあとを促すように「それから」と云って平五を見た。

「十二くらいまでそんなことを続け、それからおやじの骨董《こっとう》好きに眼をつけました」と平五は話を継いだ、「十三か十四になっていたと思うんですよ、道具屋がうちへ出入りするようになったのは祖父が亡《な》くなってからですが、その以前から松十や大庄《だいしょう》などへでかけていって、よくつまらない物を買わされて来ていました」

松十は京橋弥左衛門町《やざえもんちよう》、大庄は日本橋福島町にあり、道具屋としては二流どころらしいが、玄蕃はそういう店こそ掘出し物があるのだと、あたまから信じこんでいた。こちらが七千二百石の旗本だからだが、相手もばかげてあこぎなことはしないようだが、客のほうで掘出し物を覘《ねら》い、いっぱし眼がきいたつもりでいるため、道具屋のほうに悪意がなくとも、三度に一度はとんでもない物をみずから背負いこんで来る。そんなときにはやがて眼ちがいということがわかるし、そうすると眼ちがいをしたことを隠すために、その「とんでもない物」は戸納《とだな》の中へ放りこんでしまう。これらはたいていそのまま忘れられ、屑屋に払い物をするときなど、いっしょに纏めて二束三文ということになるのであった。

「私はそれを抜いて売ったんです」と平五は済まなそうに云《い》った、「払い物の中からなにか抜くときに思いついたわけです、屑屋はほかのがらくたとこみで二束三文だが、道具屋なら幾らかになるかもしれない、とにかく、たとえ眼ちがいにもせよおやじが掘出して来た物なんですからね」

「それは御当人も知っていたろうがね」

「おやじですか、とんでもない」と平五は首を振った、「自分の眼ちがいを認めるなんておやじの虚栄心がゆるしやしません、戸納へ放りこむなり忘れてしまうし、二度とふたたび思いだしさえもしなかったでしょう」

払い物の中から抜くときには、むろんいちおう断わった。そうして道具屋へ持っていったのであるが、ちゃんとした店ではまるで手にしない。てまえどもではこういう品は扱わないとか、よそへ当ってみろとか、おからかいになってはいけない、などと云うだけである。そこで屑屋同然の古道具屋を捜した結果、越中堀《えっちゅうぼり》に近い稲葉町で、一軒なじみの店ができた。——それは狭い横丁にあり、九尺間口で、奥は四帖半《よじょうはん》が一と間しかない。表の庇《ひさし》の上に清鑑堂という額が掲げてあるが、「堂」などというのはおこがましいはなしで、店に並べてある物を見ると、こっちが恥ずかしくなるくらいであった。

「こいつとすっかりうまが合いました」と平五は云った、「いちど木挽町のうちを見せたんですよ、そして品物のいわれもうちあけたところ、清兵衛は清兵衛なりに欲を出したんでしょう、ことによると掘出し物にぶっつかるぞと思ったようすです、……なぜ笑うんですか」

「笑ったわけじゃあない」と米良は口のまわりを撫《な》でた、「まあ、あとを聞こう」

「酒が来たようですよ」

くにと召使とで食膳《しょくぜん》をはこんで来た。平五は飲まないから、米良だけ盃《さかずき》を持ち、妻の酌でゆっくりと飲みだした。清鑑堂とのつきあいはほぼ十年に及んでいる、と平五は話し続けた。そのあいだに、清兵衛は幾たびか大きく儲《もう》けた。玄蕃が眼ちがいで買った物の中から、或《あ》るときは市《いち》で、また或るときは同業なかまで吃驚《びっくり》するほど高値に売れる品があった。面白いことには、それがその品の正しい値段ではなく、一種の(たとえば玄蕃のような)客に向けるのに適しているためか、現にそういう客から注文されているらしい、ということであった。

米良が聞いていて云った、「それをまた木挽町が買ったなんて云やあしまいね」

「これはまじめな話ですよ」と云って平五はぬるくなった茶を啜《すす》った、「そうやっているうちに、私はさらに新しい方法をみつけました、おやじの品が続かなくなったからでもあるが、清鑑堂の店にあるがらくたの中から、これとおぼしき物を買って、よその店の古道具屋へ売るんです、もちろんはじめはむだ骨折りでしたが、やっているうちに勘がはたらくようになったのでしょう、中でも刀剣類ではときたまかなりな儲けがあるようになりました」そこで彼はすばやく姉に云った、「まあなさけない、でしょう、わかってますよ」

「それは幾つぐらいのときかね」と米良が訊いた。

「十六七のころからでしょうね」

「よく誰にもみつからなかったものだな」

「みつかったんですよ、いや、金のほうですがね」と平五は肩をすくめた、「ちょうど二十一分溜まったときにみつかったんです、紙に包んで長押《なげし》の中へ隠しといたんですが、おふくろがそれをみつけて取上げてしまいました」

「取上げられたって」

「まさか自分で稼いだとは云えやしません、小遣や人に貰ったのを溜めておいたのだと云ったんですが、そんなことは侍の子に似合わしくない、必要なときにはこっちからあげると云いましてね、くやしかったですよ、じつにくやしかった、涙が止らなかったですよ」

「二十一分となるとね」と米良が云った、「二十一というと、ううう、五両一分か」

「それからあたしに預けるようになったのね」とくにが云った。

「貴女《あなた》が輿入《こしい》れをしてまもなくでしたね」と平五が云った、「とにかくここよりほかに信用できるうちはないんですから」

「わかったらあたしが怒られるだけよ」

「姉さんが云わない限り大丈夫ですよ」

「すると」と米良が云った、「この七年ばかりのうちに二十両以上も稼いだんだな」

「おそくともあと五年、三十までには予定額にするつもりです、自分ではあと三年と思ってるんですが」

米良が「切実だな」と云ったとき、若い家士が来て客だと告げた、「木挽町の敬二郎さまです」

平五が反射的に膝《ひざ》を立てた、「そいつはいけねえ、私は退却します」

「しますかね」と米良は笑いながら家士に云った、「客間へとおってもらってくれ」

「履物をまわしてあげるわ」と云ってくにが立ちあがった。

五　彼に対する清鑑堂の評

清鑑堂のあるじ清兵衛は云った。

「小出さまの若旦那《わかだんな》にはもう七八年ごひいきになっています、ええ、たいした方ですな、お侍にしておくのは惜しい方ですよ、大旦那が道具にかけては玄人《くろうと》はだしだそうで、いいえお世辞じゃあない、日本橋の大庄さんと弥左衛門町の松十さんがお出入りでしょう、お噂《うわさ》は市《いち》などでもよくうかがってます、つまりその血をひいてらっしゃるんですな、私の店などはごらんのとおり半端物《はんぱもの》をつくねたようなありさまですが、なにしろこのがらくたの中から、若旦那がこれとにらんだ物は必ず値が付くんですから、そんなことが幾たびあったかしれやしません、だもんですから私はお侍なんかやめなさいって云うんです、御三男の末っ子だそうですからな、いっそ大小を捨てて裏の細江さんのお嬢さんを貰って、道具屋を始めたらどうですって、そのほうが気楽でもあり、きっとひとしんしょうおこしますぜって、よくそう云ってあげるんです、ええ、ああ細江さんですか、それは一つ向う路次の長屋にいる御浪人で、御主人は三年まえに亡くなり、いまはその御妻女と、みのと仰《おっ》しゃるお嬢さんとお二人ぐらしです、この店へは御主人の病ちゅうから、お嬢さんが物を売りにいらっしゃるので存じあげているんですが、なにしろお武家育ちだから、内職をしてもなかなか賄《まかな》えないんでしょう、いままでもちょくちょくおみえになります、初めはかなりいい品も頂きました、ええ、儲けさせて頂いたこともありますが、ちかごろはもうさっぱりです、お腰の物などもやむなく頂きましたが、そこのその、隅のところに埃《ほこり》をかぶっている始末で、市へ持ってゆく気にもなりません、さようです、そのお嬢さんのことは小出の若旦那も御存じですよ、この店で幾たびか顔が合ったわけで、色には出さないがお互いに気をひかれているようすです、お嬢さんはたしか十八で、若旦那とは六つ違いなんですから、年廻《としまわ》りもちょうどいいんですがな、いいえだめです、若旦那は侍で一家を立てるつもりだそうで、町人になる気なんぞこれっぽっちもありゃしません、本当に惜しいもんです、あれだけのめききを活《い》かさないなんてもったいないみたようなもんですよ、ええ、十日ばかりおみえになりませんが、今日あたりいらっしゃるんじゃないかと思います」

六

米良でうちあけばなしをしたことを、平五はすぐに後悔した。米良は大丈夫だが、姉はわからない。その二番めの姉だけは、きょうだいじゅうでいちばん親しかったし、いつも自分の味方になってくれていたが、いまは米良家の人間であるし、なにより良人《おっと》が大事である。嫁《か》して七年、まだ子に恵まれないのをつねづねひけめに感じているらしく、しばしば実家へ母を訪ねて来るから、どんなきっかけで口をすべらさないとも限らない。

「どうしてあんなことを饒舌《しゃべ》ったろう」と彼は自分に舌打ちをした、「今年は正月からおかしなぐあいだ、よっぽど気をつけないとなにが起こるかわからないぞ」

こんど米良へいったら、よく姉に口止めをしておこう、と平五は思った。

四月、五月、六月と、無事に日が経《た》っていった。木挽町《こびきちょう》では兄の敬二郎に三番めの子が生れ、神谷町の木下では女のふた児《ご》が生れた。平河町の森で、六月下旬に老母が亡くなったが、木挽町から看病にいっていた母のいつ女が、実母の死にまいったものか、葬儀の日に倒れたまま、七月いっぱい森家で病臥《びょうが》した。その三十余日のあいだ、平五は毎日いちど平河町までみまいにかよった。ただみまいにゆくだけではない、菓子とかくだものとか、兄嫁の作ったたべ物などを持たされるので、ちょうど残暑にかかる暑いさかりだったし、木挽町と平河町を毎日往復するだけでも相当こたえたが、それでも三日にいちどは、たいてい越中堀の清鑑堂へまわった。あるじの清兵衛は午後はたいてい店にいるが、留守のときでも女房《にょうぼう》を相手に、店の品をあさったり、むだ話をしたりして帰る。清兵衛夫妻はそれを仔細《しさい》ありとみていた。つまり平五がそんなふうに来て時間つぶしをするのは、細江の娘が来はしないかと待っているのに相違ない、というのである。

「もちろん嫌いじゃあないさ」と平五は正直に答える、「しかし嫁に貰《もら》えないのにじたばたしたってしようがないじゃないか」

「どうしてお約束だけでもなさらないんです、お嬢さんのほうでも貴方《あなた》を好いてらっしゃることは御承知でしょう」

「ばかなことを云うな」と平五はちょっと赤くなる、「おれが家を出て一家を立てるにはまだ相当ときがかかる、三年かかるか五年かかるかわからない、そんな状態で婚約などできるもんじゃないさ、こっちはいいが向うはおばあさんになってしまう」

「だから思いきって道具屋におなんなさいっていうんですよ」

「その話はよせ」と平五はにべもなく頭を振る、「侍には侍の血があるんだ、仮におれが道具屋になりたいと思っても、先祖から伝わっている侍の血がゆるしはしない、おれにはそれがわかっているんだ」

「そういうもんですかな、こわいみたようなもんですな」

「おいもうあの娘のことは話さないでくれ」

八月になって、母が木挽町の家へ帰った。

その月の十日の会のあとで、来月は家蔵の刀剣を持ち寄ることになった、ということを平五は聞いた。すぐ考えたのは新庄の叔父のことで、彼は田村小路の家を訪ねてみた。叔父は四十七歳で子供が七人ある、三十過ぎての結婚だから、長男がようやく十五歳で、末の娘はまだ二歳にならない。それに家付きの妻女と、妻女の老母がいるので、狭い家の中はいつも鶏小舎《とりごや》のように賑《にぎ》やかだった。

平五は叔父の居間で話したが、その部屋は三帖で、板塀に鼻の閊《つか》えそうな庭があり、瘦《や》せた青木が萎《しお》れた葉を垂れているという、いかにも暑くるしくうらぶれたけしきであった。話は簡単に済み、平五は四半刻《しはんとき》そこそこで帰ったが、その僅《わず》かな時間にも、子供たちが居間へ出入りしたり、喧嘩《けんか》をする走りまわるで、まったくおちつく暇がなかった。

主殿《とのも》は平五を送りだしながら、例によってねだり顔をみせた。いつもひどい貧乏なので、この甥《おい》を見ると（必要のないときでも）なにかねだりたいような気分になるらしい。夕方に訪ねたときはたいてい食事にさそうのだが、まだひるまのことだから、平五は気づかないふりをし別れを告げた。

「刀とくればお手のものだ」と平五は歩きながら呟《つぶや》いた。

「ここでいちばん叔父の面目を立ててやろう、おやじは刀のことはわからないし、集まる連中はめくらばかりなんだから、いまに眼を剝《む》かせてやるからみていろ」

彼は越中堀の清鑑堂へまわった。

横丁へ曲って、その前まで来ると、店の中にあの娘がいた。細江みのという娘である。洗いざらした単衣《ひとえ》に古い帯をしめ、継ぎの当った足袋をはいている。狭い店の上《あが》り框《がまち》へ、横坐《よこずわ》りに腰を掛けているので、細いしなやかな腰の線がおどろくほど女らしいいろけをあらわしていた。膚《はだ》は少し浅黒く、ひき緊《しま》っていて、眼と口が小さい。その小さな眼と口とに、平五は抵抗できないほど惹《ひ》きつけられる。初めてその店で見かけたときからずっと、いつ会ってもその小さな眼と口つきとは、つよく深く彼をとらえるのであった。

なんとなくはいりそびれて、平五が通り過ぎようとすると、店の中から清兵衛が呼びかけた。

「小出さまどうなさいました、お寄りにならないんですか」

平五は立停り、それから不決断に店へはいっていった。娘はさっと腰をあげ、伏眼になって会釈《えしやく》しながら、脇《わき》へよけた。

「どうぞ」と平五は会釈を返した、「どうぞ用を済ませて下さい、私は通りがかりに寄っただけですから」

「有難うございます」と娘は答えた、低くて細い声だが、はっきりしていた、「わたくしもいま用が済んだところでございますの、どうぞ」

掛けてくれというような身ぶりをした。清兵衛は銭箱をあけ、なにがしかを紙の上へ取り出していた。

「きびしい残暑ですね」と平五が云《い》った。

娘が「はい」と答え、それから暫《しばら》くして平五がまた云った。

「ひと雨ほしいですね」

「はい」と娘が答えた。

「ああ」と急に平五が云った、「失礼しました、私は小出平五という者です」

娘は黙って低頭した。

「お待たせ申しました」と云いながら、清兵衛が紙にのせた銭を娘に渡した、「どうかお勘定なすって下さい」

娘は受取ってよくかぞえ、その紙で包んで袂《たもと》へ入れた。そして清兵衛と平五とに会釈をし、静かに店から出ていった。平五は上り框へ腰を掛け、清兵衛が奥へ、「茶を持って来い」と命じながらくすくす笑った。

「どうなすったんです」と清兵衛が笑いながら云った、「三年もまえにもう名のっていらっしゃるじゃありませんか、お忘れになったんですか」

七

「そうだったかな」と平五はとぼけた、「そんなことはどっちでもいい、今日は頼みがあって来たんだ」

とぼけたけれども事実はそのとおりで、ずっとまえにいちど名のったことがあり、そのとき娘の名も聞いたのであるが、話のつぎほに窮して、つい、まだ名のらなかったような気がしたのであった。

清兵衛は平五の頼みを承知し、さっそく心当りを捜してみようと云い、それからふと思いついたようすで、脇に置いてあった白鞘《しらさや》の短刀を示した。

「これはどうでしょう、いま細江さまから頂いたばかりですが」

「おまえ二分二朱しか払わなかったぞ」

「二分二朱でも泣きたいくらいですよ」と清兵衛が云った、「おふくろさまが腰を挫《くじ》いたそうで、よっぽどお困りのようだったからやむを得ず買ったんです。まえに買った大小もあそこにつくねたままですしね、しかし、この短刀は若旦那の御注文に合ってますよ」

「どういうんだ」

「貴方の御注文は古刀のにせものということでしょう、これは正宗《まさむね》だそうです」

「だめだ」と平五は首を振った、「いくら友人でも正宗はだめだ」

「でしょうな」と清兵衛は太息《といき》をついた、「ようございます、捜してみますから二三日したら来てみて下さい」

それから下旬まで待った。五六たびも清鑑堂へかよい、二三本みせられたが、思わしいものはなかった。寄合の連中をびっくりさせ、叔父の面目を立ててやるのが目的だから、ありきたりの品では効果がない。どうしても名のとおった古刀の贋作《がんさく》で、素人《しろうと》の眼には真偽の判断のつきにくいものが欲しかった。だが、月の終りになると清兵衛は手をあげた。

「もうだめです」と清兵衛は云った、「だいたい私に刀のことなんか役違いなんで、初めっから無理なはなしだったんですよ」そしてまた、細江から買った短刀を取りあげてみせた、「いかがですかこれは、いちど見るだけでも見ませんか」

平五は受取って、ちょっと抜いてみたが、すぐに首を振りながらそこへ置いた。

「その、――」と平五が云った、「まえに細江さんから買ったというのを見せてくれ」

清兵衛は立って、店いっぱいのがらくたの中から、その大小を取り出し、布で埃《ほこり》を拭《ふ》いて平五に渡した。平五は脇差を見、次に刀を見た。どっちもうまくない、備前物《びぜんもの》のようであるが、すがたに品がなかった。

「値打は拵《こしら》えだけです」と清兵衛が云った、「鞘もまだ使えるし、笄《こうがい》と目貫《めぬき》が幾らかになるでしょう。もうばらして売っちまおうと思っているんですが」

平五がふいに「ちょっと」と云って、刀をそこへ置き、まえの短刀を取った。こんどは鞘をはらって入念にうち返しを眺め、それから目釘《めくぎ》を抜いて中心《なかご》をしらべた。

「どうなさいました」と清兵衛が訊《き》いた。

平五は黙って刃を見、中心を見た。

「これは焼身だな」と平五は呟いた、「たしかに火で焼けたものだ、焼直しに相違ないが、地鉄《じがね》も刃もしっかりしている、研いでみないとわからないが、刃文のあんばいだと相州の古刀に似ている」

「まさか、本物じゃあないでしょうね」

「まさかね」と平五は苦笑した、「しかし相州物の古刀に似ていることはたしかだ、うん、ことによるとこいつでいけるかもしれないぞ」

「すると、正宗ということに」

「それはむりだが、貞宗《さだむね》か義広だな」平五は云った、「銘のないのは修業ちゅうの作だとすればいい、この刃のぼうとうるんだところや、刃文のおおらかさは古刀の風をよく写している、よし、伝貞宗とおどかしてやろう」

「引取って下さるんですか」

「三分で買おう」

「それはあんまりですよ、現に二分二朱で買ったのを御存じじゃありませんか、お役に立つんなら少しは儲《もう》けさして下さい」

平五は首を振った。これは値で買うのではない、寄合に出してめくら共をびっくりさせるだけだし、あとは用がないのだから、三分でいやならやめるばかりだ、と平五は云った。清兵衛はねばった。細江から買う物はたいていねかしたままで、いつも、女房にがみがみ云われるが、あの母娘が気の毒だからつい買わずにはいられなくなる。若旦那《わかだんな》もまんざら知らない相手ではなし、こんなときくらい少しは助力してくれてもいい筈《はず》である。そんなふうに清兵衛はくどいた。

「おかしな理屈があるもんだな」と平五は笑って云った、「ではもう二朱出そう、三分二朱、それでいやならごめんだ」

「若旦那は渋すぎるよ」と清兵衛は禿《は》げかかった頭を掻《か》いた、「まったくお侍には惜しい、玄人《くろうと》はだしですよ」

明くる日、平五はその短刀を田村小路へ届けた。研ぎに出そうかと思ったが、そのままのほうが無事だと考え直し、叔父に向ってよく説明した。

「この地鉄の艶《つや》、刃文の豪放さと、小乱れのまじっているぐあい、これが相州物の古刀によくみる味です」平五は刃文を仔細《しさい》に示して云った、「身幅のわりに重ねが薄いのは研ぎ減りでしょう、いちど火をかぶって焼直したものらしい、それでこの中心《なかご》がただれているんです、ただれてはいるが、この中心のざくっとした品のよさ、これは新刀にはない味ですから、ここのところをよく見るように云って下さい」

「私にはよくわからないが」と主殿はおちつかない顔つきで云った、「貞宗だなどと云っていいだろうか」

「貞宗として伝わっていると云えばいいんです、そしていま説明した要点をうまく並べれば、みんなめくらだからわかりゃしない、きっと連中びっくりしますよ」

「しかし、もしも偽物《にせもの》だとわかったら」

「わかったって貴方の責任じゃあない、新庄家伝来なんですからね、大名の家蔵にだって偽物は幾らもあるし、そんな心配をする必要はありませんよ」

「やってみるか」と主殿は云った、「ではひとつ、やってみるとしよう」

平五は少しも心配しなかった。

——必ずみんなひっかかる。

彼はそう信じていた。七年あまりも道具屋に出入りをし、焼物ではしばしば儲けた。これは骨董《こっとう》道楽の父のおかげもあるだろう、けれども刀剣類に関しては、平五自身の勘がものをいった。もちろん鑑定をするなどというところまではいかない、楽しみに見る程度であるが、父や親族たちに比べれば、はるかに眼が高いという自信があった。——ただ叔父がへまなことをしなければいい。いつかの香炉のときとは条件が違うが、小心な叔父のことだから、うっかりすると自分でぼろを出すおそれがある。それさえなければ大丈夫だ、と平五は思っていた。

九月十日に、彼は聖坂《ひじりざか》へでかけた。寄合のようすを見てやろうかと思ったが、さすがに気が咎《とが》めるので、日講の日ではなかったがでかけてゆき、学問所の講堂を覗《のぞ》いたあと、学寮へいって友人たちと雑談していると、森の助三郎がやって来て声をかけた。

「どうしてうちにいないんです」と助三郎は陽気に云った、「今日はおやじといっしょに本阿弥《ほんあみ》がいったんですよ」

八

平五はまじまじと相手を見た。すぐにはその意味がわからなかったのである。助三郎はこっちへ来て、平五が刀剣に興味をもっているなら、今日の会には出席すべきであった、どうしてこんなところへ来ているのか、と云った。

「本阿弥がどうしたって」と平五が訊き返した。

「本阿弥といっても京の多賀だ」と助三郎が答えた、「多賀の勘右衛門《かんえもん》という人で、四五日まえから逗留《とうりゅう》しているんだが、今日の会は刀を持ち寄るのだと聞いたものだから、ぜひ拝見したいと云ってさ」

「いったのか」と平五がつかみかかるように訊いた、「その人が木挽町へいったのか」

「いったよ、よせばいいのにさ、ろくな刀が集まるわけじゃなし、よせばいいのにおやじはよろこんで伴《つ》れていったよ」

平五は唸《うな》った。

「どうしたんだ」と助三郎が云った、「どうかしたのかい」

「よけいなおせっかいだ」と云いながら平五は立ちあがった、「くそうくらえ」

「なんだって」と助三郎が聞き咎めた。

「こっちのことだ」

「おい」と助三郎が前へ立塞《たちふさ》がった、「いまの言葉を取消せ」

「こっちのことだと云ったろう」

「取消さないのか」

助三郎は拳《こぶし》をにぎった。

「おせっかいと云ったのはおれ自身のことなんだ、自分に云ったことを取消すのか」

「そうじゃない、くそうくらえと云った、それを取消せというんだ」

平五は助三郎を見て、そして云った、「ああそうか、じゃあそんなものはくらうな」

助三郎がなおなにか云いかけたが、平五は友人に別れを告げて、学寮をとびだした。

「これはひどい、こいつはひどい」と平五は呟《つぶや》いた、「多賀などという本職が来るとはあんまりだ、まるでぺてんじゃないか、どうするんだ」

彼は練塀《ねりべい》の木戸門をぬけ、馬場に沿って聖坂へ出た。平河町が初めに「多賀だ」と紹介すればいい。そうすれば叔父も短刀は出さないだろうが、いや、多賀だけではだめだ。本阿弥と多賀との関係など叔父は知っていない。おそらく紹介されても短刀を出すだろう。

――これは新庄家伝来で、貞宗作ということです。

そんなふうに云う叔父の姿が見えるようである。そうして、刃文や中心《なかご》の説明までするだろうと思うと、平五は全身がちぢむように感じ、歩きながら幾たびも唸《うな》り声をあげた。

「おやじやほかの連中はごまかせるが、本職の眼をごまかすことはできない」と平五は呟いた、「叔父は恥をかくことだろう、よけいなおせっかいだった、叔父の面目を立てるどころか、満座の中で恥をかかせることになった、ひどいもんだ、ひどいことになったもんだ」

彼は自分を罵《ののし》った。自分の軽薄さ。猿知恵《さるぢえ》のおせっかい。うぬぼれと高慢。平五は頭を垂れ、心の中でかぶとを脱いだ。

田村小路を訪ねたのは夕方であった。叔父はまだ帰っていなかった。妻女があがって待つようにすすめたが、彼は用をたして来ると云い、半刻《はんとき》ばかり歩きまわってから、また訪ねた。主殿《とのも》はちょうど帰ったところで、風呂《ふろ》にはいっていると云《い》われ、平五はいつもの三帖《じょう》で待った。子供たちがうるさく騒ぎ、七つと五つの男の子は、はいって来て平五をからかった。遊んでもらいたいのだろうが、こっちはそれどころではない、あいそを云う気も起こらないので黙っていた。

主殿が汗を拭《ふ》きながらあらわれると、平五はいきなり低頭して詫《わ》びを云った。

「本阿弥、いや、多賀が来るなんて予想もしなかったものですから、そう聞いて、しまったと思ったんですが」と平五はうかがうように叔父を見た、「御迷惑をかけて済みません、やっぱり短刀は見せたのでしょう」

「見せたよ」と主殿が答えた、「多賀という人が鑑定家とは知らなかったし、平河町もなにも云わないものだからね、鑑定家だと知っていたら見せはしなかったろうが」

「こんなことになろうとは夢にも思わなかったんです、どうか堪忍《かんにん》して下さい」

「いやちがう、そうじゃないんだ」と主殿は手を振った、「そうじゃない、あやまる必要なんかない、あれは本物だそうだよ」

平五は吃《ども》った、「なんですって」

「こういうわけなんだ」

主殿は汗を拭きながら語った。多賀勘右衛門はその短刀を二度見た。いちどはすっと見ただけだったが、他の刀を二三見たあとで、もういちど拝見したいと云った。二度目にはあらたまった態度で、丹念にうち返し眺め、中心もよくしらべたうえ、「ふしぎだ」と幾たびも口の中で呟いた。それから、研ぎにかけてみなければはっきり断言はできないが、これは貞宗ではなく、新藤五か、ことによると正宗だと思う、と云った。

「無銘である点が、おそらく正宗だろうと思われる、と云われたのだ」と主殿はまた汗を拭いた、湯あがりの汗ではなく、そのときのことを思いだした汗のようである、「刃文のどこやらは新藤五にそっくりだが、すがたのざっくりとしておおらかな味、しかも高い気魄《きはく》のこもっているところは正宗の作に相違ないと思う、そうくり返して云って、ともかく自分の手で研いでみたいから預かってゆくということで、一座はしんとしてしまうし、おかげで私はたいへん面目をほどこしたよ」

平五は唾《つば》をのんで反問した、「それは事実ですか、まさか私をからかってるんじゃないでしょうね」

「うちへ帰ってみればわかるよ」と主殿が云った、「本職の鑑定家が、よもや眼ちがいをするわけもないだろう、おまえたいへんなものを掘り出したんだぞ」

「わかりませんよ、そんな筈はないと思う、もっとも私はまだ正宗を見たことはないが、しかし本当とは思えませんね、とても」と平五は昂奮《こうふん》を抑えきれずに云った、「仮にもし事実だとすると、あれは元の持主に返すか、相当の金を払わなければならない、仮に事実だとすればですよ」

「だってあれは平五が買ったんだろう」

「元の持主がわかってますからね」と平五は云いながら立ちあがった、「とにかく多賀という人に会ってたしかめてみます、まだ平河町にいるんでしょうか」

「そうだろうよ、ざっと下地研《したじとぎ》をしてみて、二三日うちに返辞をすると云ってたからね」

「とにかく平河町へいってみます」

平五は叔父の家をとびだした。聖坂の学寮からとびだしたときよりずっと勢いがよかったし、けしきばんでいた。いつもならそんな浪費はしないのだが、辻駕籠《つじかご》をひろい、駄賃をはずんでいそがせた。——平河町には多賀勘右衛門がいた。平五は森家の者には会わず、家扶《かふ》を玄関へ呼んでもらって、じかに多賀と会いたい旨《むね》を述べた。家扶はいちど奥へゆき、すぐに戻って来て、彼を庭のほうから数寄屋《すきや》へ案内した。

九

勘右衛門は四十二三になる肥えた男で、顔も軀《からだ》つきも逞《たくま》しく、するどい眼をしていたが、京訛《きょうなま》りの言葉が女性的なので、印象がひどくちぐはぐに感じられた。話は簡単に済み、平五は短刀を受取って帰った。

勘右衛門はまだ研いではいなかったが、正宗に相違ないと云い、その理由を説明した。平五も正直に事情を話し、もし正宗の作だとすれば代価はどれくらいかと訊《き》いた。勘右衛門は自分が折紙を付ければ金八十五枚だと答えた。焼身でなければ金百五十枚以下ではないが、焼直してあるからそのくらいだろうと答えた。そこで平五は、元の持主に割戻しをするとすれば、金額はどのくらいだろうかと訊いた。勘右衛門は笑って、その必要はあるまいが、もし気が済まないのなら、二十金も遣《や》ったらよかろうと答え、「しかしこれは木挽町が譲り受けることになっている筈《はず》ですよ」と云った。

平河町から帰る途中、平五はいろいろな思いに悩まされた。

父が覘《ねら》っているというので短刀を持って帰った。多賀はぜひ研ぎあげてみたいと云ったが、そんなことをしていて父に取上げられてはおしまいである。父から譲れと云われれば、気の弱い叔父に断わることはできないだろう。それでは鳶《とび》に油揚をさらわれるようなものだ。

「まるっきり鳶に油揚だ」と歩きながら彼は呟いた、「そううまくいってたまるものか、冗談を云うなってんだ」

細江にわけを話そう、と彼は思った。清鑑堂へ売りに来たとき、正宗だと娘は云ったそうである。そう伝わってはいたが、母娘は（亡《な》くなった細江その人も）信じてはいなかったのだろう。さもなければ二分二朱などで売るわけはない。したがって本物だとわかった以上、それを知らせるのはこちらの当然の義務である。

「だが、知らせてからが問題だ」それなら家宝として買い戻す、と云われたらどうするか。まさか金八十五枚くれとは云えない、こっちが清鑑堂から買った代価なら請求できるが、二分の銀にも困っているのだから、おそらく三分二朱の都合もたやすくはできまいし、金八十五枚とわかっているものを、みすみす三分二朱で手放すのは残念である。

「残念どころではない、それは殺生《せっしょう》というものだ」と平五は呟いた、「これを売ればすぐにも御家人の株が買える、うちを出て独立することができるんだ。しかも、おれがみつけなければ、こいつ、清鑑堂の店の隅で、いつまでも埃《ほこり》をかぶっていたことだろう、つまり、要するに」

平五は屹《きっ》となり、額をあげて強く頭を振った。よくない考えが頭にうかんだのである。彼は心の中で、それは侍らしからぬ考えだ、単に人間としても恥ずべきことだぞ、と自分を叱《しか》った。けれども、いちど頭にうかんだ思案はなかなか承知しない。黙っていればわかりゃしない、自分の鑑識で発見したものではないか、おまけに、それで長年の望みがかなうのだ、細江に知らせたところで、却《かえ》って事を面倒にするばかりだぞ、黙っていろ黙っていろ、という囁《ささや》きがしつっこくつきまとった。

「えい」と彼は立停って気合をかけた、「えい、この野郎しっかりしろ」向うから来た通行人がぱっと脇《わき》へとびのいた。平五の叫びを聞いて吃驚《びっくり》したのだろう、こちらも驚いて、いそぎ足に歩きだした。

平五は三日間思い迷った。家を出ることは出るが、どうしても越中堀《えっちゅうぼり》へ足が向かないのである。細江へゆけばきれいな口をきくだろう。必ずきれいな口をきいて、ことによると短刀を無償で返すかもしれない。おそらくその誘惑に勝つことはできないだろう、おれはへんな自尊心がつよいからな、と彼は思った。そして三日めの夕方に、ふと解決する手段を一つみつけた。それは、短刀といっしょに娘を嫁にもらう、ということである。細江の家名は生れて来る子供のうち、誰か一人に立てさせればいい。小《こ》出《いで》の家はみな子が多いから、自分にも二人や三人は生れるだろう。もちろん娘といっしょに母親も引取る、この条件なら悪くはあるまい、と思った。

「ばかなはなしだ」と平五はにわかに晴ればれとした顔つきで呟いた、「あれほどあの娘が好きだったのに、どうしてそこに気がつかなかったのか——欲だな」と彼は眉《まゆ》をしかめた、「短刀が惜しいという欲が先になったんだ、あさましいもんだ」

明日は細江を訪ねよう。そう決心をして家へ帰ると、すぐ父に呼ばれた。告げに来たのは母で、お父さまがたいそう怒っているから、いったらすぐにあやまりなさい、と云う。なにを怒っているのかと訊いたら、なんでもいいから早くいってあやまれ、と云うばかりであった。

父は居間で書きものをしていた。平五が坐《すわ》るとこっちへ向き直ったが、その顔を見ただけで、ひどく怒っていることがわかった。

「短刀をどうした」と玄蕃《げんば》はいきなりどなった。

平五はまごつき、「なんですか」とそらを使おうとした。

「ごまかしてもだめだ、正宗の短刀を持っているだろう、ここへ持って来い」

「どうして、いや、どうなさるんですか」

「きさまなどの持つ品ではない、おれが預かるから持って来いというのだ」

平五は口ごもって、云った、「それはちょっと困ります、あれは新庄《しんじょう》の叔父さんのものですし、それに」

「黙れ」と玄蕃はどなった、「きさまのしたことはすっかりわかっている。主殿がなにもかも話していったぞ、この、このしれ者、きさま呆《あき》れ返ったしれ者だぞ、いいからまず短刀を持って来い」

平五は黙っていた。

「きさまが持っていることに紛れはない」と玄蕃はなお云った、「おれは研ぎの結果が知りたいから平河町へいった、すると新庄へ返したというので主殿を呼んだのだ。主殿はすっかり話をして、持ち帰ったのはきさまだろうと云った、それに相違ないだろう」

平五は怒りのために胸が熱くなった。

——なんというなさけない人だ。

ほかの者ならとにかく、新庄の叔父がしゃべるという法はない、それだけは叔父はしてはならない筈だ。なんというなさけない腰ぬけだろう、まるで女の腐ったような人じゃないか、平五は歯がみをした。

「きさま聞いているのか」と玄蕃はどなっていた、「持って来いと云ったら持って来い、さもないと量見があるぞ」

平五は父を見た、「量見とはなんですか」

「口答えをするか」

「量見があるとはどういうことですか」

「おれは短刀を持って来いと」

「いやです」と平五は父を遮って云《い》った、「叔父さんが話したのなら御承知でしょう、あれは私がみつけて私が買ったものです、たとえ父上の申しつけでも、私は絶対に手放すことはできません、お断わりします」

「云ったな、こいつ、絶対にと云ったな」

「念には及びません、申しました」と平五は挑みかかるように云った、「さあ、うかがいましょう。量見があるとはどういうことですか」

「勘当だ」と玄蕃が云った、「きさまはたったいま勘当だ」

「理由を仰《おっ》しゃって下さい」

そこへ母が「平五さん」と云いながらはいって来た。玄蕃はそれで却って怒りの焔《ほのお》を煽《あお》られたように、口出しをするな、と声いっぱいに喚《わめ》きだした。

「理由が聞きたければ云ってやる。きさまは小出の家名を傷つけ、一族の面目に泥を塗るやつだ、おれはみんな知っている、きさまのして来たことはなにもかも知っているんだ、おれはめくらでもつんぼでもないんだぞ」

「私がなにをしました」

「平五さん」と母が云った。

「おまえは黙れ」と玄蕃は激しく妻をきめつけ、平五に向って叱りながら云った、「きさまはこんな小さいじぶん、饅頭《まんじゆう》や菓子、三時に貰《もら》う菓子や饅頭を人に売って銭にした、次には古い肌着や足袋などだ、七千二百石の旗本の家に生れ、まだ十歳にもならぬ小伜《こせがれ》がだ、そうだろう」

「まあ、あなた」と母が喘《あえ》いだ、「まさか、まさかそんなことが」

「おまえも悪い」と玄蕃は妻に云った、「末っ子だと思ってあまやかして育てるからこんな人間ができたんだ、まさかどころか、それからあとは古道具屋のまねだ、こんなことは舌の汚れだから多くは云わぬが、こいつは屑屋《くずや》のうわまえをはねたり、古道具屋のようなことをしていたんだ、いつかおまえがみつけて取上げた五両あまりの銀は、そんな汚らわしいまねをして儲《もう》けたものだ」

「まあ平五さん」と母は泣き声をあげた。

「こんどの短刀もその伝だ」と玄蕃はふるえながら続けた、「主殿《とのも》の話によると、きさまは二束三文の偽物《にせもの》を買って、おれたちぜんたいを嘲弄《ちようろう》するつもりだったという、――もうがまんが切れた、こんなやつはおれの子ではない、こんな人間をうちに置いては小出の家名に傷がつく、一族ぜんたいの名折れだ、たったいま出てゆけ、勘当だ」

「わかりました」と平五が云った、彼は蒼《あお》くなっていたが、言葉も態度もはっきりとおちついていた、「勘当と仰しゃるなら出てゆきます、いや、お母さんは黙っていて下さい、出てゆくまえに一と言だけ云いたいことがあるんです」

「なにを、きさまの云うことなど」

「一と言だけです、聞くのが恐ろしくなかったら聞いて下さい」と平五が云った、「私は父上の仰しゃったとおりのことをしました、饅頭から古道具屋のことまで、だいたいすべて本当です、しかしどうして私がそんなことをしたのか、いちどでも考えて下すったことがありますか」

「きさまに武士の誇りがなく、侍だましいがなかったからだ」

「それだけですか」

「きさまが町人根性で、古道具屋などが性に合っていたからだ」と玄蕃が云った、「いまになればどんな理由を付けることもできるだろう、しかしよく聞け、きさまがもし正当なことをしたのなら、決して弁解などはしない筈だぞ」

平五はあっという顔をした。まるで平手打ちでもくらったように、あっという顔をして口をあき、それから唾《つば》をのんだ。

「わかりました」と平五は頷《うなず》いた、「わかりました、ではべつのことを申します、いま父上はお母さんを責められた、末っ子だからあまやかして育てたって、――これはものごころがついて以来、みんなから休みなしに云われたことです、敬二郎兄さんに云わせると、末っ子で三文安いうえにあまやかされたからおまけが付いてるんだそうです、冗談じゃありません、とんでもない、私は生れてこのかたいちどだってあまやかされた覚えなんかありませんよ、お母さんからしてそうです」と彼は母に向って云った、「たぶん忘れていらっしゃるでしょうが、私がなにか頼もうとすると、まだなにも云わないうちに『いけません』とくる、お母さま私は、と云いかけるなり、なにも聞かずに『いけません』とくるんです、お母さんは忘れていらっしゃるだろうけれど私はちゃんと覚えています、兄さんや姉さんたちは自由にねだるし、ねだったことはたいていてい許される、しかし私だけはすべていけません、いけませんで片付けられて来たんですよ」

「わたしは、あなたを」と母は袖《そで》で眼を押えながら、喉《のど》を詰らせた、「あなたが末っ子だから、あまやかしては悪いと思って」

「お祖父《じい》さんやお祖母《ばあ》さんもそうでした」と平五は続けた、「お祖父さんはお祖母さんが私をあまやかすと云うし、お祖母さんはお祖父さんがあまやかすと云う、そんなふうにみんなで私があまやかされていると云いながら、誰一人あまやかしはしなかった、いちどでも私をあまえさせてくれたことがありましたか、お母さん、そんな記憶がいちどでもありますか」

「わたしはただ」と母はまた云った、「ただあなたをしっかり育てたいと思って」

「そうです、そのとおりです」と平五はまた頷いた、「私はお母さんを責めているんじゃありません、私は末っ子で三文安いかもしれないが、決してあまやかされたことはない、ということをわかってもらえばいいんです、では失礼します」

十

平五は自分の部屋へ戻り、両刀を差し、短刀を持っただけで、内玄関から出ていった。母はそのあいだ付いて廻り、父にあやまれと泣いてくどいた。

家を出てどうする気だ、どうしようもないではないか、それともなにか当てでもあるのか、と訊《き》いた。

「私は大丈夫です、どうか心配しないで下さい」と平五は云った、「父上の云うとおり、私は古道具屋が性に合ってるんでしょう、今夜はじめて決心しました、私は道具屋になります」

「まあ平五さん、なにを仰しゃるの」

「おちついたらお母さんには知らせます、ではこれで、――」

母の呼ぶ声には構わず、平五は外へとびだした。宵の街をいそぎ足にゆきながら、彼は首を振ったり舌打ちをしたり、また独り言を呟《つぶや》いたりした。彼は自分が云うべきことを云わなかったことでくやしがり、また、云わずにがまんしたことを誇らしく思った。

「おやじのやついいことを云やあがった」と彼は歩きながら呟いた、「あんな気のきいたことが云えるとは知らなかった、あの一と言にはまいったな」

そうだ、弁解することはない。自分の立場を云いたて、おやじをやりこめたところでそれだけのはなしだ。おれのやったことがおれにとって正当だったということは、事実のうえで証拠だてればいい。

「一流の道具屋になってやるぞ」と彼はいさましげに呟いた、「侍だましいもくそもあるもんか、自分の力でそのみちの一流になれば、永代扶持《えいたいふち》で徒食しているよりよっぽど人間らしいや、へ、いまに証拠をみせてやるから吃驚《びっくり》するな」

平五はまず清鑑堂を訪ねた。

清兵衛は晩酌をしていたらしい。話を聞くと赤い顔をかがやかし、「やりましたか」

と膝《ひざ》を叩《たた》いた。わが意を得たという口ぶりで、及ばずながら一切の世話をしよう、とにかくあがって、祝いに一杯やって下さい、とすすめた。平五はあとで来ると断わり、細江の住居を訊いた。清兵衛はまた膝を叩き、そうくるだろうと思ったと云って、向う路次の木戸からはいって左の五軒めだと教えた。

「しかし今夜はよしたらどうです、こんな時刻にいってする話じゃあないでしょう」

「いや、ほかにも用があるんだ」と平五は腰をあげながら云った、「ちょっといってすぐ帰って来る、帰ってから話すよ」

細江の住居はすぐにわかった。

路次は狭くて暗かった。長屋のそこ此処《ここ》で煮炊きをする匂《にお》いや、泥溝《どぶ》や、ごみ溜《ため》の刺戟《しげき》的な匂いが漂っていて、平五は空腹を感じると同時に、胸がむかむかした。細江ではもう雨戸を閉めており、平五の声を聞いてもすぐには戸をあけなかった。

「小出平五です」と彼はくり返した、「先日お売りになった短刀のことで話があるのです、清鑑堂へお売りになった短刀です」

娘のみのは母に訊いていたらしく、やがて辷《すべ》りの悪い雨戸をあけて「どうぞ」と云った。戸をあけると格子《こうし》はなく、一尺ばかりの土間からすぐ二帖《じょう》の上《あが》り框《がまち》になっている。娘は行燈《あんどん》を脇に置いてきちんと坐り、作法どおりに挨拶《あいさつ》をした。

「夜分にお邪魔をします」と平五は立ったまま云った、「じつは先日のあの短刀が、五郎正宗の真作とわかったものですから」

みのは疑わしげに眼をあげた。平五はあらましの事情を語った。奥に寝ているであろう母親にも聞えるように、かなり高い声で話すと、襖《ふすま》の向うから呼ぶ声がし、みのは返辞をしてそちらへいった。あがってもらえ、と云うのが聞え、みのが当惑したように平五を見た。畳もやぶれているようなその二帖へ、あがれとは云いかねるのだろう、平五は「失礼します」と刀を腰から取って置き、襖の際《きわ》へいって坐った。

「細江しのぶでございます」と襖の向うで云った、「病中ですから失礼ですがこのままでおゆるし下さい」

平五もこちらから挨拶した。

「短刀のことはここでうかがいました」としのぶは切り口上で云った、「正宗だと伝わっていたのが事実だとわかってうれしゅうございます、けれどもいちど手放した以上、こちらにはなんのかかわりもございません、どうぞ御心配なくおひきとり下さい」

切り口上のうえに、おどろくほど割りきった態度が感じられた。

——これは強敵らしいぞ。

平五はそう思いながら、みのを嫁に欲しいと云いだした。短刀の事がきっかけで勘当された始終と、自分が大小を捨てて道具屋になり、一流の商人になるつもりであること、みのを娶《めと》ればもちろん母親も引取って世話をすることなど、気があがっているために、話が前後したり、閊《つか》えたり吃《ども》ったりしながら、それでも云うだけのことはすっかり云った。しのぶは黙って聞いていたが、平五が話し終るとすぐに「不承知だ」と答えた。

「旧主の名は申せませんが、細江は七百五十石取りの筋目正しい家柄です、たとえ浪人をし、このように貧窮はしていても、道具屋などになる人のところへ娘を遣《や》るわけにはまいりません、お断わり致します」

「しかし」と平五はわれ知らず云い返した、「家柄の点なら小出も三河以来の旗本です」

「お家はそうでしょう、それだけの家に生れながらあなたは御勘当になった、つづめて申せば、あなたはもう三河以来のお家柄を口になさることはできない筈《はず》でしょう」

細江家はどうです、と平五は口まで出かかった。浪窮して男子がなければ、細江の家を再興する機会もまずあるまい。それなら家柄もくそもない、同じことじゃないか、そう云おうとしたのであるが、そのとき、脇のほうでかすかに嗚咽《おえつ》の声がしはじめ、見ると、みのが袂《たもと》で顔を掩《おお》っていた。

「失礼致しました」と平五はようやく自分を抑えて云った、「私のお願いのしようが悪かったのでしょう、この話はまた改めて申上げることにします」

「いいえお断わり致します」としのぶが云った、「そのお話ならもううかがう必要はございません、おいでになることもお断わり申します」

「失礼しました」と平五はみのに云った。

刀を持って外へ出、路次をぬけて通りへ出ると、平五は堀端へいって立停った。

「あれが、――」と彼は荒い息をしながら呟いた、「あれがおやじの云う、侍だましいというやつなんだな、ひどいもんだ、まるで歯が立たなかったじゃないか、今年はやっぱり厄年だぞ」

彼は急に振返った。うしろに人のけはいを感じたのであるが、振返ると、みのがこっちへ来るところだった。平五のあとを追ってすぐに来たのだろう、そばまで来ると立停り、また袂で顔を掩ってむせびあげた。追っては来たけれども、それ以上どうしようもない、口もきけないというようすである。平五にはそれで充分であった。彼はすばやく道の左右へ眼をやり、（暗い堀端の道には人の影もなかった）それからみののそばへ寄って、彼女の肩に手をかけた。

「私は忍耐にかけては自信があります」と平五は云《い》った、「私の父は貴女《あなた》のおかあさまよりもっと頑固のわからずやでしたが、とにかく二十四の今日まで私は辛抱しましたからね、わかりますか」

みのは嗚咽しながら頷いた。

「道具屋でもいいでしょうね」と平五が云った。

みのはまた頷いた。彼は娘を抱きしめたい衝動に駆られた。彼の手の下で、娘の肩はあまりに弱よわしく、小さく、そして柔らかであり、彼はその肩を静かに押しやった。

「清鑑堂がお役に立つでしょう、もう帰って下さい」と平五は云った、「どうかおかあさまをお大事に」

十一　彼に対する米良の評

米良平左衛門は云った。

「依田《よだ》の婿《むこ》になるより、平五はやっぱりあのほうがよかったようだな、細江の妻女が亡《な》くなるまでに三年か、あしかけ四年がかりで結婚したわけだが、そのあいだにしょうばいの手掛りもつき、店もちゃんと持つことができたんだから、却《かえ》って結果としてはよかったと云ってもいいだろう、よく辛抱したものだ、つまり好きなみちだったからだろう、なにしろ饅頭《まんじゆう》からはじまっているんだからな、そう、『平五』という店の名は、なかまうちではもうかなり聞えたものになっているそうだ、小出さんはあのとおりの道具好きだったが、『平五』の評判が高くなると、ぴったり骨董《こつとう》道楽をやめてしまった、おそらく、平五に舌でも出されるような気がしはじめたんだろうな、小出さんの話のようすがどうもそんな按配《あんばい》だったよ、あの父子《おやこ》のあいだでは、どうやら平五の勝ちらしい、いや、小出一族ひっくるめて、と云うほうがいいかもしれない、平五のやつ、とにかくやりとげたものさ」

（「オール読物」昭和三十二年十月号）

屏風《びょうぶ》はたたまれた

一

吉村弥十郎《よしむらやじゅうろう》はその手紙を三度もらって、三度とも読むとすぐに捨てた。ちょうど北島との縁談がまとまったところなので、誰かのいたずらだろうと思ったからである。差出人の名はただ「ゆき」とだけで、内容はいつもきまっていた。

——自分はさる家の乳母《うば》であるが、自分のそだてた嬢さまがあなたをみそめ、おもいこがれるあまり病気のようになった。そばにいて見るに見かね、思いきってこういうぶしつけな手紙をさしあげる。どうかいちど嬢さまに逢《あ》ってやってもらいたい、むすめ一人のいのちが助かるのである。自分は来てくださるものと信じて、嬢さまといっしょに待っている。堺《さかい》町の中村座の茶屋で「ゆき」と云《い》ってくだされば わかるようにしてある。

そして、どうかぜひ来てくれ、こんどこそ来てくれるようにと、くり返し書いてあった。どこのなに者ともわからないが、よその娘にみそめられる、などという機会があったとは思えない。考えてみても、弥十郎にはそんな記憶はないし、書いてあることもあまりに古風であり、型にはまりすぎていた。「ふん」と弥十郎は呟《つぶや》いた、「ひまなやつがいるものだ」

二

吉村は九百五十石あまりの中老で、父の伊与二郎《いよじろう》は五十八歳になり、槍《やり》組と鉄炮《てつぽう》組を預かっていた。母のさと女は松沢氏の出で、良人《おっと》より十二歳も下の四十六である。弥十郎の下に小三郎という弟と、みはるという妹がいたが、弟は母の実家の松沢へ養子にゆき、妹は去年十六歳で小島靭負《ゆきえ》にとついだ。松沢は八百石ばかりの寄合番頭《ばんがしら》で、長男が三年まえに急逝したため、小三郎が養子にはいったのであった。

弥十郎は早くから眼立つ存在であった。吉村は五代まえに、ときの藩主の弟を養子に迎えており、そのためによそとは違った家のしきたりが二三あった。いまでも正月の「水垢離《みずごり》」と、長男が十五歳になったときの「みちあけの式」というのが残っていて、家中《かちゆう》では筋目の家といわれている。それも条件の一つであろうが、弥十郎は幼いころから頭がよく、また容姿もぬきんでており、十五歳になって「みちあけの式」が済んでからは、それらすべてにみがきがかかったような感じで、際立《きわだ》って人の注意を惹《ひ》くようになった。——彼は十四歳のとき、藩主の信濃守政利《しなののかみまさとし》に論語の講義をした。岡島梅蔭《おかじまばいいん》という藩儒の推薦だそうで、講義は一年ちかく続けられ、終ったときには国広の短刀と、銀二十五枚を褒賞《ほうしょう》された。むろんそんな例は稀《まれ》ではないし、彼が少しでも誇らしく感じたなどと思っては誤りである。誇らしく思うどころではない、その話がでるたびに、弥十郎は赤面し、ふきげんになった。それが彼の一転機になったらしく、学問より武芸のほうへ身をいれはじめた。学問所へもずっとかよってはいたが、できるだけ自分を眼立たないようにつとめたし、武芸のほうも同様であった。実際にはめざましく上達したけれども、決して他に気づかれず、総試合のときなどでも、つねに中軸の位地を保つようにしていた。

こういう努力はいちおう役立って、二十歳を越すころには、彼に対する特別な評も消え、秀才扱いもしぜんと解けた。二十二歳までに恋を二度し、二度とも片想《かたおも》いに終った。いずれも同家中の軽輩の娘で、望めば嫁にもらえたかもしれないが、云いだす決心のつかないうちにだめになった。一人はまもなく嫁にゆき、他の一人はこちらの気持が冷えてしまったのである。そのころから縁談が来はじめ、また、年ごろになりかけた妹の友達などにも騒がれだした。彼女たちは妹のみはると同年か、一つ二つ年上の者もいたが、中に一人いさましい娘があって彼に付け文をした。もちろん夢にあこがれるような罪のないものだったろう、彼はその娘とじかに会い、封じたままの手紙を黙って返してやった。娘はあとでひどく泣き、この恋がかなえられないのなら尼になってしまう、と妹のみはるに云ったそうであるが、それから半年と経《た》たぬうちに、他の藩の重職の家へ嫁《か》していった。——北島との縁談はその年の二月にはじまった。北島は五百石ほどの留守役で、男子二人に娘が一人ある。娘は美貌《びぼう》と才芸にたけている点で、まえから家中に知られていた。そういう娘は負担に思えるので、彼は気乗りがしなかったが、江戸家老が仲人《なこうど》に立つと云い、親たちが熱心にすすめるのでどちらでもいいという、なかば投げた気持で承知をした。

あの（誰かのいたずらだと思える）手紙が来はじめたのは、北島との縁談を承知してからまもなくのことであった。彼はいたずらをしそうな友人の二三を考え、その手には乗らないぞと思った。すると、三度めの手紙が来てからほどなく、「祝言《しゅうげん》の日どりを少し延ばしてもらいたい」ということを北島から申入れて来た。

——娘の健康がすぐれないので、半年ほど養生をさせたいから。

という理由である。祝言は十一月の約束で、まだ六十日ちかくも先のことだが、医者の注意があったというし、いそぐ必要もないので、承知したと答えた。そのとき、まるでその機会をみまもってでもいたかのように、四度めの手紙が彼の手に届いた。

——三度も手紙をさしあげ、願掛けをするおもいで持ったが、三度とも来てはいただけなかった。

という書きだしで、むりな願いと、ぶしつけな点をくり返し詫《わ》びたうえ、自分が逢わせてさしあげると約束してから、嬢さまのようすは眼にみえて元気になった。もしこれが逢えないとなったら、こんどこそ本当に病気になってしまうだろう。どうかいちどだけでいいから来て頂きたい、自分のこの一心がとおるようにと祈っている。そういう意味のことがめんめんと書いてあった。

「いたずらにしては念がいりすぎている」弥十郎は呟いた、「とにかく、いちどゆくだけいってみるか」場所はやはり中村座の茶屋である。弥十郎はなお幾らか躊躇《ちゆうちよ》したが、指定された日になると、ようやく心がきまり、学友に招かれたからと断わって家を出た。

中村座の茶屋へ着いたのは午後三時ころであった。「ゆき」といってたずねると、年増《としま》の女中が出て来て、どうぞこちらへと、すぐに案内した。小屋のほうでは開幕ちゅうとみえ、低い鳴物が聞えるほかはしんとしており、茶屋の廊下にもあまり人の姿はみえなかった。伴《つ》れてゆかれたのは二階のいちばん奥で、女中が声をかけて襖《ふすま》をあけたとき、弥十郎は初めてどきっとした。

――いたずらなら笑って済ませる。

そうだ、と彼は思った。いたずらなら却《かえ》っていい、本当だとするとこと面倒になる、これはしまったぞと思った。しかし、襖をあけた女中は去り、中年の婦人が彼に挨拶《あいさつ》をしていた。

「ようこそ」と婦人が云った、「ようこそおいで下さいました、人の眼につくといけませんし、どうぞおはいり下さいまし」

弥十郎がはいると婦人は襖を閉め、設けの席を彼にすすめた。

婦人は自分がゆきであると名のり、ぶしつけの詫びと、来てくれた礼を述べながら、巧みなとりなしで彼に着替えをさせた。彼は着替えなどするつもりはなかったが、あまりに相手のとりなしが巧みで、拒む隙《すき》もなかったのである。そして、着替えが済むとすぐに、隣り座敷の襖をあけて、弥十郎を押しやるように、その座敷へはいった。そこは十帖《じょう》ばかりの広さで、雨戸が閉めてあるのだろう、立て廻した屛風《びょうぶ》を、雪洞《ぼんぼり》がほのかに照らしており、すっかり夜のけしきになっていた。

「お嬢さま」と婦人が屛風の中へ呼びかけた、「吉村さまがいらっしゃいました」

「はい」と屛風の中で答えるのが聞えた。

婦人は彼に頷《うなず》いてみせ、廻してある屛風の片方を脇《わき》へよせた。緋《ひ》の毛氈《もうせん》が敷いてあり、香炉をのせた文台の前に、娘が一人、低くうなだれて坐《すわ》っていた。

「おひきあわせ申します」と婦人が弥十郎に云った、「わたくしのお仕えする嬢さまで、お名は千夜と仰《おっ》しゃいます、どうぞ、おらくにあそばして、――」

三

それから中一日ずつおいて、「ゆき」からの呼びだしの手紙が三度来た。二度めは初めと同じ中村座の茶屋であったが、三度めは浅草橋場《はしば》の「川西」という茶屋を指定して来た。弥十郎はどうしようかと迷った。――というのは、一度だけというのをもう三度も逢っているし、相手がなに者だかまだわからず、しかも娘があまりにうぶすぎて、話もろくにしないし、石のように固くなっているため、こっちまでてれてしまい、なんのために逢うのかわからないという按配《あんばい》だったからだ。

千夜という娘はまるで見当がつかない。ゆきという婦人にしても、言葉づかいや動作には武家のような感じがするが、とりもちの巧みさや、酒をすすめたり、さりげなく屏風の中の支度をととのえたりするようすは、大きな商家のわけ知りのばあや、といったふうなところもあった。

三度めに逢って別れるとき、ゆきという婦人は彼の耳に囁《ささや》いた。

――嬢さまはまだなにも御存じではなし、それに女のことでございますからね、あなたが手引きをしてあげて下さらなければ。

そしてなおこう付け加えた。

――この次にはどうぞ、きっとでございますよ。

その囁きがなにを暗示するか、もちろん弥十郎にはわかった。初めからわかっていたというほうが本当だろう。しかしそう囁かれたときはさすがにたじろいだし、橋場を指定して来た手紙に、どうしようかと迷ったのも、そのたじろいだ気持が尾をひいていたようである。しかしその日になり、時刻が近づいてくると、彼はすっかりおちつきを失い、決断のつかぬままに、まるでなにかに追いたてられるような気持で、外出の支度をした。

橋場まで駕籠《かご》に乗っていったが、その途中で彼は「みちあけの式」のことを思いだした。吉村家に五代まえから伝わっている独特の家法で、長男が十五歳になったときに行う成年式といったふうなものである。――事前にはなにも知らされず、式の間という部屋に寝かされる。寝衣《ねまき》は白の清絹で、枕《まくら》も箱枕ではなく、白い麻布で包まれた長枕であった。そうして灯《ひ》をいれないまま、闇《やみ》の中に寝ていると、やがて女が来て同じ夜具の中へはいり、夜の明けるまえに出ていってしまう。

――わたくしのするとおりになさいまし、ようございますね、さあ気をゆったりとなすって。

初めての夜、女はそう囁いた。弥十郎は十五歳になっていたから、男女のなかにそういう秘事のあることはおぼろげには知っていた。したがってそのことにおどろきはしなかったが、自分の意志を無視して行われたこと、女がなに者であるかも不明なことなどで、ひじょうな恥ずかしさと怒りを感じ、翌朝、父に向ってその不当なことを詰問《きつもん》した。

——そういう子供めいた考えかたを捨てるためにもこの「式」はあるのだ。

と父の伊与二郎は答えた。

——おまえたちの年頃から、もっとも勉強や修業の邪魔になるのは女だ、知らないために惹《ひ》きつけられ、不必要にあがめたり、卑《いや》しめたり、またあこがれたりして心を悩ませる、女というものを知れば、そんな悩みもなくなるし、空想で時間を浪費することもない、そのうえ、おとなになったという自覚が得られるだろう、やがて自分でもわかる筈《はず》だ。

その「式」は七夜つづいた。

女は誰だかわからなかった。十年ちかく経ったいまでもわからない。記憶にあるのは、耳もとで囁かれた喉声《のどごえ》と、熱い肌と、小柄で柔軟な軀《からだ》つきだけである。その女は闇の中へ音もなくあらわれ、いつも夜の明けるまえ、弥十郎の眠っているあいだに去った。こっちから話しかけても、よけいなことは云わなかったし、七日めの晩、それが最後だとわかっていたのだろうが、別れの言葉さえ口にしなかった。

——どういう女だろう。

彼は父と母とに訊《き》いてみたが、父も母も教えなかった。母は「まったく知らない」と云うし、父は「忘れてしまえ」と云うだけであった。

「いまのおれは」と駕籠の中で彼は呟いた、「さしずめあのときの女のような役なんだな」

いやそうではない、と彼はすぐに否定した。あのときは「式」にすぎなかったが、こんどは求められたのである。しかも自分も平気ではなくなったらしい、少なくとも今日でかけて来た気持は平静ではなかった。それは認めなければなるまい、と彼は自分に云った。

駕籠は思川の袂《たもと》でおりた。橋を渡って少しゆくと、手紙にしるしてあったとおり、右側の隅田川《すみだがわ》に沿ってその茶屋があり、門柱に「川西」と書いた行燈《あんどん》が出ていた。弥十郎は門をはいり、植込のあいだを玄関のほうへ歩いてゆきながら、胸がときめくように感じて狼狽《ろうばい》した。

四

弥十郎と千夜とは、「川西」で七たび逢《あ》った。二人はそこで初めて肌を触れあったのだが、彼にとってはまったく新しい経験であり、心のうえでも軀のうえでも、深く大きく、自分が変えられるのを弥十郎は感じた。初めてのとき、千夜がひじょうな苦痛を訴えたこと、また苦痛の証明を見たことで、彼は殆《ほと》んど動顚《どうてん》した。それはあの「式」などでは決してなかったことであるし、その他のすべてがまるで違うものであった。そこには快楽らしいものは少しもなかったし、彼自身それを欲する気持もなかった。千夜がひたむきに求めるので、なかばやむなく応ずるのだが、また苦痛を与えるのではないかという、危惧《きぐ》と懸念《けねん》のほうがいつもつよかった。千夜も快楽を感じていないことは慥《たし》かであった。また、そのようにはげしく求めるのも、肉躰《にくたい》的な快楽を求めるのではなく、触れあうことによって、彼をじかに感じたいためのように思えた。

ここでも同じように雨戸を閉め、一双の屏風をまわし、隣り座敷にはゆきという婦人がいた。逢っている時間は短く、刻限になるとゆきが隣りから声をかける。するともう待ったなしで、すぐに支度をし、別れなければならないのであった。

「しょせん奥さまにはなれないのですものね」と千夜は熱い囁きで彼に迫った、「一生の思い出になるのですから、どうぞお好きなようになすって」

そのあとで千夜はいつも泣いた。

「どうして結婚できないのだ」と或《あ》るとき弥十郎が訊いた、「こうなったら結婚するのが当然ではないか」

千夜は泣くばかりであった。

「わけを聞かせてくれ」と彼はべつのときに云《い》った、「どうして結婚できないんだ、まさか身分などにこだわっているのではないだろう、ほかに約束した者でもあるのか」

千夜はやはり泣きながら首を振るだけであった。このほか、彼女のことを知ろうとして、弥十郎はずいぶん言葉をつくしたが、千夜は「なにも訊いてくれるな」と云うばかりで、どんな質問にも答えなかった。どうやらそれがゆきを憚《はばか》っているようすなので、彼は二人だけで逢いたいと云いだした。

「ええ、いまに」と千夜は頼りなげに答えた、「いまにおりをみまして」

七たびめに、彼は千夜の肩をつかみ、暴《あら》あらしく揺りたてながら「いつ二人だけで逢えるか」と迫った。閉じこめられている千夜の心を揺りさまそうとでもするように、力まかせに揺りたてながら、「いつだ、いつだ」と責めた。千夜はされるままになっていて、それからようやく「あさって、いつもの時刻に、このうちで」と答えた。

「あさって、――たしかだな」

「ええ、間違いありません」

「よく聞いてくれ、千夜」と弥十郎は彼女を抱きしめ、耳へ口をよせて囁いた、「私にも約束した者がある、それを断わるのは容易ではないと思うが、もうおまえのほかに妻《めと》を娶る気持はない、どんなことをしても約束のほうは破談にする、必ず破談にしてみせるから、おまえもはっきり心をきめてくれ、わかるか」

千夜は彼の腕の中で頷《うなず》いた。

「うれしゅうございます」と千夜は囁き返して云った、「あさっておめにかかりましたら、すっかりお話し申します」

「それでいい」と彼は云った、「間違いなくあさってだよ」

「はい」と頷いて、千夜は大胆に身をすりよせた。

その七度めを最後に、千夜はまったく消息を絶った。単に消息が絶えたばかりでなく、それまでにあった事実までが、彼の前でかき消されたのである。――千夜と約束の日に、「川西」へゆくと、初めて見る女中が出て来て、いま座敷がみな塞《ふさ》がっているから、と断わられた。そんなことはかつてなかったし、約束がしてある筈なので、

「女中がしらか誰かに訊いてみてくれ」と云った。その女中は訝《いぶか》しそうに、自分がいちばん古くからいるので、そんな約束があれば自分が知らないわけはない。だが念のため帳場で訊いてみるが、お名前はなんというのかと云った。弥十郎は「ゆき」という名と、これまでに七たびも来ているということを告げた。——その女中はやはり腑《ふ》におちない顔で、それでも奥へ訊きにいったが、まもなく五十がらみの、女主人とみえる肥えた女と、ほかに三人の若い女中がいっしょに出て来た。

「わたくしがあるじのすみでございます」と女主人が鄭重《ていちょう》に云った、「いまこのお秋からお話をうかがいましたが、うちをお間違えになったのではございませんか、てまえどもではゆきと仰しゃるお客さまは存じあげませんし、今日、座敷のお約束などもうかがっておりませんですけれど」

そして、若い三人の女中たちに、この方を知っているかと訊いた。女中たちはみな知らないと答えたし、弥十郎にも覚えのない顔ばかりであった。彼は悪い冗談だと思い、今日ここで千夜と逢う約束になっていること、千夜がそれを云い置かなかったかもしれないが、たしかに来ると思うことなどを話し、どんな部屋でもいいからそれまで待たせてもらいたい、と頼んだ。

「てまえどもでは御常連のお客さまに限っておりますし、ただいまどのお座敷も塞がっているんですが」と女主人は気の毒そうに云った、「もしお待ちになるだけでしたら、狭くてきたないところですが、どうぞ」

女主人はお秋という女中に案内を命じながら、なお「うちを間違えたのではないか」とくり返していたが、弥十郎はもうとりあわなかった。なんに使う部屋か、北向きの四帖半にとおされ、酒を注文したが、約束以外の客には出す用意がないと断わられた。そして、あてがいの茶一杯だけで二刻《とき》以上も待ったが、ついに千夜はあらわれなかった。

五

明くる日も弥十郎は「川西」を訪ねた。女主人も女中たちも昨日のとおりで、千夜と逢ったときに案内したり、酒肴《しゅこう》をはこんだりした女中はいなかった。いまいる四人のほかにそんな女中がいたことはない、と女主人ははっきり云った。彼はそうかと頷き、べつに詮索《せんさく》らしい質問はせずに、まだ客もないというので座敷をみせてもらった。自分が先に立って廊下を曲ってゆき、川に面したその座敷へいった。そこは八帖と六帖の二間続きで、八帖のほうには本床があり、山水の大幅が掛けてあった。これまではいつも雨戸が閉めてあり、屛風《びょうぶ》をまわして、雪洞《ぼんぼり》のあかりしかなかったから、部屋のつくりを見るのは初めてであるが、それがいつもの座敷だということに紛れはないと思った。

——そうだ、たしかにこの座敷だ。

弥十郎は座敷の中を眺めまわし、そこに立てまわした屏風の中で、千夜と二人、岸を洗う川波の音を聞いたことなどを思いだした。

——いったいこれはどういうことだ。

彼は暫《しばら》くのあいだぼんやりと立っていた。

ゆきか千夜かが（もしも）来たなら、「たよりを待っているから」という伝言を頼んで、弥十郎は外へ出た。その帰りに、彼は堺《さかい》町へ寄ってみたが、中村座の茶屋も「川西」とまったく同じことであった。ゆきという名も知らないし、弥十郎にも見覚えがない。これまで「そういう客に二階座敷を貸したような例はない」というのであった。そこへは二度しか来たことはないが、係りの女中はおしんといった。弥十郎のうちにも同じ名の召使がいるので記憶に残っていたのだが、訊いてみるといるというので、会ってみた。けれども出て来た女中は、顔だちも年齢もまるで違っていた。

「わたしはここに五年の余もいます」とその女中は云った、「ええ、わたしのほかにおしんという者はいません、五年このかたいたこともありません」

弥十郎はすぐにそこを出た。

こういう場合を、化かされたようだというのだろうが、弥十郎はそんな気持は少しも感じなかった。五十余日のあいだに十回も逢い、肌まで触れあったが、相手がどこのどういう人間であるか、ついに知る機会がなかった。そうして、そんなふうに忽然《こつぜん》と消息を絶ち、あった事実までが消されてしまったが、弥十郎にとっては、非現実のような感じはどこにもなかった。初めからすべてが計画されたものであり、――その計画がはたされたか、あるいは障害が起こったためであるかは不明だが、いずれにせよ逢うことのできない状態になった、ということであろう。ゆきという婦人も千夜も、現にこの江戸のどこかにいる。中村座の茶屋と「川西」で逢ったことも間違いはない。かれらが事実を否定することは、初めから計画されていたのだ。係りの女中なども、よそから雇ったものであろう。それに相違ない、と弥十郎は思った。

――必ずなにかたよりがある。

ゆきという婦人はともかく、千夜だけはこのままで終ることはできない筈だ、いつかきっとたよりをよこすにちがいない。弥十郎はかたくそう信じていた。

十一月になると、北島から祝言《しゅうげん》をあげてもよいといって来た。半年保養のつもりだったが医者がもう差支《さしつか》えないと云ったそうで、中旬すぎたら式を挙げたいというのである。弥十郎は断わった。半年延期と聞いたときに、自分は結婚する気がなくなった、と云った。もともと気がすすまなかったのを、両親にせがまれて承知したのだし、向うの都合だけで延期されたりいそがれたりするのは勝手すぎる。自分はもう結婚する意志はない、と弥十郎ははっきり拒絶した。千夜から必ずたよりがあると思ったし、嫁にもらうなら千夜だときめていたからである。そのときは父も母もなにも云わず、父の伊与二郎は「ばかにいきりたつではないか」と苦笑しただけであった。

だが、「ゆき」からも、千夜からさえも、たよりのないままに日が経《た》ち、その年が明けた。千夜にこがれる想《おも》いは、日が経ってもなかなか去らず、むしろ、時間の経過につれて、記憶のなまなましさが誇張されるようであった。ほのかな雪洞の光りだけしかないので、立てまわされた屏風の中はやわらかにおぼろだった。千夜のおもざしもおぼろげであるし、肌の香も、その触感も、あたたかみも、そうしてふるえおののく喘《あえ》ぎや、絶えいりそうな囁《ささや》きや、忍び泣く声までも、すべてほの暗いおぼろに包まれていた。それがそのままで、このうえもなく鮮やかに、こまごまと感覚によみがえってくる。うすれもしないし弱まりもしない。千夜の肌のあたたかみやまるみは、いまはなれたばかりのように、自分の肌でまざまざと感じることができるし、その喘ぎや囁きは、いま現に自分の耳のそばに聞えるようであった。

――向うがそのつもりなら、こっちで捜しだしてやろう。

弥十郎はそう思った。けれども手掛りがなにもない、手紙は町飛脚で届けられたし、茶屋はどちらも相手にならない。道で偶然に会いでもしない限り、捜しだす手掛りはまったくなかった。

正月中旬になって、北島とのはなしがまた出た。そのとき弥十郎は「まてよ」と思った。考えてみると、北島から祝言を延ばすように求めて来たのは、「ゆき」から三度めの手紙のあったすぐあとのことだ。そして、千夜の消息が絶えるとまもなく、こんどは祝言を早めたいといって来た。

「まてよ」と彼は呟《つぶや》いた、「これは偶然ではない、なにかあるぞ」

二つの関係にはなにかある。そう気づいたので、弥十郎は父にその話をした。父の居間で、二人だけで、聞き苦しい部分を避けて仔細《しさい》に話しながら、どんな表情の変化をも見のがすまいと、父の顔をじっと見まもっていた。伊与二郎はなんの感動も示さなかった。むしろふきげんに聞いており、聞き終るとすぐに「忘れてしまえ」と云った。それはちょうどあの「式」のあとで、女がなに者であるかを訊いたときの答えと、殆んど同じ口ぶりであった。そして、父は急に不審そうな眼で彼を見、そのために北島を断わるのか、と反問した。それも理由の一つである、と弥十郎は答えた。

「ばかな」と伊与二郎は云った、「家柄を考えろ、吉村の家系には藩公の血が続いている、若げのあやまちはゆるしてやるが、そんな素姓も知れぬ女にみれんを残すことはゆるさぬ、そんなことは忘れてしまえ」

弥十郎は黙ってひきさがった。

六

父に口返しはしなかったが、北島との縁談は頑強に断わった。破談が不可能なら、自分の気の済むまで延期してもらう。もちろんその期限はきめられない、と主張した。

「よもやその女のためではあるまいな」と伊与二郎が念を押した。

弥十郎はおそれげもなく答えた、「それも慥《たし》かめてみます」

その年八月の中旬、藩公に初めて世子が生れた。信濃守政利は四十七歳になり、かくべつ病弱というわけでもなかったが、その年まで一人も子がなかった。夫人は松平氏の出で、ほかに側室がいた。二人か三人はいたようであるが、こんどその側室の一人に世子が生れたのだそうで、信濃守は云うまでもなく、藩の重臣たちもひじょうによろこび、家中ぜんたいに祝いの酒肴が出た。七夜《しちや》には御殿で、重職たちのために祝宴があり、若君に初の対面が行われた。

「肥えた丈夫そうな若君だ」と伊与二郎は帰って来て云《い》った、「これで御家も安泰、ひなというお部屋さまのお手柄だ」

父は珍しく酔っており、赤い顔で、いつもに似ず多弁だった。それからふと不満そうに弥十郎を見て、「まだ心がきまらないのか」と訊《き》いた。若君に対面して、自分も孫が欲しくなったのであろう。弥十郎はさりげなく受けながして、そうそうに父の前から退散した。

九月の月見に、弥十郎は二人の友達を伴《つ》れて、橋場の「川西」へいった。お秋という女中が出て来て、まだ顔を覚えていたのだろう、女主人に訊いて来て「どうぞ」と云った。

「いやに格式ばるじゃないか」

「馴染《なじ》み客でないとあげないんだ」と弥十郎が友達に説明した、「その代り静かだよ」

あの座敷ではなく、べつの八帖《じょう》にとおされた。他の座敷にはみな客があり、片方では三味線や唄《うた》の声がするし、片方では高声で談笑するのが聞えた。

「なるほど静かだ」と秀木剛助が云った。

「月見だからさ」と弥十郎がいなした。

友達の一人は秀木剛助、一人は伊沢新五郎といった。秀木の家は次席家老、伊沢の父は側用人《そばようにん》である。少し酒がまわってから、藩主の評が出た。生れた世子は亀丸《かめまる》と名づけられたが、信濃守はたいそうな溺愛《できあい》ぶりで、しぜん生母のひな女も大切にされ、その名の一字を取って奈々《なな》の方と呼ばれるようになったし、彼女と世子のために御殿が建てられるらしい。奈々の方の年は十八歳、日本橋石町の太物《ふともの》問屋の娘で、御殿新築の費用も、半分は親元で負担するということであった。――これらのことは伊沢と秀木とで話し、弥十郎は退屈しながら聞いていたのであるが、やがて、彼は自分の耳を疑うように屹《きっ》となった。かれらは世子が藩主の胤《たね》であるかどうかあやしい、と云いだしたのである。信濃守は十七歳で結婚した。それから三十年、正夫人にはもちろん、側室もずいぶん変えたが、一人も子を儲《もう》けた者がなかった。それをいま急に若君御誕生とは腑《ふ》におちない、というのである。そこまで聞いて弥十郎は「よせ」とどなった。自分でもおどろいたくらい、大きな激しい声で、二人はとびあがりそうになった。

「ばかなことを云うな」と弥十郎は声をしずめて云った、「ほかのこととは違う、不謹慎すぎるぞ」

二人はすぐにあやまった。しかし弥十郎の怒りかたが突然であり、あまりに激しかったので、気をのまれると同時に、なにか納得のいかないような顔つきをした。たしかに、弥十郎は二人に対してではなく、自分に対してどなったのである。二人の話を聞きながら、頭の中でなんの関連もなく、奈々の方と千夜とが同じ人ではなかったのか、と思ったのだ。かれらの話が、そんな空想をよび起こしたのであろう。なんの関連もなく根拠もない、まったく理由のない想像で、そう気がつくなりどなってしまったのである。——月の出るまえに、空はすっかり雲で掩《おお》われ、湿っぽい風が吹きだしたから、三人は食事を済ませて「川西」を出た。

その夜、弥十郎は眠れなかった。いちど頭にうかんだ想像が、しだいに根づよく、しだいに現実感を伴ってくる。否定しようとすればするほど、奈々の方は千夜だということが、動かない事実のように思えるのであった。また、吉村の家には藩公の血が続いている、と云った父の言葉まで が、新しい意味で思いだされ、やがて堪《たま》りかねて起きあがると、手早く常着に替えて、父の寝間へいった。

彼の声の調子で拒みかねたのだろう、伊与二郎は「はいれ」と云い、夜具の上に起き直って、彼の話すことを聞いた。そして、聞き終ってから暫《しばら》く、彼の顔を冷やかに見まもっていたが、やがてひそめた声で、ゆっくりと云った。

「つい十日ほどまえに、将軍家で第七女の御出産があった、御生母はなにがしの局《つぼね》とか聞いたが、その局は疑わしくはないか」

弥十郎は父の顔をみつめた。

「たくさんだ」と伊与二郎は静かに首を振った、「おまえは一年ちかくもその女のことにとらわれている、それがそんなに大事なことか」そしてきめつけるように云った、「おまえにはそのほかに大事なことはないのか」

弥十郎は眼をつむった。

彼はその（つむった）眼の裏で、一双の屏風《びょうぶ》がたたまれるのを見るように思った。するとにわかに胸が軽く、呼吸がらくになるように感じた。弥十郎はそんな時刻に騒がせた詫《わ》びを云い、挨拶《あいさつ》をして廊下へ出ると、侘《わび》しげに微笑しながら呟いた。

「そうだ、屏風はたたまれたのだ」そして父の口まねをした、「忘れてしまえ」

（「文藝春秋」昭和三十二年十月号）

橋の下

一

練り馬場と呼ばれるその広い草原は、城下から北へ二十町あまりいったところにある。原の北から西は森と丘につづき、東辺に伊鹿野《いがの》川が流れている。城主が在国のときは、年にいちどそこで武者押《むしやおし》をするため、練り馬場と呼ばれるようになったと伝えられている。

いま一人の若侍が、その草原へはいって来た。月は落ちてしまって見えない、空はいちめんの星であるが、あたりはまだまっ暗で、原の南東にある源心寺の森がひどく遠く、ぼんやりと、墨でぼかしたようにかすんでいた。

「少し早かったな」とその若侍は呟《つぶや》いた、「しかしもうすぐ明けてくるだろう」

彼は周囲を眺め、空を見あげた。年は二十四五歳で、眼鼻だちのきりっとした顔が、寒さのためであろうか、仮面のように硬《こわ》ばって白く、無表情にみえた。彼は東の空を見やり、それから首を振った。

「いや、そんな筈《はず》はない」と彼は呟いた、口は殆《ほと》んど動かず、誰かほかの者が呟くように聞えた、「間違える筈はない、たしかに七つ（午前四時）の鐘を聞いて起きたのだ、たしかに七つだった」

彼は自分をおちつかせようとして、腹に力をいれた。そしてゆっくりと、往《い》ったり来たりし始めた。きっちりとはいた草鞋《わらじ》の下で、氷《こお》った土や枯草がみしみしときしみ、そこから寒さがはいあがってきた。寒さは足をはいのぼって腹にしみとおり、軀《からだ》の芯《しん》からふるえが起こった。彼はまた東の空を見あげたが、そこには朝のけはいさえなく、さっきよりは一段と星が明るくなったように思えた。

その若侍のおちつかない動作は、眼に見えないなにかに追われているか、または追いかけているようにみえた。白く硬ばった顔は硬ばったままで、感情の激しい動揺をあらわしているようであり、歩きまわる足どりや、絶えまなしに左右を見やる眼つきには、追いつめられたけものが逃げ場を失ったときの、恐怖にちかい絶望といった感じがあらわれていた。

「なにを、いまさら」と彼は呟いた、「もう考える余地はないじゃないか、これでいよいよけりがつくんだ、もうなにも思い惑うな、なんにも考えるな」

腹部から胸のほうへと、ふるえが波を打ってこみあげ、歯と歯がこまかく触れあった。彼は歯をくいしばり、足に力をこめて歩きまわった。やがて、源心寺で鐘が鳴りだした。彼はうわのそらで聞いていたが、ぼんやり七つかぞえたのでわれに返った。

「七つじゃないか」と彼は云《い》った、「捨て鐘をべつにして、たしかに七つだった、すると刻《とき》を間違えたのか」

家で聞いた刻の鐘が七つだと思ったが、それではあれは八つ（午前二時）だったのか、と彼は思った。空のもようでみても、いま七つが正しいらしい。約束の六つ半まではたっぷり三時間ちかくある。ばかな間違いをした、あがっていたんだな、と彼は思った。

「どうしよう」寒さのためにふるえながら、彼は自分に問いかけた、「帰って出直すわけにもいかない、そうはできない、といって、ここにこうしていれば軀が凍えてしまう」

彼は舌打ちをし、両手の指を揉《も》んだり、擦《こす》りあわせたりしながら、川のほうへと足を向けた。自分がどっちへ歩いているのかも知らず、川の岸まで来てようやく気がつき、おどろいて立停った。——伊鹿野川は冬になると水が少なくなる。幅三十間ばかりの川が、半ば以上も干《かわ》いて、広くなった河原を、細く二た条《すじ》に分れた水が、うねうねと蛇行しているのだが、いまはそれも氷っており、星明りの下でかすかに白く、いかにも冷たげに見えていた。

岸のところで立停った彼は、なにかに眼をひかれてふと右の、川上のほうへ振向いった。およそ三十間ばかり先に、焚火《たきび》の火らしいものが小さく見えた。そのちらちらする火が彼の眼をとらえたのであろう。彼はちょっと躊《ため》らっていたが、すぐにそちらへ向って歩きだした。

火は岸の下で燃えていた。水のない河岸の岸よりで、近づいてみると、そこは土合橋の下であった。若侍はもっと近づいてゆき、そこに人のいるのを見て、河原へおりた。焚火は土合橋の下で燃えており、その脇《わき》で二人の老人がなにかしていた。よく見ると一人は男、一人は女で、焚火には鍋《なべ》がかけてあった。

老人のほうでも、彼が近づいて来るのを見ていたらしく、彼が立停ると、穏やかな声で呼びかけた。

「お見廻りでございますか」

「いや」と彼はあいまいに口ごもった。

老人は彼のようすを眺め、それからまた云った、「これからがいちばん凍《い》てる時刻です、よろしかったら、こちらへ来ておあたりになりませんか」

若侍は迷った。かれらが乞食《こじき》だということがわかったからである。だが、それはただの乞食ではなく、城下では「夫婦乞食」といって、数年まえからかなりひろく知られていたし、彼も幾たびか見かけたことがあった。——かれらはいつも二人いっしょだった。ほかの乞食とはちがって、身妝《みなり》もさっぱりしており、人の家の勝手口で残った冷飯や菜《さい》を貰《もら》うほかには、道ばたで物乞いをすることもないし、銭などには決して手を出さなかった。

——人柄も悪くない、なにかわけのある夫婦だろう。

城下の人たちはそう云って、着古した物などを、わざわざ持っていってやる者もある、という話を聞いたこともあった。

「では、——」と若侍が云った、「邪魔をさせてもらおう」

老人はどうぞと云い、掛けてある鍋をおろすと、うしろから蓆《むしろ》を取り出して、焚火の脇へ敷いた。蓆は新しいもので、まだ甘ずっぱいような藁《わら》の匂《にお》いがしていた。若侍は刀をとってから、その上に腰をおろし、そしてまわりのようすを眺めた。

頭上には土合橋が屋根になっていた。水の干いた河原に坐《すわ》って見あげると、おどろくほど高いが、それでも屋根の役をすることはたしかであった。橋のつけねには石が組んであるが、その石垣と橋桁《はしげた》のあいだに三尺ほどの隙間《すきま》があり、二三の包の置いてあるのが見えた。おそらく、そこが老人たちの寝場所になるのであろう。若い侍はそう思いながら、ふと眼を細くした。そこに置いてある包の一つから、刀の柄《つか》が見えたのである。眼をとめて見ると、それは紛れもなく刀の柄であった。

老人は焚火に湯沸しを掛けていた。焚火には太い枯枝を三叉《さんさ》に立て、結びめのところに鉤《かぎ》がさがっている。老人はその鉤へ湯沸しを掛けながら、妻女になにか云いつけ、また、それとなく若侍のようすをぬすみ見ていた。

二

「あれは刀のようだが」とやがて若侍が訊《き》いた、「御老人はもと武家だったのか」

「これ」と老人は妻女に云った、「おまえもうひと眠りするがいい、粥《かゆ》が出来たら起こしてやる、それまで横になっておいで」

妻女はなにかを片づけていた。

「立町の国分という材木問屋の主人が亡《な》くなって、ゆうべ通夜がございました」と老人は若侍に云った、「残り物があるから取りに来い、と云われたものですから、頂戴《ちようだい》にいってさきほど戻ったところでございます」

妻女は口の欠けた土瓶と、湯呑《ゆのみ》を二つ、塗の剝《は》げた盆にのせて、老人の脇に置くと、よく聞きとれない挨拶《あいさつ》を述べ、石垣と橋との隙間へ、緩慢な動作で這《は》いあがっていった。老人はまた若侍のようすを見た。彼は黒い無紋の袖《そで》の羽折《はおり》を重ねていたが、着物も下衣《したぎ》も白であった。

「寒くはないか」と老人は振返って妻女に呼びかけた、「衿《えり》をよく巻いておくんだぞ」

妻女が低い声でなにか答え、老人はまた若侍の着物を見た。その白い着物が、老人になにごとか思いださせたらしい、焚火に枯枝をくべながら、老人はゆっくりと頷《うなず》いた。

「さよう、私はもと侍でございました」と老人は云った、「国許《くにもと》は申しかねますが、私までに八代続いた家柄だそうで、その藩主に仕えてから四代になり、身分も上位のほうでございました」

老人は土瓶の中を見た。それから、たぎり始めた湯沸しをおろし、土瓶に注《つ》いで、二つの湯呑に茶を淹《い》れると、茶といえるようなものではないが、もし不浄と思わなかったら飲んでもらいたい、と云ってすすめた。若侍は礼を述べて、湯呑を受取った。

「その」と若侍が云った、「こんなことを訊いては失礼かもしれないが」

老人は静かに遮った、「いや、失礼などということはありません、ごらんのとおりなりはてたありさまですから、いまさら身の恥を隠すにも及びますまい、それにまた、聞いて頂くほどの話もないのです」

若侍は茶を啜《すす》り、湯呑を両手でつかんで、老人の話しだすのを待った。老人は湯沸しを鉤に掛け、自分の湯呑を持って、大事そうに啜りながら、やや暫《しば》く黙っていた。

「さよう、じつのところ、申上げるほどの話ではない、私は四十年ほどまえに、一人の娘のために親しい友を斬《き》って、その娘といっしょに出奔しました、つづめて云えばそれだけのことです」

老人は茶を啜り、それからゆっくりと続けた、「その友達とは幼年のころから親しかった、私のほうが一つ年下でしたし、友達の家は徒士《かち》にすぎなかったが、二人は兄弟よりも親しかったといってもいいでしょう、さよう、——いちどこんなことがありました、たしか十一か二のときだったでしょう、のちに諍《あらそ》いのたねになった娘のことで、私がひどく怒り、三人でなにかしていたのを放りだして、私だけさっさとそこをたち去りました」

老人は唇に微笑をうかべ、さもたのしそうに、頭を左へ右へと振った。

「三人でなにをしていたのか、場所がどこだったか、私がなんで怒ったのか、いまではすっかり忘れてしまいました、うろおぼえに落葉の音を覚えています、私は落葉を踏んで歩いていました、するとまもなく、うしろでも落葉を踏む音が聞える、その音がずっと私のあとからついて来るのです、私はてっきり娘が追って来たものと思い、振返ってみると友達でした。

——ついて来るな、帰れ。

私はそうどなって、もっといそぎ足に歩き続けたのです、友達はやはりついて来ますし、私は二度も三度もどなりました」

老人は自分で静かに頷き、茶をひとくち啜った、「その友達は軀も小柄でしたし、眉《まゆ》は濃いが、まる顔で頭が尖《とが》っているため、握り飯のような恰好《かっこう》にみえるので、みんなから黙りむすびと呼ばれていました、黙りむすび、私にとってはなつかしいあだ名です、――彼は口かずが少なく、ふだんはごく温和《おとな》しいが、いざとなると決してあとへはひかぬ性分でした、三度もどなりつけたので、もう帰るかと思うとやっぱりついて来る、なんにも云わずに、黙ってうしろからついて来るのです、私は振返ってまた云いました。

――どうしてついて来るんだ。

すると彼は答えました。

――だって、友達だもの」

老人は口をつぐみ、眼をつむって暫く沈黙した。若侍はそっと老人を見たが、すぐにその眼をそらし、両手で持っている湯呑を静かにまわした。

「だって、友達だもの」と老人はくり返し、それからまた続けた、「もし正確にいうなら、二人が兄弟より親しくなったのは、それからあとのことだったでしょう、彼は学問もよくできましたし、武芸でもめきめき腕をあげました、十五六のころから家中《かちゅう》の注目を集め、将来ぬきんでた出世をするだろうと云われたものです、そして彼もまた、その世評の正しいことを立証したのですが、——」

老人は焚火の上から湯沸しをおろし、脇にある鍋を取って掛けた。使い古した鉄鍋で、もとのつるは毀《こわ》れたのだろう、つるの代りに麻の細引《ほそびき》が付けてあった。老人は薪《まき》をくべ、火のぐあいを直した。すると煙が立って、いっとき焰《ほのお》が隠れ、それから急に明るく燃えあがり、焰のさきが鍋底を舐《な》めた。

「私がどんなふうだったか、ということは申しますまい、私も私なりにやっておりました」と老人は云った、「もし私が、彼に嫉妬《しっと》していたとお考えになるなら、それは間違っています、私は少しも嫉妬は感じませんでした、ことによるとそれは、私の家柄がよく、身分もずっと上だったからかもしれません、私はむしろ彼を尊敬していたといってもいいくらいです、いい時代でした、家があり、家族があり、若さと力を自分で感ずることができ、そしてよき友達をもっている、——さよう、二十一の年まで、私はそのように安定した、満足な生活に恵まれていました。それが父の死を境にして、狂いだしたのです」

老人は土瓶に湯を注いで、若侍のほうへさしだした。若侍は首を振り、老人は自分の湯呑に茶を注いだ。

「つまらない話で、御退屈ではありませんか」

「いや、うかがっています」と若侍が答えた、「どうぞ続けて下さい」

「父が病死したあと、私にすぐ縁談が始まりました」と老人は云《い》った、「二十一の冬のことですが、私はまえからそのつもりでいた娘を、自分の嫁にと望みました、娘の家は番がしら格で、彼女の年は十七歳、もちろん当人も私の妻になることを承知していたのです、しかし、その申入れは断わられました」

三

――せっかくではあるが、娘はもう婚約した相手があるから。

娘の親は仲人《なこうど》にそう云った。そして婚約の相手を訊くと、その友達の名をあげたのだという。老人はちょっと口をつぐみ、茶を啜ろうとしたが、湯呑を口までもっていったまま、それを飲もうとはせずに、顔を低く俯向《うつむ》けた。

「私は友達に会いにゆきました」とかなり経《た》ってから老人は続けた、「友達は婚約したことを認め、私はかっとなりました、彼は私と娘のことをよく知っている、幼いころから知っている筈《はず》です、娘の親にぜひと懇望されたのだそうですが、私と娘のことを知っている以上、断わるのが当然ではないか。

——きさまは他人の妻をぬすんだ。

私はそう云いました、言葉はもっと激しく、もっと卑《いや》しいものだったのです、友達はたいそう冷静でした、私の怒りをそらし、私をなだめようとつとめました、それが却《かえ》って私を逆上させたと思うのですが、私は彼にはたし合を申入れたのです」

老人は俯向いていた顔をあげた。そして、湯呑を脇に置いて、掛けてある鍋の蓋《ふた》を取った。鍋の中から湯気があがり、香ばしい匂いが、あたりにひろがった。

「なだめあぐねたようすで、友達もはたし合を承知しましたが、彼は腕に自信もあったし、その場になってからでも話しあえる、と思ったのでしょう、あとで考えるとそう推察できるのですが、結果は逆になりました」老人はそこで言葉を切り、低い声で、なにか不快なものでも振り捨てるように、口ばやに云った、「介添もない二人だけの決闘でしたが、私は初太刀《しょだち》で彼の肩を斬り、二の太刀で腰を存分に斬りました。

——もういい、これまでだ。

友達は倒れながらそう叫び、私は刀をひきました、私は私で、存分にやったと思ったのです、存分に、……友達は地面に倒れたまま、私にこう呼びかけました。

——人の来ないうちに、医者を呼んで来てくれ、早く。

私は刀にぬぐいをかけてそこを去ると、娘を呼びだして始終を話しました、そして、そのまま二人で、城下を出奔したのです」

老人は木の杓子《しやくし》で鍋《なべ》の中をかきまぜ、それから鍋に蓋をした。若侍は待っていた。老人はながい溜息《ためいき》をつき、片手でうしろ頸《くび》を揉《も》んだ。

「僅《わず》かばかりな金を持っただけで、私たちはすぐに窮迫しましたが、自分たちの恋に勝ったというよろこびと、若いころの無分別さとで、ただもうその日その日を夢中ですごしておりました」

老人はそこでまた、さもたのしそうに首を振った、「無分別、――さよう、無分別もあながち悪くはありません、一日や二日、食事のできないようなことがあっても、却って二人の愛情をつよめ、自分たちが恋に勝った、ということを慥《たし》かめるように思えたものです、もちろん、それは二年か三年しか続きませんでしたが」

老人は低い声で笑った。薪を火にくべながら、喉《のど》でくすくすと笑い、失礼、といって続けた、「いまこの火を見ながら思ったのですが、火をもやすには薪がなければならない、薪がなくなれば火は消えてしまう、私たちの場合もそういうことだったのです、人を狂気にさせるほどの恋も、いつかは冷えるときが来る、恋を冷えないままにしておくような薪はない、それでも家を持ち子供が生れ、生活する能力があればべつでしょう、私たちにはそれがなかった、幸か不幸か子も生れず、職業といえるものも身につかず、家ときまった住居を持つこともできなかった。そのときばったりの稼ぎを追って、東へゆき西へゆき、二年と同じ土地にいたことがない、というくらしが続いたのです」

「出奔してから七年めのことですが」と老人は続けた、「私たちはいちど国許へ帰りました、いっそ名のり出て、処罰を受けようと思ったのです、しかしそれができなくなった、というのは、三年まえに母は死に、家名も断絶していましたし、私の斬った友達は生きていたばかりでなく、二百石あまりの小姓頭にとりたてられていたのです、――さよう、存分に斬ったと思ったのは誤りで、友達の傷はさしたることもなかったし、却って家中《かちゅう》の同情を集める結果になったようです、これでは名のって出ることはできません、仮にそうする勇気があったとしても、世のもの笑いのたねになるだけで、なんの意味もないからです、私たちはすぐにそこを去りました」

妻をその実家へ帰らせることも不可能であった。妻にはもとよりそんな気持はない。そのくらいなら自害をする、と妻は云った。こうしてまた、二人は放浪生活に戻ったのだが、お互いの気持はまえよりも悪くなった。徒士《かち》にすぎなかった友達が、二百石あまりの小姓頭になっていたこと。たいそう藩主にめをかけられているので、将来さらに出世をするだろうこと。老職の家から妻を迎え、すでに一男一女の子があることなどが、二人の気持に深い傷跡を残したのである。

——あのとき自分さえでしゃばらなければ、妻はいま彼を良人《おっと》にし、家中の人たちの羨望《せんぼう》と尊敬のなかで、安穏《あんのん》な生活ができたのだ。

老人はそう思ったし、老人の妻はまたこう思った。

——この人をこんなに落魄《らくはく》させたのはあたしの責任だ、この罪をつぐなうことはできない。

そして二人はかの友達を憎んだ。彼さえいなければよかったのである。二人は幼いころから互いに好きあっていたし、成長してもその愛情は変らなかった。身分に少し差はあったが、結婚がゆるされないほどの差ではなかった。かの友達さえいなければ、二人はいっしょになれたであろうし、家柄と身分とで平安な生活ができたことだろう。二人をこのような不幸に追いやったのはかの男である、憎むべきはかの男だ。

「友達を憎むことが、いっとき私どもの愛情をかきたてたようでした」と老人は首を振りながら云った、「しかし、それも長くは続かなかった、憎悪《ぞうお》という感情のなかには、人間は長く住めないもののようです。そしてまた、その日その日の稼ぎに追われる生活では、どんな感情もすり減ってしまうのでしょう、——さよう、あとは申すまでもありません、四十の年を越すとまもなく、私は左足の痛風で力仕事ができなくなり、それ以来ずっと乞食《こじき》ぐらしをしてまいりました」

そのとき、源心寺の鐘が鳴りだした。若侍は屹《きっ》と顔をあげ、鐘の音につれてその数だけ、持っている湯呑《ゆのみ》を指で叩《たた》いた。気がつくと東の空が白んでおり、鐘は六つ（午前六時）であった。老人は若侍の顔を見やり、それから太息《といき》をして、自分に頷いた。

四

「この橋の下には、人間の生活はありません」と老人は静かに話を続けた、「こういうところで寝起きするようになってからの私は、死んだも同然です、橋の上とここと はまったく世界が違いますが、それでも私には、橋の上の出来事を見たり聞いたりすることはできます、世間の人たちは乞食に気をかねたりはしませんし、もうこちらにも世間的な欲やみえはない、ですからどんなこともそのままに見、そのままに聞くことができます、いいものです、ここから見るけしきは、恋もあやまちも、誇りや怒りや、悲しみや苦しみさえも、いいものにみえます」

老人はまた鍋の蓋をとり、杓子で中のものを掻《か》きまぜた。まえよりも濃い湯気が立ち、なにかの煮える香ばしい匂《にお》いが、まえよりもつよくあたりにひろがった。

「この足が痛風にかかり、乞食をしてまわるようになってから、私はしばしばあのときのことを考えるようになりました」老人は鍋に蓋をし、溜息をついて云った、「はたし合を挑むほかにやりかたはなかったろうか、どうしても娘を自分のものにしなければならなかったのだろうか、——少年のとき、怒ってたち去る私のあとから、友達は黙ってついて来ました、私が帰れとどなっても、やはり辛抱づよくついて来て、そうして、友達だから、と云いました、だって友達だから」

老人は頭を垂れ、垂れた頭を左へ右へとゆり動かした。焚火《たきび》の明りをうけても、もう光りをみせなくなった灰色の薄い髪毛が、乾いたまま心もとなく揺れた。老人は薪をくべ、長い溜息をついて、静かに頭をあげた。

「あのとき友達のところへゆくまえに、茶を一杯啜《すす》るだけでも、考えが変ったかもしれない、堀端《ほりばた》を歩くとか、絵を眺めるとか、ほんのちょっと気をしずめてからにすれば、事情はまったく変っていたかもしれません、そうでなくとも、あの少年時代の、うしろからついて来る足音、落葉を踏みながらついて来た足音や、友達の云ったあの言葉を思いだすだけでもよかったのです」

老人はどこを見るともない眼つきで、明けてくる河原の向うを見まもった、「あやまちのない人生というやつは味気ないものです、心になんの傷ももたない人間がつまらないように、生きている以上、つまずいたり転んだり、失敗をくり返したりするのがしぜんです、そうして人間らしく成長するのでしょうが、しなくても済むあやまち、取返しのつかないあやまちは避けるほうがいい、——私がはたし合を挑んだ気持は、のっぴきならぬと思い詰めたからのようです、だが、本当にのっぴきならぬことだったでしょうか、娘一人を失うか得るかが、命を賭《か》けるほど重大なことだったでしょうか、さよう、……私にとっては重大だったのでしょう、家名も親も忘れるほど思い詰め、はたし合の結果がどうなるかを考えるゆとりさえなかったのですから」

「どんなに重大だと思うことも、時が経ってみるとそれほどではなくなるものです」と老人は云った、「家伝の刀ひとふりと、親たちの位牌《いはい》だけ持って、人の家の裏に立って食を乞《こ》い、ほら穴や橋の下で寝起きをしながら、それでもなお、私は生きておりますし、これはこれでまた味わいもあります、そして、こういう境涯から振返ってみると、なに一つ重大なことはなかったと思うのです、恋の冷える時間はごく短いものでしたし、友の出世もさしたることではない、友達はその後さらに出世をしたでしょう、ことによると城代家老になったかもしれませんが、いまの私には羨《うらや》む気持もなし、特に祝う気持もない、ただひとつ、思いだすたびに心が痛むのは、あのはたし合で友を斬《き》ったことです。

——これまでだ、人の来ないうちに医者を呼んでくれ。友達が倒れながらそう叫んだ声が、年をとるにしたがって、しだいにはっきりと耳によみがえってくるようになりました、おそらく、友達はおもて沙汰《ざた》にならぬように、事の始末をしようと思ったのでしょう、さよう、私にとってはこの一つだけが、癒《い》えることのない傷口になりましたし、出世をしたのが友達であり、自分がこのようになりはてたことを、いまでは有難いとさえ思っているくらいです」

石垣の上の隙間《すきま》で、妻女が身動きをし、なにかぶつぶつと呟《つぶや》くのが聞えた。うるさくって眠れない、と云っているらしい。老人はちょっと振返ったが、すぐに向き直って、焚火のぐあいを直した。

「なが話をしてさぞ御迷惑だったでしょう」と老人が穏やかな眼で若侍を見た、「茶をもう一ついかがですか」

「頂きましょう」と若侍が答えた。しかし声が喉でかすれたので、彼はもういちどくり返した、「ええ、頂きます」

老人は火のそばに置いてあった湯沸しを取り、手で触ってみてから、ゆっくりと茶を淹《い》れた。

「失礼ですが」と若侍は湯呑を受取りながら、声をひそめて訊《き》いた、「——あれが、そのときの御妻女ですか」

老人は首を振った。否定したのかとみえたが、老人は首を振りながら云った、「そうです、あれがいま申上げた妻です、まえにはしばしば、そうでなければと思ったものですが、いまではそんなことさえ気にならなくなりました、さよう、あれが命を賭けて得た、私の妻です」

若侍は河原のほうを見た。河原には靄《もや》が立っていた。明るくなった空の光りを含んで、靄は帯のように条《すじ》をなし、氷《こお》った流れの上をゆるやかに、殆《ほと》んど動くとはみえないほどゆるやかに、川下のほうへと動いていた。

「いかがでございますか」と老人が鍋のほうへ手を振りながら云った、「粟《あわ》の粥《かゆ》ですが、しょせんお口には合わぬでしょうが、もし不浄とお思いにならなかったら、一椀《ひとわん》めしあがっていらっしゃいませんか」

「頂戴《ちょうだい》したいが」と云って、若侍は湯呑を下に置いた、「人と会う約束がしてあるので、また次のことに致しましょう」

そして彼は立ちあがり、刀を持って、老人に振返った。

「こんどはゆっくりお話をうかがいたい、席を設けますが、来て下さいますか」

「いや」と老人は微笑した、「おぼしめしはかたじけないが、この御城下には少し長

く お世話になりすぎました、じつは今日にもここを立とうと思っていたところです」

「お立ちになる」

「ひとところに長くいると、その土地の情がうつります」と老人は云《い》った、「人にも、町にも、川にも草木にも、路傍の石ころにさえ、はなれがたい思いがしてくるものです、いや、この御城下には少し長くいすぎました、もうおいとまをしなければならないと思います」

五

若侍は刀を腰に差しながら、いかにも心のこりらしく云った。

「ではせめて、今夜だけでもここにいてくれませんか、私だけではなく、私の友人もいっしょに、もういちどお話をうかがいたいのですが」

老人は微笑した。もう若侍の白装束には眼もくれず、なにやらたのしいことでもあるかのように微笑し、二度、三度と頷《うなず》きながら、穏やかな声で云った。

「ではそう致しましょう」

「きっとですか」

「そう致しましょう」と老人は云った。

若侍は老人の眼をみつめた。

――この人はいってしまうな。

と彼は思った。老人は微笑しながら見返していた。

若侍は礼を述べて、そこを出てゆき、岸の上へあがった。

東のほうに遠く、隣藩との境をなす伊鹿山が見え、その上にひろがっている棚雲《たなぐも》が、金錆色《かなさび》に染まっていた。若侍は岸に立って橋を眺め、橋の下を見やった。あたりはもうすっかり明るいが、橋の下は暗く、ひっそりとしていた。

――ここはまったくべつの世界です。

老人はそう云った。

たしかに、岸を歩く者も、橋の上をとおる者も、そこに人が住んでいるなどとは気づきもしまいし、たとえ気づいたにしても、なんの関心をもつこともないだろう。いままで老人と語りあった彼でさえ、岸の上へあがってみると、眼のさきにあるそこがはるかに遠く、焚火の火や、老人の姿や、茶を啜《すす》ったことまでが、まるで現実のことではないように感じられるのであった。

「怒りや悲しみや、苦しみさえも、いいものです」と若侍は呟いた、「――いいものです」

彼は自分が変ったことに気づいたようだ。彼の顔はなごやかになり、その眼には謙《けん》遜《そん》な、あたたかい光りがあらわれている。彼は唇に微笑をうかべ、そうして口の中で暗誦《あんしよう》するように呟いた。

「心に傷をもたない人間がつまらないように、あやまちのない人生は味気ないものだ」

彼は伊鹿山のほうへ眼をあげた。

棚雲は明るい牡丹《ぼたん》色に染まり、その上空は浅黄色にぼかされていた。彼は深く、胸いっぱいに呼吸をし、もういちど橋の下を見た。そこはまだ暗く、ひっそりと人のけはいもなく、ただ青白い煙だけが、薄く静かに、河原のほうへとなびいていた。

若侍はそのけしきを、しっかり覚えておこうとでもするように、やや暫《しばら》く見まもっていたが、やがて向き直ると、練り馬場のほうへと歩きだした。

その広い草原にも靄が立っていた。靄は地上二尺ほどのところをいちめんに蔽《おお》い、それとはみえないほどゆっくりと、濃淡の条をなして揺れ動いてい、歩いてゆく足の下で、霜柱の砕けるこころよい音がした。——彼は自分があたためられているのを感じ、少しばかりそわそわした。空腹のあとで、温たかい汁気《しるけ》たっぷりな美味《うま》い食事をしたような、ゆたかさと満足感にみたされ、その感じを早く人に伝えたいという気持でわくわくした。

「もう刻限だろう」と彼は歩きながら呟いた、「まだ来ていないようだな」

彼は向うを見ながら立停った。源心寺の森が薄墨で描いたようにみえ、広い草原には人の影もなかった。彼はちょっと迷い、それからまた歩きだしたが、すぐに向うから人の来るのを認めた。一人の若侍が、源心寺の土塀《どべい》をまわってあらわれ、大股《おおまた》にこちらへ歩みよって来た。

「おーい」と彼は手をあげた。

向うの若侍は立停り、こちらを見ると、くるっと羽折をぬいだ。下は白支度で、手早く刀の下緒《さげお》を外し、それを襷《たすき》に掛けた。

「待ってくれ」とこちらの若侍は叫んだ、「話すことがある、待ってくれ」

彼は腰から両刀をとり、鞘《さや》のまま右腕に抱えて走りだした。

向うの若侍は不審そうにこちらを見た。襷をかけた手の片方は脇《わき》、片方は肩のところで、下緒をつかんだまま止め、きびしい眼つきでこちらをにらんだ。

走っていく彼の脛《すね》のあたりで、靄が尾をひくように巻き立ったが、彼が走りすぎるとすぐにしずまった。彼は相手のところへ駆けより、右の脇に抱えた両刀を見せながらなにか云った。――遠いので言葉は聞えないが、彼は熱心に話してい、相手のきびしい顔つきがほぐれた。そのとき、雲のあいだから陽が横さまにさして、相手の若侍の、逞《たくま》しい顔を赤く染めた。その若侍は大きく頷き、手を伸ばして、こちらの若侍の肩を叩《たた》いた。こちらの若侍はいさましく低頭し、相手は笑いながら首を振って、いまかけた襷を外し、羽折を拾いあげた。

陽がさし始めるとともに、靄はにわかにふくれて、地面から浮きあがりながら薄くなり、かれら二人の姿を包んでしまった。そうして、その靄がさらに薄れてゆき、明るい日光が草原いっぱいにあふれたときには、もうかれら二人はそこにはいなかった。

（「小説新潮」昭和三十三年一月号）

若き日の摂津守《せっつのかみ》

一

摂津守光辰《せっつのかみみつとき》の伝記には二つの説がある。その一は藩の正史で、これには「生れつき英明果断にして俊敏」とか、「御一代の治績は藩祖泰樹院さまに劣らず」などと記してある。藩主の伝記などはたいてい類型的なものだから、こういう文句は珍しくもなし興味も感じられない。けれどもこれとはべつに、泉阿弥《せんあみ》という筆名で書かれた「御進退実記」というものには、左のような思いきった記事がある。

――幼少のころから知恵づくことがおくれ、からだは健康であったが意力が弱く、人の助けがなければなに一つできなかった。つねに洟涎《みずばなよだれ》をながしながら、みずから拭《ふ》くすべを知らなかったし、側近の者が怠ると失禁されることも稀《まれ》ではなかった。これらは成長されてからも変らず、御家相続ののちでさえ、自分がたれびとであるかを、いちいち左右の者に問い糺《ただ》されるありさまであった。

およそ右のような意味であるが、「つねにみずばなやよだれをながし」とか、「自分が誰であるかを、いちいち側《そば》の者に訊《き》いた」などという表現は、たとえ実記だとしても無遠慮すぎるし、まさに「暗愚」といわんばかりで、却《かえ》ってなにかよしありげに思われた。そこで藩士分限録と歴世名臣伝というのをしらべてみたところ、筆者の本名は永井民部といい、百石ばかりの小姓から、晩年には七百石あまりの中老に出世した人であった。年は光辰より一つ若く、十四歳のときから小小姓《こごしょう》にあがって、ずっと側近に仕えたらしい。光辰の歿後《ぼつご》に剃髪《ていはつ》して泉阿弥となのり、終生、故君の墓守をしたと伝えられている。――そういう人物の記事なら、嘘《うそ》や誇張はないだろう。実記にも、二十四五歳のころより、やや尋常の分別がつくようになった、と書き続けてあるが、それでもなお、正史にあるような称讃《しょうさん》の辞句はみられないし、格別いちじるしい治績というものもあげてはいない。ただひとつ、光辰が家督相続をしたことについて、左のように同情した一条が眼をひいた。

――兄ぎみ源三郎（光央《みつなか》）さまには、奇矯《ききょう》のおふるまい多しとて廃嫡《はいちゃく》され、そのため世子に直られたのであるが、御知能おくれたまえるおん身には、重責のわずらいいかばかりかと、まことにおいたわしく思われた。

（五代）光昭　伊予守、従五位　陶樹院
―（六代）光和　河内守、従五位下　静樹院
――光央（源三郎）
――（七代）光辰（信五郎）摂津守
――女子（松平讃州家に嫁す）
――女子

藩史の系譜は前頁図のようになっている。

ここに話す出来事のあったとき、静樹院と呼ばれる光和は五十四歳で隠居しており、光辰の兄である源三郎光央は、二十六になっていたが、十五歳のとき精神異常という理由で廃嫡され、江戸麻布《あざぶ》の下屋敷にこもっていた。摂津守光辰は十歳で世子に直り、十七歳で松平信濃守《しなののかみ》の女《むすめ》を娶《めと》った。夫人の名は不明であるが、結婚したときはもう二十五歳で、光辰より八つも年長であった。

光和は五十二歳で隠居し、光辰が家督を相続して摂津守に任ぜられた。これは彼が十九歳のときであるが、——ここでちょっと注意しておきたいのは、彼の祖父も父も、藩の政治には殆《ほと》んど無関心だったことだ。祖父の光昭は陶樹院と呼ばれるが、若いころから焼物に凝り、麻布の下屋敷に窯《かま》を造らせて、みずから皿や鉢や壺《つぼ》や、茶碗《ちゃわん》などを焼いて一生を終った。父はそんな趣味さえなく、二十九歳で家を継いでからずっと、まるで隠居のような生活を送って来ていた。

これは領地の事情にもよると思われる。というのは、国許《くにもと》の地勢は極めてよい。中部山脈を北にし、南東に広く沃野《よくや》がひらけている。気候が温暖で作物がよくできるし、三筋の清流と大沼と呼ばれる湖水には、四時それぞれに魚鳥の獲物が多い。また、これらの豊かな物産に加えて交通の便がいいから、五万六千石という表高より、実収は二万石も多いだろうといわれている。したがって藩政は安定し、領内に事の起こるような例も極めて少ないから、政治のために藩主をわずらわす必要もなかった、といえるかもしれない。――このことは職制にもあらわれていた。江戸、国許ともに、重職は世襲の交代制で、四十年ちかいあいだ、左に掲げる諸家がその席を占めていた。

▲城代家老
望月吉太夫
浜岡図書《ずしょ》

▲江戸家老
秋元六郎左衛門
望月内蔵允《くらのじょう》

▲国許年寄
坂倉斎宮
浜岡十郎兵衛
市井主殿《とのも》

▲江戸年寄
成瀬幸之進
田島鉄之助
安部久之進

▲側用人
浅利重太夫　栗栖《くるす》采女《うねめ》

ほかにも中老や寄合、その他の要職があるが、この話では右に挙げた諸家と、これらが五年交代で、きちんと伝承された点を記すだけでいいと思う。——こういう状態のなかで、光辰は家督相続をして摂津守に任じ、一年おいて、二十一歳の十月、初めての国入りをした。

二

初めての国入りだから、初入部《にゆうぶ》の祝いから始まって、いろいろと儀式が多い。むろん国許では怠りなく準備をととのえていたのであるが、その大半は省略されてしまった。

——旅中のお疲れがまだ癒《い》えないから。

側用人の浅利重太夫がそう発表し、諸士引見も略され、恩賞目見《めみえ》も略された。恩賞目見というのは、孝子、節婦、篤農《とくのう》などを、城中に呼んで藩主が褒賞《ほうしよう》する。ほぼ五年に一度くらいの割でおこなわれて来たが、先代の河内守《かわちのかみ》光和が病気がちで、七年あまりも帰国しなかったのと、光辰が初入部であるためとで、領民たちから期待されていたものであった。

諸士引見は略されたが、二の丸御殿で祝宴がひらかれ、目見以上の家臣が宴に列した。家格によってそれぞれ十人、または五人というふうに組んで御前に進み、酒肴《しゆこう》の膳《ぜん》をいただいてさがる。そして大広間で酒宴をする、という順序になっていた。

光辰は上段に坐《すわ》っているだけであった。しもぶくれのおっとりした顔だちで、上背のあるいい躰格《たいかく》だが、眼つきや口許にしまったところがなく、疲れたような、寝不足なような、とらえどころのない、ぼうとした表情をしていた。うしろの左右に小姓が三人おり、一人は佩刀《はかせ》を捧《ささ》げていたが、他の二人のうち、永井民部という小姓頭は、ときどき身を跼《かが》めて、光辰になにごとか注意をし、すると光辰は出かかっていた欠伸《あくび》を半分でやめたり、袖《そで》でゆっくりと口のまわりを拭いたりするのであった。

上段のすぐ下に、三家老、側用人、年寄肝いりらの重臣たちが並んでいたが、城代家老の浜岡図書と、側用人の浅利重太夫とは、ときどき光辰のようすを見て、互いに頷《うなず》いたり、囁《ささや》きあったりしていた。――言葉は殆んど聞きとれないが、光辰を見るときの二人の眼には、憐《あわ》れみと軽侮の色があらわれており、特に重太夫の顔にはそれが露骨であった。いちど彼が唇を歪《ゆが》めて、図書にこう囁くのが聞えた。

「構わずにおけば居眠りを始めます」

一刻《とき》ばかりでその賜盃《しはい》が終ると、光辰は泉亭《せんてい》へ移った。

泉亭では、城代家老はじめ六人の重臣と酒宴があり、家中《かちゆう》から選ばれた娘たち十人が給仕を勤めた。これにはわけがある、――光辰と正室のあいだにはまだ子がなかった。年が違いすぎるのか躰質が合わないのか、結婚してからもう五年になるので、重臣たちは医師と相談し、国許の健康な娘を側室にあげる、ということにきまった。そのとき医師は「御自身で気にいった者のほうがよい」と主張したそうであって、――泉亭の給仕に出たのは、つまり側室の候補者たちであり、そのことはむろん、浅利重太夫から光辰に告げてあったのだが、酒宴がすすんでも、光辰はてんで娘たちを見ようともしなかった。

「殿、――」と重太夫がたまりかねたように囁いた、「お気にめした者がございますか」

光辰は重太夫を見、袖で口のまわりを拭き、それから、重太夫の問いがなにを意味するのか思いだそうとして、上眼づかいに天床《てんじょう》を見あげた。

「あの娘たちの中から」と重太夫は舌打ちをして囁いた、「お側に召す者を選んで下さるようにと、申上げておいた筈《はず》です」

光辰は途方にくれたような顔で、こころぼそそうに云《い》った、「おれは、誰でもいい」

「お選び下さい」と重太夫は囁き声できびしく云った、「お気にいった者が一人や二人はいる筈です、お選びなさい」

重太夫はぐっと睨《にら》みつけた。

「民部、——」と光辰は助けを求めるように振返って、小姓頭の永井民部に訊いた、「このおれは、誰だ」

「おそれながら」と民部が答えた、「当老松城五万六千石の御領主、摂津守光辰さまであらせられます」

「うん」光辰は頷いて重太夫に云った、「聞いたとおりだ、重太夫、おれは誰でもい い、みんなにくつろげと云え」

重太夫はまた舌打ちをし、城代の浜岡図書に耳うちをしたうえ、娘たちを一人ずつ、順に光辰の前へ進ませてみた。しかしその結果も同じことであって、重太夫が、いまの娘はどうかと訊くと、いい、と答える。次のはどうか、この娘はどうかと、訊くたびに「いい」と答える。そのたびに重太夫の顔色をうかがい、重太夫の気にいろう、褒められようと思っていることが、明瞭《めいりよう》にあらわれていた。

「だめだな」と浜岡図書が云った、「こちらで選ぶよりしかたがあるまい」

「そう致しましょう」と重太夫が云った、「このみちだけは白痴《こけ》でも人並、ということを申しますが、どうやらおだれどのはそのほうも人並ではないようです」

永井民部がなにか囁き、光辰は袖でゆっくりと口のまわりを拭いた。

「民部、——」光辰が振返って訊いた。「おだれどのとは、誰だ」

「お口が過ぎます」と重太夫が云った、「静かにあそばせ」

光辰はしょんぼりと沈黙した。

その夜、浜岡図書の屋敷で重臣たちが寄合い、側室の選考をした。それは微妙な会議であった。側室にあがった者が世子を生めば、その親は大なり小なり勢力を得ることができる。けれどもまた、しかるべき家柄の者が、すすんで自分の娘を側室にあげるということはない。たとえ相手が藩主であっても、側室はやはり側室だからだ。——重臣たちはいろいろと候補者をあげたのち、吉田屋作兵衛《さくべえ》の娘がよかろう、ということにきまった。吉田屋は藩の御用商人で、息子が二人に娘が三人いた。商人の娘なら、たとえ世子を生んだとしても、親が藩政の邪魔になるようなおそれはない。そこでその翌日、次席家老が吉田屋作兵衛を呼んで、その旨《むね》を話した。作兵衛はいったん家へ帰り、相談のうえ、次女のおたきをさしあげる、と答えて来た。それから浅利重太夫が医師を同伴して吉田屋へゆき、おたきに会って資格しらべをした。年は十七歳、容貌《ようぼう》はまず十人並だが、軀《からだ》はよく発達しているし、健康にも申し分はなかった。

「手が荒れているようだが」と終りに重太夫が作兵衛に訊いた、「そのほうでは娘に水仕事などをさせるのか」

「家風でございまして」と作兵衛は答えた、「娘どもには芸ごとよりも、拭き掃除、炊事、裁ち縫いから、洗濯までさせるのが、しきたりでございます」

重太夫の唇にうす笑いがうかんだ。

「おくゆかしい家風だな」と重太夫はねばるような口ぶりで云った、「覚えておこう」

作兵衛は黙って辞儀をした。

三日のちに、おたきは坂倉斎宮の屋敷へはいった。斎宮は年寄役肝いりであるが、おたきを預かって殿中の作法を教えることになったのである。藩主の寝所へはいるには、その家によっていろいろの作法があったようだ。この藩では正夫人の場合はともかく、側室は控えの間で髪を解き、衣装は下のものまでぬいで、素裸になるのがきまりになっていたらしい。寝所の次が控えの間で、その三方を宿直《とのい》の間が囲んでおり、二人ずつ三組で宿直番に当る規則であった。

側室が一糸もまとわず、髪も解いて寝所へはいるのは、凶器など持ちこむ危険を防ぐためだ、という通説がある。事実、諸家の秘録には閨閥《けいばつ》その他の争いから、そんな手段がもちいられた例もあるようだが、それだけの理由であったかどうかは、一概にはきめられないようである。――寝所での作法はこのほかにもいろいろあり、多くは語ることも書くことも憚《はばか》られる、という種類のものだったそうである。おたきは坂倉家で二十余日、これらの作法を詳しく教えられたうえ、城へあがり、二の丸の雪見御殿にはいった。

坂倉家でおたきを指南したのは、菊岡という老女であったが、御殿へはいると、二人の女中と三人の端下《はした》がおたきに付けられた。

三

十一月下旬、大沼で鴨猟《かもりよう》がおこなわれたとき、光辰は初めておたきを見た。大沼は城下町の西北二里ほどのところにある湖で、山岳地帯から流れこむ五筋の渓流の水を湛《たた》え、湖面に老松川の落ち口がある。光辰の行列は午前三時に出門、湖北をまわって菩提所《ぼだいしょ》の瑠璃《るり》光寺《こうじ》へ寄り、猟の時刻を待つために休息した。寺を出たとき、夜は明けかかっていて、右側に迫っている山裾《やますそ》や谷や、左にひろがっている湖面が、濃くなり薄くなる朝靄《あさもや》の中に見え隠れしていた。――猟場は老松川の落ち口の近くであるが、そこへゆく途中、湖岸の道の脇《わき》に小さな小屋が四五十、ぎっしりと並んでいるのを、光辰は馬の上から認めた。それらは藁《わら》と割り竹で編んだ囲いに、板で屋根を掛けただけの、乞食《こじき》小屋そのままというひどいもので、朝靄の中にただよっている炊《かし》ぎの煙がなければ、とうてい人が住んでいるとは思えないけしきであった。

「あれは」光辰は馬を停め、鞭《むち》でその小屋の群をさし示しながら訊《き》いた、「あの小屋はなんだ」

光辰のすぐうしろに永井民部がいた。

「存じません」と民部は馬を停めながら答えた、「みてまいりましょうか」

「重太夫が叱《しか》るだろう」と光辰は馬を進めながら云った、「あとでいい」

猟場には新しく仮屋が建ててあった。湖に面したその建物は二重で、光辰の席は一段高く、桟敷《さじき》造りになっており、その下が重臣たちの席、また二重の下桟敷が、目見以上の者の席になっていた。

光辰の席には、老女の菊岡と五人の侍女に囲まれて、盛装のおたきが控えていて、浅利重太夫が光辰に披露し、おたきは定めの席へ進んだ。光辰はちょっと彼女を見たが、まったく関心がないようすで、すぐに眼をそらした。

天地はもうすっかり明けていた。霞《かす》んで見えない対岸のかなたに、日の出の逆光で描きだされた山なみが近ぢかと見え、湖上では猟人の漕《こ》ぎまわる小舟が、獲物を乗せて次つぎと仮屋の岸へ着き、また沖へと出てゆくのが眺められた。――光辰はそれが不審らしく、猟はどういう方法でするのかと訊いた。すると次席家老の望月吉太夫が、「枝流し」という猟法を説明した。それは枯枝に黐《もち》を塗りつけて流すと、水面におりた鴨がその枝をつかむとか、翼をとられるとかして飛べなくなる。それを小舟で集めるという仕掛であった。

「おもしろいな」と光辰は面白くなさそうな声で云った、「では、鷹《たか》も弓も使わないのか」

使わないと吉太夫が答えた。

「ふーん」と暫《しばら》くして光辰が云った、「——武家の狩のようではないな」

すると重太夫が「殿」といって睨んだ。

「いや、武家のようだ」光辰は袖で口のまわりを拭《ふ》きながら云い直した、「武家の狩のようだ、おもしろいな」

だがもうその猟には興味をなくしたらしく、光辰は眼をあげてあちらこちらを見まわした。湖上にはまだ靄がたなびいているが、朝日は対岸の山なみの上にのぼり、湖北につらなる山岳地帯を、片かげりにくっきりと照らしだしていた。光辰は振向いて永井民部を見、その山やまのうちひときわ高く、頂上に雪のある峰を指さした。

「あの雪のある山」と光辰は云った、「おれはあの山を、まえに見たことがあるか」

「初のお国入りですから、ごらんになるのは今日が初めてでございます」

「そうか」光辰は安心したように微笑し、口のまわりを拭いてから、威厳をつくろって訊いた、「あれはなんという山だ」

「越見岳《こしみ》と申します」と民部が答えた、「昔はあの頂上に見張り所があって、不法に国越えをする者や、密猟者などを取締ったのだと、伝えられております」

「民部はよく知っているな」

「私はお国許《くにもと》で生れ、十歳までこちらで育ったのです、――お口のまわりをどうぞ」

光辰は袖で口のまわりを拭いた。白綸子《しろりんず》の羽折《はおり》の袖口のところは、もうひどく濡《ぬ》れていた。

猟が終ると、獲物を集めて、光辰に披露した。その日の宰領をしたのは物頭《ものがしら》の和泉《いずみ》五郎兵衛《ごろべえ》という者で、獲物は鴨六百羽、鴫《しぎ》その他が八十羽ということであった。それから、獲物を料理《りょう》った膳が配られて、小酒宴が催された。まず賜盃《しはい》から始まって、次に光辰が膳部に向うと、望月吉太夫が上段際《ぎわ》まで席を進め、大沼の鴨について語った。

この大沼で捕れる鴨は、肥えているのと美味とで近国第一といわれ、毎年十二月には将軍家へ献上するし、その季節になると、鴨を喰《た》べたいために、この城下へ廻り道をする諸侯も少なくない。また、幕府閣老にも、柚子味噌《ゆずみそ》に漬《つ》けたのを贈ったりして、好評を得ている。というようなことであった。

なるほど鴨はうまかった。汁椀《しるわん》の中には、芹《せり》の鮮やかなみどりを添えて、脂《あぶら》ののった、軟らかい鴨の肉が三片。八寸には葱《ねぎ》と焼いた肉が一片、どちらも滋味たっぷりで、――それは毒味などの作法があるため殆《ほと》んど冷めていたが、――口の中いっぱいにうまさがひろがり、舌が溶けるかと思われるくらいであった。しかしそれだけであった。汁にした三片、焼いた一片、それだけで鴨は終りだった。ほかの者はもっと喰べたようだ、煎《い》り煮しているいい匂《にお》いもしたが、光辰の膳に乗った鴨はそれだけであった。

光辰はもっと欲しかった。腹もまだすいていたので、箸《はし》を持ったまま、悲しそうに民部の顔を見た。すると向うで、重太夫が、「えへん」と咳《せき》をし、光辰を睨んだ。そのときおたきは、光辰がしおしおと箸を置き、口のまわりを拭きながら、べそをかくのを認めた。

「重太夫」と光辰は悲しげに云《い》った、「みんなにくつろげと云え」

重太夫は軽く低頭しながら、舌打ちをした。

「まるで五六歳の子供だ」と重太夫は望月吉太夫に囁いた、「江戸で大城《たいじょう》へあがっても、片刻《かたとき》として眼を放せません、まことにしんの病めることです」
「お顔だちは源三郎（光央）さまとよく似ておられるようですな」
「性質が似なくて幸いです」と重太夫は酒をすすりながら云った、「源三郎さまには
みな肝をひやしましたからな」
「いかにも」と吉太夫はまじめに頷《うなず》いた、「いかにも」
その夜、おたきは二の丸御殿の寝所へあがった。老女菊岡の付添いで、作法どおり、
控えの間で髪を解き、はだかになり、寝所へはいった。そして、おたきが褥《しとね》にはいる
のを見届けてから、菊岡は退出し、代って二人の女中が、控えの間で宿直《とのい》をするので
あった。——その部屋は寝所の東に当り、侍たちの宿直の間とは反対の位置にあった
し、あいだは塗籠《ぬりごめ》になっているため、むろん往き来《ゆき》はできないようになっていた。
初めての夜から七夜、菊岡も控えの間に宿直をした。それはおたきから「はい」と
いう返辞を聞くためで、七夜めの明けがたにその返辞があり、それからは規則どおり、
宿直をせずに退出するようになった。「はい」という返辞がなにをあらわすものか、
改めて記す必要はないだろう。翌年の正月から、おたきは二の丸御殿に移って、正式
にお部屋さまと呼ばれることになった。

四

おたきは光辰《みつとき》に与えられた白小袖《しろこそで》に、白の帯をしめた姿で、侍たちの宿直部屋と、女中たちの控えの間とを、交互に、よくよくうかがってから褥の上へ戻った。

「いいか」と光辰が囁《ささや》いた。

「はい」とおたきが答えた。

光辰は「やすめ」と囁いた。

褥は二つあり、どちらも厚く重ねて、広く、大きい。おたきは礼をして自分の褥にはいり、光辰は起き直った。時刻は夜の十二時すぎ、火を置かないので、寝所の空気はひどく冷えていた。光辰は雪洞《ぼんぼり》をひきよせておいて、塗籠の妻戸をあけ、一冊の書物を出して来ると、畳の上へじかに坐《すわ》ったまま、読みはじめた。

それはおたきが伽《とぎ》にあがって七日めの晩から、一夜も欠かしたことのない習慣であった。

初めての夜、光辰はおたきに云った。

――黙っていてくれるか。

――家臣たちに知られると困る、重太夫に知られると叱られるから、誰にも云わないでもらいたいのだ、黙っていてくれるか。

おたきは黙っていると約束した。

学問をするのに、どうして家臣を憚《はばか》るのか。こんな深夜に隠れてしないで、なぜ昼のうちにしないのか。おたきにはまったく理解できなかった。もちろんなにか仔細《しさい》があるのだろう、鴨猟のときすでに、おたきの心には一種の疑惑がおこっていた。あのとき彼女は、光辰がべそをかくのを見、重太夫と家老との問答を聞いた。――光辰はもっと鴨を喰べたいようすで、箸を持ったまま、小姓頭の顔を悲しげに見た。すると重太夫が空咳をし、するどい眼つきで睨《にら》んだ。それでも光辰は諦《あきら》めかねたのだろう、べそをかきながら、「みんなにくつろげと云え」と重太夫に云ったのだ。そう云えば鴨がもらえるかもしれない、という願いの気持が、そのまま声になったような調子であった。

――なんというおいたわしいことを。

とおたきは思い、眼をそむけたものであった。

殿さまの頭が満足でないから、御家臣たちがばかにしているのだ。それにしても、五万六千石の藩主でありながら、なんという気の毒な方だろう。誰か五人や十人、味方になってあげる人はないのだろうか、などと思っていたのである。しかし、日が経《た》つにしたがって、おたきの疑いはべつの方向に変った。

――殿さまははばかをよそおっているのではないか。

或《あ》るときふと、そういう考えがうかんだのである。

おたきは七夜めのあとで、「はい」という返辞を老女にしたが、それは事実ではなかった。光辰がどうしてもおたきに触れようとしないので、彼女は思いきって自分の立場を光辰に訴えた。

――いや、決して嫌いではない、おれはおまえが好きなようだ。

光辰はそう答えた。好きだとは思うが、まだそういう気持になれない。いつかそういう気持になるだろうから、それまで待っていてくれ、菊岡には「そうなった」と答えておけばいい、光辰がそう云うので、老女にはそのとおり答えたのであった。そのときおたきはひじょうに嬉《うれ》しかった。光辰の言葉にはしんじつが感じられたし、それ以上に、自分を人間らしく扱ってくれたことが嬉しかったのだ。そうして、夜半に読書する姿を見ているうちに、ひるま家臣たちに対するような、おろかしいようすのないことに気がついた。三十余日のあいだ一夜も休まず、一刻半か二刻ほど、寝衣《ねまき》のまま畳へじかに坐って、殆んど身じろぎもせずに本を読む。春とはいっても正月から二月は寒さがきびしい、火のけのない寝所はことに冷える。その中でひっそりと、しかも熱心に読書している姿には、むしろ常人にない峻烈《しゅんれつ》なものが感じられた。

おたきは本当のことが知りたくなり、その欲望を抑えることができなくなった。彼女は思いきって、大胆にそのことを光辰に訊いた。

——わたくしも申上げなければならないことがございます。

彼女はさきに告白した。おたきは吉田屋の娘ではない、伊部村の貧しい百姓の家に生れ、十二のときから吉田屋に奉公していた。そしてお城から「側室をあげるように」という沙汰《さた》があったとき、二女のおたきの身代りにされたのである。吉田屋作兵衛は御用商で、家中のことに詳しかったし、光辰がおろかだということも知っていた。自分の娘をあげるに忍びないため、金を代償に因果を含め、彼女を娘として城へあげたのであった。

——うちは貧乏のうえに子供が多いので、それだけのお金があれば助かりますし、御主人の頼みですから断わることができなかったのです。

年は同じだが、自分の名はみちというのである。というふうに語った。光辰は首をかしげ、眉《まゆ》をしかめながら、黙って聞いていて、聞き終ってからも、暫くなにも云わなかった。

——ひどくこみいっているな。

おれにはそういうこみいった話はよくわからない、と光辰は頭を振りながら云った。しかしおれはおまえが好きだ、おまえのほかには誰も欲しいとは思わない、それでいいだろう、とおたきの顔を見まもった。

おたきは光辰のようすをつくづくと見た。彼女の話を理解しようとして、首をかしげ、眉をしかめて聞きいった表情は、作ったものではないようであった。こんな簡単なことが本当にわからないのだろうか、おたきがそう思っていると、光辰は袖で口のまわりを拭《ふ》きながら、吃《ども》り吃り云った。

——おれはこのとおりの人間だ、おれのおろかさはよそおっているものではない、けれども、家臣たちの考えているほどおろかでもないつもりだ、とにかく、こうやって勉強しているんだから、そのうちに少しは頭がよくなると思う。

そして微笑しながら、おれはこうみえても辛抱づよいんだよ、と云った。

おたきはいま褥《しとね》の中から、光辰の読書に熱中している姿を見て、そのときの言葉を思い返しながら、やはりそれが光辰の本心であろう、と心の中でうなずいた。自分が人より知能のおくれていることを知り、人並になろうとしてひそかに努力している。それが事実だろうと思い、いたわしさと哀憐《あいれん》の情で胸がいっぱいになった。

三月になってまもなく、光辰は十人ばかりの供を伴《つ》れて遠乗りに出た。山道を越見岳の登り口まで往復する予定で、案内役は国許の物頭、渡辺半助と輿石藤七郎が勤めた。忍びだから常着に馬乗り袴《ばかま》で、塗笠《ぬりがさ》も常のものをかぶった。片道が約五里、朝の八時に城を出て、ゆきは登りが多いから、目的地へ着くまでに馬を三度休ませた。越見岳の登り口に日枝権現《ごんげん》の社《やしろ》がある、そこで弁当をつかい、半刻ほど休息して帰途についたが、道のほぼ半ばまで来たとき、光辰がふいに「鹿《しか》だ」と叫んだ。丘と丘にはさまれた森の中で、光辰は左手の森の奥を鞭《むち》でさしながら、馬に伸びあがった。

「鹿だ」と光辰は叫んだ、「あそこに鹿がいる、生きた鹿だ」

そして、颯《さっ》とそっちへ馬を乗りいれた。

五

うしろで「殿」と叫ぶのが聞えた。殿、なりませんぞ、殿。だが光辰は馬に鞭を当てた。狭い杣道《そまみち》で、左右から木の枝が伸びており、光辰の塗笠や肩などをびしびしと打った。彼は道をそれて、木立のあいだへ馬首を向け、すばしこく樹間を縫いながら、鞭を当て当て疾駆していった。

光辰は鹿を見たのだ。みごとな枝角と、斑毛《まだらげ》のある大きな躰軀《たいく》と、そしてほっそりと敏捷《びんしょう》そうな肢《あし》とを。鹿は古い杉の木の下に立っていて、光辰がそっちへ馬を向けると、まるで彼をおびきよせるかのように、速度を計りながら、振返り振返り逃げていった。――そのうちに森をぬけ、岩だらけの斜面になったので、光辰は馬を乗りすてた。供たちのことなどまったく忘れ、ただもう鹿に気を奪われて、岩の斜面をすばやく登ってゆき、頂上に達すると向うへ下った。

その辺で鹿を見失った。丘を越えて下るまでは、百五十歩ばかり先に、その枝角と、からだの斑毛が見えていたが、下りきったところから松の雑木林になり、そこで鹿は見えなくなった。

光辰は一刻ちかくも迷い歩いた。ときどき木のま越しに大沼が見え、それをめあてに歩いた。細い踏みつけ道を辿《たど》ったり、雑木林をぬけたり、ようやく供の者たちのことに気づいて、追って来はしないかと、立停ってじっと聞き耳をたてたりした。そうしてやがて、彼は人のうたう声を聞きつけたのだ。

「――三年待ったとて同い年ゃ同い年」

まのびのした、舌ったるい調子で、ゆっくりとうたっているのである。

「――七年待ったとて同い年ゃ同い年」

光辰はそっちへ歩いていった。

雑木林の端が、切崩された崖《がけ》になっており、その下の裸な赭土《あかつち》の空地で、一人の老人が土を掘っていた。うたっているのはその老人で、すぐうしろに汚ならしい小屋の集落があり、その向うに大沼の広い水面が眺められた。いつか見た小屋だ、と光辰は思った。そうだ、鴨猟《かもりよう》にいったときだ。瑠璃《るり》光寺《こうじ》から出てまもなく、道の脇《わき》にその小屋のあるのを認め、あれはなんだ、と民部に訊《き》いたものだ。

「休みたいな」と光辰は呟《つぶや》いた、「喉《のど》も渇いたし、少し休みたい、休んでゆこう」

彼は雑木林の中を戻り、およその見当をつけて、そっちへおりていった。

まもなく、光辰はその小屋の一つで、老婆《ろうば》と話しながら茶を啜《すす》っていた。小屋の中は暗く、板張の床へ蓆《むしろ》を敷いただけで、一と間きりの鼻のつかえそうな狭い部屋の隅に、どれがなにとも区別のつかないがらくたがつくねてあり、物の饐《す》えるような匂《にお》いがいちめんにこもっていた。

「お茶はございません」と初めに老婆が云った、「お茶などはとてもわたしどもの手にははいりません、桑茶でよろしゅうございますか」

光辰が飲んでいるのはその桑茶であった。それは桑の葉を陰干しにしたものだそうで、中風除《よ》けにもなるということだったが、ひなた臭くておかしな味のする、なんとも妙な飲み物であった。

「――二十年待ったとて同い年ゃ同い年」

裏のほうでまだ唄《うた》の声がしていた。

「お侍さまはお城の方ですか」と老婆が眼脂《めやに》だらけの眼で光辰を見た、「わたしはかすみ眼でよくお姿が見えないんですが」

「そうではない」光辰は口のまわりを拭きながら云《い》った、「裏でうたっているのはこの土地の唄か」

「あれは市兵衛さんといって、気が狂ってるんですよ」と老婆がちぐはぐな返辞をした、「お城の方でないとすると旅のお方ですか」

「まあそうだ」と光辰が云った、「あの老人がきちがいだって」

「川辺《かわなべ》が鴨猟のお止め場になって、この伊部村へ追われてから気が狂ったんです」と老婆は云った、「自分の田や畑がなくなっちまったもんですからね、ああやってなんにもならない赭土を、掘っては埋め掘っては埋めしているんです、畑でもうなっているつもりなんでしょう、もう三年以上もおんなじことをやってるんですよ」

「どうして、自分の田や畑が、なくなったんだ」

「いま云ったとおり、川辺が鴨猟のお止め場になったからです」

「お止め場とはどういうことだ」

老婆は布切で眼脂を拭きながら語った。

いま鴨の猟場になっている処《ところ》は川辺村といって、三つの部落に五十余戸の農家があった。農作と漁猟を兼ねていたが、五年まえ、藩侯の猟場として「お止め場」に指定され、五十余戸ぜんぶが立退《たちの》きを命ぜられた。――お止め場は重臣の直轄《ちょっかつ》となり、郡《こおり》奉行の支配で、その許しを得なければ、立入ることができなくなった。土地を追われた五十余戸のうち、十戸ばかりは他へ移住したが、残りの四十余戸はこの伊部村へ仮小屋を建て、その日ぐらしの生活を始めた。そこは瑠璃光寺の寺領で、地代なども不要だったし、鴨の猟期には猟人の役を命ぜられるため、一戸について十俵から十五俵までの米が給されたから。それともう一つ、かれらは何代もその土地に住んでいたので、大沼のそばをはなれることができないのであった。

「賀名川《かな》のほうにも同じようなことがありますよ」と老婆は続けた、「賀名川と安井川と合わさるところに幡野《はたの》という村がありますがね、そこも五年まえ鮎漁《あゆりょう》のお止め場になって、川筋で稼いでいた人たちが、四十家族も立退かされましたよ、ええ、その人たちもやっぱり似たりよったりで、平取というところで小屋住いをし、鮎漁になるとお役に出て、人数だけの米を貰《もら》ってやっていますよ」

「その、お止め場というのは」光辰は少し考えていて訊いた、「ここの領主のために使われるのか」

「だからお止め場でございましょうがね」

光辰は口のまわりをゆっくりと拭き、途方にくれたような眼つきで、その狭くて暗い小屋の内部や、老婆の顔を眺めやり、やがて、持っていた欠け茶碗《ぢゃわん》をそこへ置いた。

「その」光辰は立ちあがって、なにか云いかけたが、思うことが口に出ないようすで、「ぞうさになった」と礼を云った、「休ませてもらって、茶を馳走《ちそう》になって、うれしかった、またいつか会おう」

「お礼なんぞ云われちゃ恥ずかしいですよ」と老婆は云った、「また通りかかったらおよりなさいまし」

光辰は外へ出ると、少し戻って、裏の空地を見やった。そこでは、——市兵衛というあの老人が、さっきと同じように鍬《くわ》をふるっていた。切り崩した崖の下の、はだかな赭土の地面を、緩慢な動作で掘りおこし、掘りおこしながら独りでうたっていた。

「——五十年待ったとて、同い年ゃ同い年、六十年待ったとて、同い年ゃ同い年」

光辰は塗笠を手に持ったまま、なにか荷物でも背負ったような足どりで、そこを歩み去った。

六

城へ帰ると浅利重太夫に叱《しか》られた。

はぐれた供の者たちとは、瑠璃光寺の山門の前で会ったが、案内役の渡辺半助が城へ使いを走らせたので、城からも捜索の人数が出された。重太夫は鹿の話を信用せず、光辰が計画的に供の者をまいた、というふうに疑っているらしく、容赦のない調子で問い詰めた。すると永井民部が「鹿を見た」と云った。

「私は殿のすぐうしろにおりました」と民部は云った、「殿が鞭でさされましたとき、二三十間かなたの杉の木陰に鹿がいて、そのまますばやく、森の奥へ走りこむのを認めました」

「すっとだ」と光辰は手まねをした、「こんなふうに、すっと、森の奥のほうへ」

「お口数が過ぎます」と重太夫は睨《にら》みつけ、光辰の口のあたりを指さした、「お拭きあそばせ」

そして、光辰が口のまわりを袖《そで》で拭こうとすると「懐紙」と云いながら、自分のふところを押えてみせた。光辰はしょげた顔つきになり、ふところ紙を取り出しながら、左手の袖で涎《よだれ》を拭き、重太夫は舌打ちをした。

「大切なおん身をもって供にはぐれ、道に迷うなどとは御軽率もはなはだしい」と重太夫は叱った、「おん身に万一の事でもあったら取返しはつきませんぞ、御幼時ならともかく、今後はきっとお慎みあそばせ」

「民部」と光辰は永井民部に訊いた、「――おれは誰だ」

「当老松城主にして」と重太夫が民部より先に激しい調子で云った、「五万六千石の御領主、摂津守光辰《せっつのかみみつとき》さまです、まだそれがおわかりにならないのですか」

「おれが領主なら」と光辰は吃《ども》りながら云った、「自分の領内を歩くのに、それでも危険なことがあるのだろうか」

重太夫はするどく咳《せき》をした。光辰は口をつぐみ、持っている懐紙をぼんやりと見て、なんのために懐紙など取り出したのかと、訝《いぶか》るように首をかしげた。

その夜半、――例のように読書を始めようとしたとき、光辰は無意識に鼻唄をうたった。伊部村のあの狂老人のうたった唄である。おたきは自分の褥《しとね》の中で聞いていた。うたうといってもむろん囁《ささや》き声だし、本人が意識していないのだから、殆《ほと》んど文句は聞きとれない筈《はず》であるが、おたきはびっくりしたように、起きあがって光辰のほうへすり寄った。

「どうしてその唄を御存じなのですか」

光辰は振向いておたきを見た。

「七年待ったとて、というまの唄です」とおたきが囁いた、「どうしてそれを御存じなのですか」

「おれがうたったか」

「まえから御存じなのですか」

「いや、今日聞いたのだ」と光辰は云った、「伊部村というところで、気の狂った老人がうたっているのを聞いて、節も文句も単純なので覚えてしまったらしい、おまえも知っているのか」

「はい」おたきは俯《うつむ》向きながら、口の中で云った、「その気の狂った年寄は、市兵衛と申しまして、わたくしの母方の祖父でございます」

光辰はちょっと黙った。

「その」と暫《しばら》くして光辰が訊いた、「その、あの唄は古くからうたわれていたのか」

「はい、節は古くからの野良唄《のらうた》ですけれど、文句は祖父のでたらめでございます」

「妙な文句だと思った」

「頭がおかしくなってからうたいだしたものですから」

「終りがあるのか」

「死ぬまで待ったとて、——というのがおしまいで、またはじめの、三年待ったとてに返りますの」

光辰は沈黙し、やがて云った、「時間が惜しい、また話そう」

おたきは褥へ戻った。

光辰は乗馬と槍《やり》が好きで、毎日、午前に馬をせめ、午後は槍の稽古《けいこ》をした。どちらも好きなわりに上達せず、乗馬のほうはともかく、槍の稽古では指南役が手をやいていた。江戸で槍を教えたのは介原小藤次という者であるが、国許《くにもと》へ来てからは永井民部が相手役を勤め、毎日一刻は欠かさず稽古をした。——遠乗りの事があってからまもなく、槍の稽古をしながら、民部が声をひそめて光辰に話しかけた。そこは二の丸御殿に付属した藩主専用の稽古所で、広さは十間に二十間ほどあり、そのときは小姓の者が三人控えていた。民部は光辰を巧みに誘導して、小姓の者たちからはなれながら、ごく低い声で話しかけたのであった。

「御本心をおあかし下さい」民部は掛け声をあげ、右へ位置を変えながら云った、「どうなさるおつもりですか、事をお始めになるのはいつのことですか」

光辰はけげんそうに民部を見た。

「お槍がさがります」と民部は注意をし、高く掛け声をあげて、さらに右へまわりこみながら囁いた、「私はお側へあがって以来ずっと、殿のごようすを拝見してまいりました、そしていつかはその御仮面をぬいで、事をお始めになるにちがいないと信じておりました」

光辰は当惑したように民部の顔を見まもり、民部は大喝《だいかつ》して突をいれた。光辰は危うく身を躱《かわ》し、槍を横一文字にして、次の突に備えた。民部は「構えが違う」と云い、光辰をぐいぐいと片隅へ圧迫していった。

「突をおいれ下さい」と民部が囁いた。

光辰は突をいれた。民部は大きく左へひらき、それからまた間《ま》を詰めた。

「このたびのお国入りには、なにごとかあそばすと思っていました」と民部は云った、「先日の遠乗りに、殿が御乗馬《じょうめ》をそらせられたとき、私はすぐにそれと気づき、他の者たちと別れるなり伊部村へまいりました、殿が伊部村の小屋へおたちよりになったことを、私は存じております」

光辰は槍をおろした、「民部」と云って、困惑のあまり泣きそうな顔になった、「おれは、鹿《しか》を見た、そして道に迷った」

「槍をおあげ下さい」

「迷って、疲れて、喉《のど》が渇いた」と光辰は詫《わ》びるように云った、「おれは嘘《うそ》は云わない、たしかに鹿を見たのだ、おまえ、民部も見た筈ではないか、見なかったのか」

民部はじっと光辰の眼をみつめた。

「重太夫には云わないでくれ」と光辰は囁いた、「おれは疲れて、喉が渇いていた、それでちょっと寄って、休んで、へんな茶を啜《すす》っただけだ、それだけだ、本当だ、民部、――重太夫に知れるとまた叱られてしまう、小屋へ寄ったことは黙っていてくれ、黙っていてくれるな、民部」

「どうぞお槍を」と云《い》って、民部は光辰の槍を受取りながら、囁いた、「御寝所へ差上げるものがございます、ごらんになりましたらすぐお焼き捨て下さるよう、――私は一命を抛《なげう》って御奉公する覚悟でおります」

光辰は気のぬけたような眼で、ぼんやりと民部の顔を見ていた。

七

それから数日のちの夜、一綴《つづり》の書類が寝所へ届けられた。

誰が入れたかわからなかった。光辰が読書のために起きるまえに、宿直《とのい》の間の西側の襖《ふすま》があき、その書類を入れると、すぐに襖を閉めた者があった。おたきは眼をさましていて、襖の閉る音を聞き、起きあがってそっちを見た。おたきの起きあがるけはいで、光辰も眼をさました。

「時刻か」と光辰が訊《き》いた。

おたきは身ぶりで制止し、そっと立ちあがって襖際《ぎわ》へゆくと、そこに置いてある書類を取って戻った。

「いまこれを」とおたきは囁いた、「宿直の間から入れた者がございます」

光辰は起き直った。受取った書類をざっとめくってみ、「寝ておいで」と云った。

おたきは自分の褥へはいり、光辰は立ちあがって、雪洞《ぼんぼり》をひきよせて坐《すわ》った。

それは光辰の祖父で、陶樹院といわれる五代光昭から今日までの、重臣たちの私曲を記したものであった。藩主を敬して遠ざけたうえ、世襲の重臣たちが交代で政治を支配し、年々一万石以上に当る横領を続けて来た。その例を詳しく列記してあるが、「お止め場」も一例として挙げてあった。鴨《かも》は猟期ごとに二万羽ちかく捕れる、少ない年でも一万羽を下らないし、名物として知られているため、高い値段で捌《さば》くことができた。それは古くから、湖畔の住民たちの生計を支えるものであったが、五年まえにお止め場の指定をして、一部の住民を立退《たちの》かせて郡奉行の支配に移し、捕れた鴨の大部分を「御勝手入」として売るようになった。お止め場の指定はむろん藩主の猟場という名目であるし、売った代銀も藩主の内帑《ないど》に入れるという名目だが、他の多くの例と同様、実際には重臣たちが分け取りをしているのである。賀名川の鮎の「お止め場」も同じことであるし、どちらも、立退きを命ぜられた住民たちは窮乏している。――かれらがいかに窮乏しているかは、御自身でごらんになったとおりである。

そういう注も加えてあった。

また、これらの事は代々の側用人《そばようにん》である浅利、栗栖《くるす》の両家が主動者で、他の重臣たちは利のために付和しているにすぎない。したがって、両側用人を押えれば、禍根を絶つことは困難ではないだろう、と書いてあった。――光辰は読み終ってから、かなり長いこと黙って、なにか考えていた。彼には考えなければならない多くの問題があったのだ。

光辰はおたきのほうへ振向いた。

「起きているか」

「はい」と答えておたきは起き直った。

「話すことがある」と光辰は囁いた、「宿直のようすをみてくれ」

おたきはそっと立ちあがった。そして宿直の間のようすを入念にうかがい、戻って来て光辰の脇《わき》に坐りながら、みな眠っているようだと答えた。

「困ったことができた」と光辰は口のまわりを拭《ふ》きながら、持っている書類を見せた、

「この書き物なんだが、おまえ文字が読めるか」

「仮名文字だけでございます」

「ではざっと話して聞かそう」

光辰は書類の内容をあらまし語ってから、数日まえ、槍の稽古のときに永井民部の云ったことを、告げた。

「読んだら焼けというが、おまえどうしたらいいと思う」

「わかりません」とおたきは答えた、「殿さまのおぼしめししだいでは、いけませんのでしょうか」

「それがわからないのだ」

光辰はいつも読書のときに使う文台へ肱《ひじ》をつき、両手で頭を押えて、低く呻《うめ》いた。

「わからない」と光辰は呟《つぶや》いた、「おれのこの鈍い頭では、判断がつかない」

「そこに書いてあることが、不審だと仰《おっ》しゃるのでしょうか」

「そうではない、これは事実だ」と光辰は云った、「これと殆《ほと》んど同じ訴状を、江戸でもひそかに受取ったことがあるし、その中の幾つかは、おれにも事実だということがわかっている」

「では、なにがお気懸りなのですか」

光辰は沈黙した。それはいたましい沈黙であった。対決すべき問題に直面し、それに抵抗する方法を考えているというより、そこから逃れ出るみちを求めている、というふうな、絶望的なものが感じられた。

「本当のことを話そう」やがて光辰は囁き声で云った、「もっと側へよってくれ」

おたきは静かにすりよった。

「重臣たちの私曲のことは、これに書いてあるとおりといっていいようだ」と光辰は云った、「その是非は一概にはきめられない、五十余年にわたって平穏無事な状態が保てたということは、たとえ表面だけにもせよ、その功を認めなければならないだろう、しかし」

光辰は身を起こして、文台の下から紙を出すと、まず口のまわりを拭き、文台の上を拭いた。

だがその平穏無事を支えるために、犠牲をしいられている者があり、それが重臣たちの私曲の具に供されていることは許せない、と光辰は云った。鴨猟を一例にとってみよう、あの日の獲物は七百羽ちかくあった。けれどもおれの膳《ぜん》には汁椀《しるわん》に三片、焼いた肉が一片しかなかった。年々二万羽ちかい猟があり、それは古くから湖畔の住民たちの生計の資であった。それが藩主の名で取りあげられ、年に一度だけ、僅《わず》かな米で猟人を勤めるほか、土地もなければ家らしい家もない。

「藩主であるこのおれも、鴨の肉は四片しか口にはいらない」と光辰は云った、「住民たちは古くからの土地を追われ、自分たちの獲物であった鴨に手が出せなくなった、そして、政治をにぎっている重臣たち数名が、その鴨を独占し利をわたくししている、おれが云いたいのはここだ」

光辰は口のまわりを拭いた、「いや、そのまえに云っておきたいことがある、いつかおまえは、おれが作りばかをよそおっているのではないかと訊いた、そうだったな」

「はい」とおたきは頷《うなず》いた。

「そのときおれは作りばかではない、このとおりの人間だと云った」光辰は静かに首を振った、「あの言葉は嘘ではない、けれども言葉どおりでもないのだ、おれはたしかに知能もおくれているし、見るとおり、この年になっても涎《よだれ》をながす、誰の眼にもおろかにみえるだろうし、これは少しもよそおっているものではない、だが、初めからこんなふうではなかった、おれはこういう人間になろうと努めて来たのだ」

おたきは訝《いぶか》しそうに頭をかしげた。

光辰は兄の光央《みつなか》のことを語った。源三郎光央は十五歳のとき、狂倚《きょうき》の質である、という理由で廃嫡《はいちゃく》された。しかし、事実は違う、光央はひじょうに頭がよくて、早くから藩政に関心をもち、学友や若い近習番《きんじゅばん》の中から、頼むにたるとみた者を選んだうえ、藩内の事情をひそかに検討していた。

八

それが、当時の側用人である栗栖采女《うねめ》に知られ、重臣たちの協議で「狂倚の質」という札を貼《は》られたうえ、廃嫡ということになった。――重臣たちにとって、光央が藩主になることは脅威だったのだ。陶樹院も静樹院も、政治には無関心であった。それが生得のものか、押しつけられたものかは不明だが、光央の不幸な結果は予想されていたらしく、光辰は七歳のときからおろか者になるように育てられた。

その教育に当ったのは松山という老女であるが、幼い光辰に向って、「そうすることがあなた自身のおためであるから」と云い、まず涎をたらすことから教え始めた。自分からはなにもするな、学問もいやがれ、武芸にもそっぽを向け、なにごとにも興味をもたず、なにを訊かれてもわからないふりをせよ。そして絶えず涎をたらし、それを懐紙ではなく袖《そで》で拭くようにしろ、というのである。

「おまえにわかるだろうか」光辰はおたきに向って訴えるように云った、「おれは五万六千石の家に生れながら、七歳という年涎をたらす修業を始めたのだ、僅か七歳という年からだ」

おたきは正視するに耐えないように、眼をつむりながら頭を垂れた。

深夜の勉強もそのときからの習慣であった。これも松山の指導で、初めは一日おきに半刻《はんとき》ずつ、夜半に起こして素読を教え、二年めからは毎夜一刻ずつ、読書と習字の稽古《けいこ》を続けた。これは内密である、と松山は繰り返しさとした。決して人に云ってはならないし、気づかれてもならない。もしも人に知れたりすると、あなたは無事ではいられなくなる、と云いさえした。——兄の光央が廃嫡されたとき、光辰は十歳で世子に直されたが、そのとき初めて、松山の教えたことの意味がわかったし、積極的におろか者になろうと努めだした。

「習慣というものはおそろしい」光辰は口のまわりを拭いて続けた、「おまえの見るとおり、いまではこの涎を止めることができないし、ものごとの判断も鈍く、自分の意志を表にあらわすことができない、——おれのこのおろかしさは、よそおっているのではなく、すでにぴったりと身についてしまったのだ」

「いいえ、それは違います」おたきが急に顔をあげて云った、「それはおぼしめし違いです」

光辰は首を振って、宿直の間のほうを見やった。おたきは口をつぐんだ。

「松山はおとし死んだ」と光辰は囁《ささや》き声で続けた、「その臨終に、松山はおれにこういうことを云った、――あなたにもやがて、自分がなにをしなければならないか、ということがわかるようになるだろう、必ずそういう時期が来ると信じているが、そのときになっても決して事をいそいではならない、充分に地固めをし、年月をかけてやるがよい、それさえ忘れなければ、おろかに育ったことがなによりの力になるだろう」

光辰はそこで唇を噛《か》み、どこを見るともない眼つきで、暫《しばら》く黙っていた。

江戸で密訴の書状を受取ってから、光辰はそれとなく藩内の事情に注意し始めた。そして初入部をし、鴨猟のことや、伊部村の老婆《ろうば》の話などで、「自分のしなければならないこと」の方向がおぼろげながらわかるようになった。

「是非善悪をべつにしてもいい」と光辰は云った、「政治の権力をにぎる少数の者が、その領主を飾り物として遠ざけ、権力をふるって領民を思うままに搾《しぼ》る、おれの云いたいのはここだ、――権力をにぎる少数の重臣が、そこからうる利得を守るために、領主を木偶《でく》にし、領民を威嚇《いかく》し誅求《ちゅうきゅう》する、ただ権力をにぎっているというだけで、かれらはそうすることができるのだ」

光辰はゆっくりと口のまわりを拭いた。

「これだけ云えば、おれがなにをしようと思っているかわかるだろう」

おたきは黙って頷いた。

「松山の遺言のとおり、おれは決していそがないつもりだ」と光辰は云った、「年月をいとわず、入念に地固めをしてから手をつける、この民部からよこした書類にしても、はたして民部の本心であるか、それとも浅利重太夫の罠《わな》であるか、今のおれには判断がつかない、それでおまえの思案を訊《き》いたのだ、——江戸で受取った訴状は、読んだことを悟られないように、元あった場所へ戻しておいた、こんどは読んだら焼けというが、焼けば読んだ証拠になるだろうし、罠だとすれば取返しのつかないことになる、……おたき、おまえならどうするか聞かせてくれ」

「わかりません」おたきは考えてから、力なくかぶりを振った、「わたくしにもわかりませんけれど、江戸でなすったようになさるほうが無事ではございませんでしょうか」

「それでは他の者にみつかるおそれがあろうし、民部が本心だとすれば無事には済まないことになるぞ」

「おそらく、これをさし入れた者が取戻すと思いますけれど、もし夜明けまでそのままにしてありましたら、わたくしがよいように致します」

「しかし、どうするのだ」

「塗籠《ぬりごめ》へしまっておきます」とおたきは答えた、「そして、もしも咎《とが》められたときには、知らずに片づけたと申します」

光辰は考えこんだ。石にでもなったように身動きもせず、ずいぶん長いあいだ黙って、雪洞の灯《ひ》を見まもったまま、じっと考えこんでいたが、やがておたきのほうへ振向いて、にっと微笑し、口のまわりを拭いた。

「十年待ったとて、同い年ゃ同い年」と光辰は秘密をあかすような、たのしげな表情で囁いた、「死ぬまで待っても同い年は同い年、――いい唄《うた》を聞いたらしいぞ、おたき、いい唄だ、いまのおれにはなによりの唄だ」

おたきはけげんそうに、「どういうことでございますか」と光辰を見た。

「その書類はとっておく」と光辰は云《い》った、「焼くこともないしおまえに心配もさせない、おれが自分で持っていよう」

「それで大丈夫でございますか」

「おろかに育ったことが力になるだろう、と松山は云った、そのとおりだ、おれがなにか始めるとしたら、このおろかしさがなによりの武器だ」と光辰は微笑した、

「――それはむろん、もっと先のことだろう、年月をかけてゆっくりやる、仕損じたとき再起のできないようなまねはしない、辛抱することでは誰にも負けないからな」そして静かに立ちあがり、「おいで」と云って手を伸ばした。彼はおたきの手を取って立たせると、自分の褥《しとね》のほうへ誘いながら囁いた。

「ようやく約束したときが来たらしいよ」

おたきは光辰をみつめた。なんの意味かすぐにはわからなかったのだろう、しかし突然、どきっとしたように眼をそむけると、顔を染めながらふるえだした。光辰は立ったままでおたきを抱いた。彼もまたふるえていた。

九

五月初旬に、賀名川で鮎漁《あゆりよう》がおこなわれた。

おたきはからだの不調で出られず、光辰も風邪ぎみで気が重かった。しかしその日は例年「初鮎」の日ときまっているそうで、すっかり支度ができているから延ばすわけにはいかない、と重太夫が云った。もちろんさからうことはできない。光辰はくたびれたような気分ででかけた。――漁場は幡野村というところで、賀名川と安井川の合流点から少し下に当っており、鴨猟のときと同じように、半ば河原へかけて新しい仮屋が建ててあった。

漁法は簗《やな》と投網《とあみ》で、簗は合流点に掛けてあり、投網は仮屋の前で、十人の漁人が技をきそった。

「あんなふうにいかないものかな」

投網技を眺めながら、光辰はふとそう呟き、袖で口のまわりを拭《ふ》いた。

「は」と云って、永井民部がうしろから身をのばした。

「なんでもない」と光辰は云った、「あ——れは焼かずに持っているぞ」

民部は黙って、のばした軀《からだ》をまっすぐにした。

あのときの書類は罠ではなかった。あれから日数が経《た》っているのに、なにごとも起こらない。重太夫はじめ重臣たちにも、変ったようすはみられなかった。光辰はそのことを思いだして、民部に自分の意志を伝えたのであった。うしろにいる民部が、そのときどんな顔をしたか光辰にはわからなかった。だが、なにも云わずに坐《すわ》り直したけはいで、彼がその意味を了解したことだけは見当がついた。

——あんなふうにやれたらな。

光辰はまたそう思った。簗にかかる鮎を手網ですくうように、さっと投げた投網できれいに魚群をあげるように。かれらをひと纏《まと》めに絡《から》め取ることができたらな、と光辰は思った。

獲物の鮎が仮屋の前にはこばれ、光辰に披露された。その日の宰領は岡本太兵衛という物頭《ものがしら》で、獲物の鮎は七十余貫といわれた。それから小酒宴が始まり、鮎の料理が配られた。鴨猟のときと同じ順序で、まず重臣たちに対する賜盃《しはい》があり、こんどもまた望月吉太夫が、上段際《ぎわ》まで席を進め、賀名川の鮎について説明した。——この川の鮎は香味が高く、姿がよく、美味なことで近国随一といわれ、漁期になると、この鮎のために廻り道をしてたちよる諸侯も多い。藩では姿のよいものを選んで、焼干しにしたり粕《かす》漬けにしたりして、将軍家へ献上し、また幕府閣老に贈って好評を得ている、などということであった。

光辰の膳《ぜん》にも塩焼と鱠《なます》が出た。初鮎にしては大きいほうだし、塩焼も鱠も極めてうまかった。江戸とは違って捕ったばかりだから、肉も緊《しま》っているし、骨は軟らかく、噛《か》むと新鮮な川苔《かわごけ》の香が鼻をつくように感じられた。けれども、焼いたのが二尾、せいごしの鱠が一尾だけなので、光辰はすぐに喰《た》べてしまい、もっと欲しかったから、箸《はし》を持ったままで民部に振返った。

「代りが欲しい」と光辰は云った。

すると下段で、重太夫が高く咳《せき》をし、するどい眼で光辰を睨《にら》んだ。

「代りが欲しいぞ」と光辰が云った。

重太夫がまた咳をし、「ならん」と民部に向って云った。

「民部」と光辰が訊いた、「――民部、おれは誰だ」

「おそれながら」と民部が答えた、「当老松城五万六千石の御領主、摂津守光辰さまであらせられます」

「それに相違ないか」と光辰は重太夫に訊いた、「おれが老松城の城主だということに誤りはないか、重太夫」

重太夫は舌打ちをした。

「いやはや」と重太夫は隣りにいる浜岡図書と、望月吉太夫に向って苦笑した、「おだれどのに仕上げたのはよいが、少し薬がききすぎたようです」

「しかし御家のためにはちょうじょう」

浜岡図書がそう囁いたとき、光辰はべそをかいたような顔で民部に云った。

「民部、槍《やり》を持ってまいれ」

永井民部は不審そうに見返した。

「表に槍があろう」と光辰が云った、「あれは重代相伝であり領主の標《しるし》である、おれが領主である標に欲しいのだ、持ってまいれ」

民部は重臣たちのほうを見た。

「摂津守光辰はおれだ」と光辰は口のまわりを拭きながら云った、「おれが申しつけるのだ、民部、槍を持ってまいれ」

永井民部は立っていった。

藩主の行列には飾り道具がある。領内のことだから略式だが、槍だけは必ず立てるしきたりで、その日もむろん立てて来たし、ここへ着いてからは仮屋の前に立ててあった。重臣たちは重太夫を見た。光辰の常にないようすが訝《いぶか》しかったのであろう。重太夫は軽侮したように唇で笑い、「童児がだだをこねているにすぎない」と云って、平然と盃《さかずき》をあげていた。

民部が槍を持って戻った。飾り道具ではないから短い、柄《え》は六尺二寸の檳榔樹《びんろうじゅ》で、手槍というのに類するだろう、穂は十文字になっていた。――光辰はその槍を受取ると、座を立って上段の端へ進み、重太夫、と呼びかけた。急に一座がしんとなり、重太夫は盃を置いて坐り直した。

「重太夫」と光辰が云った、「ほかの者も聞け、侍の心得として、君辱《はずか》しめらるれば臣死す、ということがあるようだ、知っているか」

「殿」と重太夫がするどく咎めた。

「知っているか」と光辰が云った、「図書はどうだ、吉太夫はどうだ、知っているかいないか、——民部、そのほうはどうだ」

「おそれながら」と民部が答えた、「侍としてその心得を知らぬ者はないと存じます」

「よし」と光辰は頷《うなず》いた、「——ここでは家臣が領主を辱しめている、重太夫、もっと、寄れ」

重太夫は動かなかった。唇に冷笑をうかべたまま、その座を動かずに云った。

「お口が過ぎますぞ、殿、御座にお戻りあそばせ」

光辰の眼が細くなった。

「御座にお戻り下さい」と重太夫が云った。

すると光辰は槍の鞘《さや》をとった。静かな手つきで鞘をとると、槍を持ち直し、「無礼者」と叫んで、颯《さつ》と重太夫の胸を刺した。鞘をとるまでの動作は緩慢だったが、槍を持ち直してからのすばやさは水際立《みずぎわだ》っていた。

「殿」と永井民部がとびあがった。

重臣たちは胆《きも》をぬかれたようすで、口をあいたまま声を出す者もなかった。重太夫は両手で右の胸を押え、呻《うめ》き声をあげながら前のめりに倒れた。

「民部」と光辰が呼んだ、「これをぬぐっておけ」

そして槍を民部に渡し、重臣たちに向って云った、「重太夫の罪は死に当ると思うが、一命は助けてやる、江戸へ帰ったら父上にも申上げ、改めてその罪の詮議《せんぎ》をしよう、——医者を呼んで手当をしてやれ」

重臣たちは言葉もなく平伏した。

「民部」と光辰は口のまわりを袖で拭《ふ》きながら云った、「おれは帰るぞ」

永井民部は案内にたちながら、低い声ですばやく囁《ささや》いた。

「いましがた城中から使者がありました、お部屋さまには御懐妊とのことでございます」

「初鮎の味はかくべつだな」と光辰は二つの意味をこめて微笑した、「だが心配するな、喰べいそいで腹をこわすようなことは決してしないぞ」

そしてまた、口のまわりをゆっくりと拭いた。

（「小説新潮」昭和三十三年五月号）

失《しつ》蝶《ちよう》記《き》

一

紺野かず子さま。

この手記はあなたに読んでもらうために書きます。こういう騒がしい時勢であり、私は追われる身の一所不住というありさまですから、あるいはお手に届かないかもしれません。また、終りまで書くことができるかどうかもわかりませんが、もしお手許《てもと》に届いたばあいには、どうか平静な気持で読んで下さるよう、はじめにお願いしておきます。

いま私のいるところは、城下町から一里ほどはなれた山の中で、かなり近く宇多川の流れを見ることができます。西山での不幸な出来事、あの取返しようのない出来事があってから約十日、私はつぎつぎと隠れがを求めてさまよい歩き、三日まえからこの家の世話になっていますが、おそらく、またすぐに出てゆかなければならなくなるでしょう。いどころも、人の名もそのままは書きません。どういうことで迷惑をかけるかもしれないからです。しかしあなたにはおよそ推察ができるように記《しる》すつもりです。

季候はすっかり夏めいてきました。今朝はやく歩きに出たら、山の林の中で石楠花《しゃくなげ》の蕾《つぼみ》が赤くふくらんでいるのをみつけ、胸の奥がせつなく、熱くなるように感じながら、暫《しばら》く立停って眺めていました。聴力を失ってから、考えることが心の内部へ向くようになっていたためでしょうか、子供っぽい云《い》いかたかもしれないが、赤くふくらんだ石楠花の蕾を見たとき、しんじつ胸の奥に火でも燃えだすような感じがしたのです。——ちょうど五年まえ、上町にあるあなたのお屋敷の裏を、私は杉永幹三郎と話しながら歩いていました。ご存じのように、私とは少年時代からの親友で、ものごころのつくじぶんから、片時もはなれたことがないといってもいいでしょう。年は同じで、生れ月は彼のほうが半年ほど早かったが、彼は私を兄のように扱ってくれました。二人だけのときはもちろん、他人のいるところでも。そして、それを言葉にも態度にもはっきりあらわすのです。思い返してみると、育英館の塾で三年いっしょでしたが、そのころから始まったようで、たぶん彼の人柄のためでしょう、いかにもしぜんなものですから、私のほうでも知らぬまにそれを受入れる習慣が付いてしまったようです。

癸亥《みずのとい》の年の密勅の件からはじまったこんどの事でも、杉永がつねに私の意見を支持したため、われわれ同志の者の行動はよく一致し、離反者などは一人も出さずに済みました。これは彼の人に愛される性格と、すぐれた統率力によるものと云うほかはありません。——上町のお屋敷の裏を歩いていたとき、私と彼は十九歳になっていました。私たちは法隆和尚《おしよう》のことを話しながら歩いていたのです。ご存じのように和尚は、井《い》桁《げた》、西郡《にしごり》ら重職の懇請によって招かれた藩の賓客であり、経典はもとより儒学、政治、経済にも精《くわ》しく、なかなか非凡な人物なのですが、時勢に対する見識には合点《がてん》のいかないところがあるのです。一例だけあげますと、そしてこの問題こそ重要なのですが、さきごろ一派の若侍たちが攘夷論《じようい》を誤って解釈し、横浜港にある外人商館を襲撃しようとはかりました。幸い事前に発覚したので無事におさまったが、そのとき和尚はかれらを煽動《せんどう》し、「斬夷《ざんい》」の趣意を書いて与えたのです。この事情についてはあとで記すつもりですが、私は杉永に向って、法隆和尚を藩から遠ざけるがよい、ということを話していました。

二人はどこを歩いているかも忘れていたのですが、紺野家の裏へ来たとき、杉永がふと立停ってあなたに呼びかけたのです。そこは朝顔の絡《から》まった四《よ》つ目垣《めがき》で、その垣の向うにあなたが立っていた。白地になにかの花を染めた単衣《ひとえ》と、朱と青の縞《しま》のある帯をしめ、素足に草履をはいて、洗ったばかりの髪を背に垂れておられた。すぐ脇《わき》に石楠花の若木があり、ちょうど咲きはじめたところだったが、私はその花を見るようによそおいながら、杉永と話しているあなたの姿をぬすみ見て、云いようもなく深い心のときめきを感じました。――あなたは十四歳で、背丈こそ高いほうだが、まだほんの少女にすぎないということは、杉永と話している言葉つきにも、身振りや表情にもよくあらわれていました。色のくろい子だな、と私は思いました。あなたが笑うとき、鼻筋に皺《しわ》をよせるのを認めて、狆《ちん》のような顔だなと思い、いまにのっぽな娘になるぞ、などとも思いました。もちろんこれは、生れて初めて感じた心のときめきに反抗するためだったでしょう。そんなふうにあなたの欠点を拾いながら、一方ではまた、この人のことは一生忘れられなくなるぞ、とも思っていたものです。

あなたに別れて歩きだすと、私が黙っていたことを不審そうに、どうして知らぬ顔をしていたのか、と訊《き》きました。

「知らないからさ」と私は答えました。

「紺野のかず子だよ」と彼が云いました、「おれの家で二度か三度会っているだろう」

「覚えがないな」と私は首を振りました。

本当に記憶がなかったのです。

それから五年めの秋、明神《みょうじん》の滝でおめにかかるまで、私はいつかあなたのことを忘れていました。変動の激しい、緊迫した時勢の中で、心のゆとりを失っていたためもあるが、うちあけて云えば、杉永とあなたのあいだに婚約がある、と聞いたからでしょう。明神の滝でおめにかかったときも、私の心は少しも騒がず、自分の耳がだめになったことなど、おちついて話すことができました。

それがいまはこんなに変ってしまった。私は今朝、歩きに出た山の林の中で、咲きかかっている石楠花の蕾を眺めながら、六年まえのあなたの姿をまざまざと思いだしたのです。滝で会ったあなたではなく、六年まえの、まだほんの少女だったあなたの姿をです。そうして、心の奥にひそんでいた胸のときめきが、燃える痛みのようによみがえるのを感じ、しかしなにもかも取返しがたく失われた、ということを改めて思い知ったのです。

私は杉永幹三郎を斬《き》りました。たった一人の友、少年時代から誰よりも親しく、血のかよった兄弟よりも深く信じあっていた友を、この手にかけて斬ったのです。私がこの手記を書くのは、どうしてそんなことになったか、という理由を知ってもらいたいためです。ここには些《いささ》かの弁解も歪曲《わいきょく》もありません、現実にあったことをあったままに書きますから、どうかそのおつもりで読んで下さい。

二

「おすえ」と治兵衛《じへえ》が囁《ささや》いた、「ちょっと起きろ、おすえ」

揺り起こされておすえは眼をさました。いつもついている行燈《あんどん》が消えて、家の中はまっ暗であり、枕許《まくらもと》にいるらしい父の姿も見えなかった。

「声を立てるな」と治兵衛が云った。

「どうしたの」おすえは囁き返した、「どうかしたの、お父《と》っさま」

「外に人がいるようだ」

おすえは急に眼がさめ、寝衣《ねまき》の帯をしめ直そうとしたが、手がふるえて思うようにゆかなかった。

「本当に誰か来たの」おすえが訊いた、「谷川さまを捜しに来たのかしら」

「わからない」と治兵衛が答えた、「だがこんなよるの夜中に来るとすれば、ほかに考えようはないだろう」

「どうしたらいいの」

「おちつけ」と治兵衛が云った、「着替える暇はないかもしれない、そのままで釜戸《かまど》の蔭《かげ》に隠れていろ、もし人が来たらおれが応対をするから、隙《すき》をみて隠居所へ知らせにゆくんだ、わかったか」

「それからどうするの」

「こっちを押えているあいだに、谷川さまを案内して逃げるんだ、忘れたのか」

おすえが答えようとすると、治兵衛の手がさぐるように肩を押えた。おすえは黙り、戸の外で人の声がするのを聞いた。

「おちつけよ」と治兵衛が囁いた、「釜戸の蔭で待つんだぞ、慌《あわ》てるな」

おすえは息が詰りそうになった。

「ちょっと起きてくれ」と、表の戸の外で男が云った、「坂下の茂七だ、人しらべに城下からお役人がみえている、ここをあけてくれ」

おすえは釜戸の蔭へ身をひそめてから、父がなぜそこに隠れろと云ったか、という理由に気がついた。戸外の人は表だけでなく、裏のほうにもいるらしい。裏の洗い場のところで物の倒れる音がし、「しっ」と制止する声が聞えたのである。――治兵衛は行燈に火を入れてから、土間へおりて潜《くぐ》り戸《ど》をあけた。すると提灯《ちょうちん》を持った茂七を先に、侍が一人はいって来た。茂七は、この村の名代名主であるが、家の中をひとわたり見まわしてから、土間をぬけて裏戸をあけ、提灯を振ってなにか云ったが、おすえにはよく聞きとれなかった。

「変った事はない」と外で答える声がした、「出て来た者もない」

そしてすぐに、茂七のあとから若い娘と、下僕《げぼく》とみえる男がはいって来た。裏戸はあけたままであった。

「どうしたことです名主さん」と治兵衛が云った、「なんのおしらべです、盗賊でも逃げこんだのですか」

「かみさんや娘がいないようだな」と茂七が訊いた、「二人はどこにいるのかい」

「女房《にょうぼう》はさとへゆきました、おすえもいっしょですが、あいつらを御詮議《ごせんぎ》ですか」

「捜しているのは侍だ」と茂七のうしろにいた若侍が初めて云った、「谷川主計《かずえ》という者だが、知っているだろうな」

「大手先の谷川さまなら知っております」治兵衛はおちついて答えた、「私が若いじぶん下男奉公にあがっていましたから」

「その谷川がいる筈《はず》だ」と若侍が云った、「訴人する者があったし証拠も慥《たし》かめて来た、隠さずに云え、谷川はどこにいる」

「治兵衛さん」と茂七が云った、「へたに隠しだてをしないほうがいいよ、おまえの家の裏に北寄貝《ほっきがい》の殻がたくさん捨ててあるし、毎日米のめしを炊《た》くこともわかっている、そんな贅沢《ぜいたく》をするおまえさんじゃあない、誰かよっぽどの人が来ているに相違ないんだ」

「ええ客はありました」と治兵衛が答えた、「女房のおふくろさんが十日ばかりまえに来て、今日帰ってゆきました、女房とおすえはそれを送って姥沢《うばざわ》までいったのです」

おすえはそこまで聞いて、裏の戸口からぬけ出した。

かれらは治兵衛の前に集まり、提灯をつきつけて、問答が激しく、互いに声も高くなっていた。おすえは釜戸の蔭から、土間を這《は》って戸口までゆき、外へ出てから立ちあがった。家の中で父が「家捜しをして下さい」と云うのが聞え、おすえは闇《やみ》の中を走りだした。洗い場の池をまわって、柿畑《かきばたけ》の脇から、いまは使っていない厩《うまや》のうしろへ出、一段ほど高い台地を登って、かこい小屋の戸口へ近よった。春から秋までは蚕を養《か》い、そのあとは甘露柿をかこうのに使うのだが、今年は蚕をやらないので空《あ》いていた。おすえは潜り戸をあけてはいると、泥足のまま階段を登った。

谷川主計は眠っていた。暗くしてある行燈の光りが、蚊屋《かや》の中にある小机と、薄い夜具を掛けて仰臥《ぎょうが》している彼の寝姿を、ぼんやりとうつし出していた。おすえは蚊屋をくぐり、膝《ひざ》ですり寄って彼を揺り起こした。主計はすぐに眼をさまし、おすえを見て起きあがった。

「お侍が来ました、逃げて下さい」

そう云ってから、おすえは急に口を手で塞《ふさ》ぎ、ゆっくりした身振りで、その意味を伝えた。その動作を二度やってみせると、「わかった」と云いながら立ちあがった。

「来たのは大勢か」

「いいえ」とおすえは首を振り、二本指を出してから、ちょっと考えて自分を指さした。娘が一人と云うつもりだったが、主計にはわからない。彼は手早く着替えながら、不審そうな眼をした、「おまえがどうした」

「いいえ」とおすえは手を振り、こんどは指を三本立ててみせた。

「三人か」と主計が訊いた。

おすえは頷《うなず》いた。主計は袴《はかま》をはきながら、机の上の物をまとめてくれと云った。おすえは云われたとおりにし、書き物や、筆などを片づけて包み、脇にあった旅嚢《りよのう》へ入れた。そして、主計が刀を取るのを見て蚊屋を出、階段をおりて、そっと戸外のようすをうかがった。虫の音が聞えるだけで、風のない夏の夜気は、露を含んでひっそりと重たげに眠っていた。

——はだしでは山道は歩けない。

おすえはそう気がつき、暗い土間をさぐって草履をみつけた。主計の草鞋《わらじ》は板壁の釘《くぎ》に掛けてある。二階で行燈が消え、主計がおりて来た。おすえが草鞋をはかせようとしたが、彼は自分で取ってすばやく結いつけた。

「外は大丈夫か」

「いそぎましょう、あたしがご案内します」

「大丈夫です」おすえは主計の手を取り、自分の顔へ当てて頷くのを触らせた、「いそぎましょう、あたしがご案内します」

おすえは手を引くことでその意味を知らせた。主計は旅嚢を背に結びつけて立ち、戸口から外へ出た。すると急に左と右に提灯があらわれた。かれらはうまくやったのだ、かこい小屋のことは茂七が知っていたであろう、しかしそこへ踏み込むより、外へおびきだすほうが安全だ。かれらは治兵衛が知らせに来るのを待っていたのだろうか、それともおすえがぬけ出したのを知っていたのかもしれない。

――突然くら闇の中からあらわれた提灯を見て、おすえは悲鳴をあげ、主計は一歩うしろへさがった。左には茂七と若侍、右にはあの娘と下僕らしい男がいた。提灯は茂七と下僕が持っていた。

「吉川《きつかわ》だな」主計は若侍を見て云《い》い、娘を見て吃驚《びっくり》したように云った、――「紺野、かず子さん」

吉川と呼ばれた侍は、ふところから折りたたんだ紙を出し、それをひろげて、提灯の光りにかざしてみせた。美濃紙《みのがみ》を二枚貼《は》り合せたものに、大きな字でなにか書いてあり、吉川はそこからこれを読め、という手まねをした。主計は娘のほうを見、それから二歩ばかり進んで、紙に書いてある文字を読んだ。

――そのもとは杉永幹三郎を闇討ちにした。紺野かず子どのは祝言《しゅうげん》こそあげていないが、杉永とかねてから婚約の仲であり、そのもとを良人《おっと》の仇《かたき》として討つ覚悟でおられる。自分は紺野どのの介添《かいぞえ》として来たが、ばあいによっては助太刀《すけだち》をすると思ってもらいたい、吉川十兵衛。

およそこういう意味の文言であった。読み終った主計は振返って紺野かず子を見た。かず子は塵除《ちりよ》けの被布《ひふ》をぬいで下僕に渡した。下は白装束《しろしょうぞく》で、手甲《てっこう》、脚絆《きゃはん》、草鞋をはき、襷《たすき》を掛けていた。

「待って下さい、紺野さん」と主計は呼びかけた、「これは間違いだ、杉永を斬ったのは事実だがそれには仔細《しさい》がある、私はいま」

かず子は鞘《さや》ごとかいこんでいた脇差を、ゆっくりと抜いた。提灯の火をうけてその刀身が冷たい光りを放ち、かず子は鞘を下僕に渡した。

「私はいまその仔細を書いている」と主計は続けていった、「書きあげたらあなたに読んでもらいましょう、そのうえでなお私をかたきと思うならいさぎよく討たれます」

「吉川」と主計はこちらへ振向いた、「杉永とおれのことはおまえもよく知っている筈だ、なにか事情があるくらいのことは想像がつくだろう」

「谷川さんは耳が聞えないから、なにを云ってもむだだろうが」と吉川が云った、「家中《かちゅう》の情勢がこう混沌《こんとん》としていては、釈明も弁解も役には立ちません、事実あったことで是非の判断をするほかはないでしょう、残念だが死んだ杉永さんのためにも、私は紺野さんに助勢をする、さあ、抜いて下さい」

そう云って吉川も刀を抜いた。

「だめか、私の云うことは、聞けないのか」主計は吉川を見、かず子を見た、「どうしてもだめなのか、どうしても」

紺野かず子が前へ出た。

「お父っさん」とおすえが絶叫した。

「動くな」と吉川がおすえに刀を向けた。

そのとき主計が吉川へ抜き打ちをかけた。かず子が踏みこんで来、吉川は大きくうしろへとびしさった。主計はかこい小屋の戸口へ引くとみえたが、そのまま板壁を背中で擦《こす》るようにして、小屋のうしろへ廻りこんだ。

「こっちは引受けた」と吉川が喚《わめ》いた、「そっちを塞げ、紺野さん」

喚きながら、吉川は小屋の反対側へまわり、かず子は主計のあとを追った。茂七と下僕も、提灯をかざして走ってゆき、おすえは家のほうへではなく、小屋の背後にある丘の松林の中へ駆け登っていった。

三

紺野かず子さま。

あの夜からちょうど十二日経《た》ち、どうやら気持もしずまってきました。あの夜のことはまったく思いがけなかったし、心外で、くちおしくてならなかった。吉川十兵衛は杉永や私たちの同志です、あなたが誤解されるのはやむを得ないとしても、彼が事情を察しようとしないのはなさけなかった。あのとき私は、いっそ十兵衛も、斬《き》ってくれようか、とさえ思ったくらいです。しかしいまはそうは思いません、私はここへおちつくまでに、いろいろな世評を聞きました。私があなたにおもいをかけていて、恋の恨みで杉永を闇討ちにした、というのです。ばかげた噂《うわさ》だが、情痴の話となると人は信じやすい。おそらく、あなたも十兵衛もその噂を信じ、そのため私を杉永の仇《かたき》と思いこんだのであろう、だとすれば、あなたや十兵衛を責めるわけにはいかない。そう考えてから、ようやく私は気持がおちつきました。

私はいま山の中にいます。治兵衛の娘のおすえが付いていて、身のまわりの世話をしてくれますから、べつに不自由なことはありません。おすえには家へ帰れと云うのですが、どうしてもはなれようとはしません。うちへ帰ってもお父っさんが、どうなっているかわからない、と云うのです。私にもそれがなにより気懸りです、治兵衛は昔の恩義のために私を匿《かくま》ってくれただけで、彼には些《いささ》かも咎《とが》められる筋はない。もしも治兵衛や妻子が罰せられたりするようなら、あなたからとりなしていただきたい、あなたならそうして下さると思うので、折入って私からお願いしておきます。

手記を続けるに当って、密勅をめぐる家中の論争は省略します。そこにこんどの出来事の原因があるのですが、要約すれば勤王か佐幕かということで、あらましのことはあなたにもわかっていると思うからです。

私と杉永とは初めから王政復古、開国の方向に動いていました。そうして吉川十兵衛、梓《あずさ》久也、田上安之助らのほか、二十余人の同志を集め、上方《かみがた》と連絡をとって、全藩の意見を纏《まと》めるために、手分けをして裏面工作をやっていたのです。――なぜ裏面工作をしなければならなかったかというと、仙台《せんだい》藩がつねに警戒の眼をそらさず、重職がたに絶えず圧力をかけていましたし、同時にまた、法隆和尚に煽動《せんどう》された佐幕派の者たちにも、よほど用心しなければならなかったからです。――こういう大事なときに、私は奇禍のため聴力を失い、同志の人たちから脱落してしまいました。たぶんご存じでしょう、一昨年の二月、磯部《いそべ》の砂浜で大砲の試射をしました。それまで藩には張抜きの砲しかなかったのだが、常陸《ひたち》の某公から初めて鋳鉄の大砲を譲り受けた。これはわれわれ同志の奔走によるもので、譲り受けたことは極秘であり、試射もまた極秘に行われました。重職がたの一部は、もちろん承知だったが、これも直接にはかかわりを持たず、見て見ぬふりをしていたのですが、これも仙台藩の耳目をおそれたからで、わが藩がいかに左右の勢力の中でもがいていたかという、例証の一つだと思うのです。

その日、磯部へゆくまえに、私は杉永とこんな話をしました。

「どうしてあの人と祝言をしないんだ」と私が訊《き》きました、「婚約してからもうあしかけ三年くらいになるじゃないか」

彼は口笛でも吹くように唇をまるくしました。なにか云いよどむときの、少年時代からの癖で、そうするとひどく子供っぽい顔になるのです。

「親たちにもそれを云われるんだが」と彼は答えました、「いまはそういう気持になれないんだ」

「なにか故障でもあるのか」

「故障というわけじゃない」こう云って暫《しば》らく口をつぐみ、それから私の眼を避けるようにしながら続けました、「――こんな時代だし、結婚をいそいで、かず子に不幸なめをみせたくないんだ」

　私は黙って杉永を見返しました。

「このあいだから考えていたことなんだが」と彼はゆっくり云いました、「おれはいっそ京へのぼろうかと思う」

「京へいってなにをする」

「王政復古は開国を伴わなければならない、これはかねてから谷川が主張していたし、おれもそのとおりだと思う、だが現に尊王をとなえている者の大部分は、攘夷《じょうい》問題を親柱のように信じこんでいる」

　下田条約がむすばれて以来、すでに欧米諸国の多くと通商関係をもつようになった。現実にはもう開国しているのだし、これは国家と国家との公約である。にもかかわらず、王政復古の中に攘夷論が強い軸となっていることは危険だ。井伊大老を斬り、安藤閣老を斬ったような暴力が、王政復古の勢いに乗って攘夷を実行するとすれば、国家の信義を失うばかりでなく、欧米諸国の同盟によって、日本ぜんたいの存亡にかかわるような、非常な事態を招くかもしれない。

　もっとも重大なことは、朝廷において攘夷親征が議せられたという点で、それがもし事実だとすると容易ならぬことになる。

「おれは自分でその実否が慥《たし》かめたい」と杉永は云いました、「はいって来る情報はそのたびに変転し、どれが真実かどれが虚妄《きよもう》か、だんだん区別がつかなくなるばかりだ、そうは思わないか」

「話をはじめに戻すが」と私は云いました、「杉永はひとり息子だ、もし上方へゆくとしたらなおさら、祝言を早くするほうがいいじゃないか、杉永にもしものことがあれば家名が絶えてしまうぞ」

「万一のことを思うから祝言をする気になれないんだ、おれは家名のためにかず子の一生を奪おうとは思わない」

「祝言をしろよ」と私は云いました、「上方へゆくことは賛成できない」

「どうしてだ」杉永は眼を細めました。

「攘夷論は民心を統一する手段の一つだ、これはまえにも繰り返し云ってある、攘夷という名目は、それに対立するこの国、日本と日本人ぜんたいの存在をはっきりさせる、これまでかつて持ったことのない、共通の国民意識というものがそこから初めて生れるだろうし、すでに生れていると云ってもいいだろう、したがって王政復古が実現すれば攘夷論は撤回されなければ、杉永の云うとおりこの国は亡《ほろ》びるかもしれない、そのくらいの見識を持たない人間はないと思う」

われわれにとって当面の問題は、藩論を王政復古へ纏めることだ。というようなことを話しあいました。話の内容はともかく、こんなに諄《くど》く記したのは、それが杉永と話しあい、彼の声を聞いた最後だったからです。私たちはそれから磯部へでかけました。

四

その場所は磯部から北へ、十町ばかりいった砂丘の下で、集まった者は十一人。私と杉永、吉川、梓、田上らはご存じでしょう。他の六人の名はその必要もなし、まえに述べた理由から、ここでもやはり省略します。大砲は一貫目玉のモルチールというもので、急造の砲架の上に据えてありました。砲手は二人。一人が火薬を塡《つ》め、砲玉を入れ、他の一人が射手の位置につきました。

私たちは五間ばかりはなれたところに立ち、仕様書に注意してあるとおり、両手で耳を押える用意をして見ていました。私の右に梓久也、左に杉永、次に吉川がいたようです。少し風のある日で、長い汀《なぎさ》には寄せ返す波が白く泡立ち、はるかな沖に漁をする舟が幾つか見えていました。

「大丈夫かな」とうしろで誰かが云《い》いました、「あの舟に当りゃあしないかな」

すると二人ばかり笑うのが聞えました。それはその冗談が可笑《おか》しかったからではなく、あまりに緊張していたための反作用だということが、あからさまにわかる笑いかたでした。

射手は火縄を火口に移し、撃鉄《うちがね》をおとしました。詳しい説明は書きません、モルチール砲はその二つの操作で発射するのです。私たちは両手で耳を押えました。——だが砲は発射しません、二人の砲手は狼狽《ろうばい》したようすで、火口や撃鉄をしらべていましたが、突然、なにか云いあったとみると、耳を塞《ふさ》ぎながらこちらへ逃げて来ました。私は大砲の火口から煙が立っているのを見、こちらへ走って来る二人の、灰色にひきつった顔を見ました。失敗したのだ、このままでは砲身が破裂してしまう、と思いました。

——あの砲を失うことはできない。

そう思いながら、私はもう走りだしていたのです。それを手に入れるまでの苦心と、再び手に入れることの困難さとが私をそうさせたのでしょう。

「よせ、谷川」と杉永の叫ぶのが聞えました、「危ない、戻れ、戻れ」

私は火口の火を消すつもりだったのでしょう。はっきりそう思ったわけではない、ただもうその砲を失ってはならないという気持で、火口から立ちのぼる薄い煙をみつめながら、けんめいに走り、もう一と足というところで、砂に足を取られて倒れました。

そのとき砲身が破裂したのです。どこに手違いがあったか、大砲そのものが粉砕してしまったので、原因はわかりません。私は倒れると同時に、軀《からだ》ぜんたいを大きな板で殴られたように感じ、殆《ほと》んど失神してしまいました。倒れなければ破片にやられて即死したことでしょう、幸い軀にけがはなかったが、両耳の聴力を失ってしまいました。

自分のことを語るのはいやなものです。けれども、杉永を斬るというあやまちをおかした理由は、この二年余日にわたる私の心の状態にあったので、どうしても知っておいてもらわなければならないのです。——夏の終りになって、耳がまったくだめだということがわかりました。それまでは一時的なものだと思い、医者にかかりながら、久しぶりに静養だ、などと暢気《のんき》なことを云っていました。そのあいだにも、同志の会合があれば必ず出ていたのですが、話すことはできても耳がだめですから、議題はいちいち字に書いてもらわなければならない。それを読んでから自分の意見を述べるわけで、面倒でもあり時間もむだにするため、やがては、そのとき出た結論だけ読む、ということになったのです。

「そう長いことではないだろう」と私は云ったものです。「おれは暫くつんぼ桟敷《さじき》にいるよ」

もちろん、そんな暢気なことを云っているばあいではなかった。密勅があって以来、禁裡《きんり》付きの下房どのと、国許《くにもと》にあるわれら同志とのあいだで、絶えず情報の交換があり、それについての急を要する合議が繰り返されていたのです。奥羽《おうう》連合の監視はますますきびしくなり、同志が集まるのにも、そのたびに場所や時刻を変えたり、三組に分れて集まり、あとで代表だけが結果を討議する、などということもありました。こういう大事なとき「つんぼ桟敷」にいなければならなかったのです。どんなに苛《いら》だたしくやりきれない気持だったか、おそらく他人には推察もつかないでしょう。それでもまだ恢復《かいふく》する望みのあるうちはよかった。もう暫くの辛抱だと、自分をなだめすかしていたのですが、六月下旬になって、医者から不治だと宣告されたとき、私は気が狂うかと思うほどの絶望におそわれました。

七月いっぱい、私は家にこもったきりで、杉永が訪ねて来ても会わず、家族とも没交渉にすごしました。みれんがましいはなしですが、気持がややおちつくまでに、三十余日もかかったわけです。

「これで同志から脱落だ」と私は自分に云いました、「こうなってはなにもできない、いさぎよく脱退しよう」

私は杉永を訪ねて、同志から脱退すると告げました。みんなの足手まといになるばかりではなく、進退緩急の機をあやまって事のやぶれを招くおそれもある。残念だがこれで身をひくと云いました。杉永もがっかりしたようすで、暫くは俯向《うつむ》いたままでしたが、私の耳が不治だということはもう知っていたのでしょう、ひきとめるようなことは云わず、――今後も思案に窮したときはゆくから相談にのってもらいたい、と書いて示しました。

私は父を説きふせて、家督も弟の格二郎に譲り、長く空いていた隠居所へ移りました。父母にも、弟や妹にも顔を見られたくない。食事も召使にはこんでもらって、一人きりの生活を始めたのです。躯に故障はないのですから、早朝の沐浴《もくよく》も欠かさず、朝と夕方の二回、くたくたになるまで組み太刀《たち》の稽古《けいこ》もしました。あとは読書と習字で、よけいなことを考える暇のないよう、晴雨にかかわらずきちんと日課を守っていたのです。――冬になってからですが、私はうしろの物音を感じとることができるのに気がつきました。物音でなくとも、人の近よるけはいでも、ふしぎなほど敏感にわかるのです。人間が生れつき備えている自己保護の本能とでもいうのでしょうか、誇張して云うと、蝶《ちょう》が舞いよって来るのも感じとれるくらいでした。

「うしろに勘がはたらくというのはふしぎだ」と私は自分で苦笑しました、「どこかが不具になると、それを補うように、軀の機能が変るんだな」

軀そのものが不具者になる用意を始めた。苦笑するどころですか、私はそのときもいちど、医者から不治を宣告されたときよりも深く、激しい絶望に押しひしがれました。

杉永は十日に一度ぐらいのわりで訪ねて来、たいてい半刻《はんとき》か一刻、まどろっこしい筆談をいとわず話してゆきました。われわれ同志のあいだでは、ともかく私と杉永とが中心になっていたため、彼の責任はひじょうに重くなり、同志のあいだに起こる異論を纏めるだけでも、かなり苦心しているようにみえました。こうして年があけ、去年の秋になって、私は思いがけなくあなたに会ったのです。

五

紺野かず子さま。

私はいま山を歩いて来ました。ここへ移ってから初めての外出で、おすえが心配し、ずっといっしょに付いていました。初めてこの手記を書きだしてから、かれこれもう三十日になるでしょうか、和田村にいたとき蕾《つぼみ》のふくらみはじめた石楠花《しゃくなげ》が、ここではもう咲きさかっていますし、林の中では早朝から蟬《せみ》がやかましく鳴き交しています。むろん耳に聞えるのではありません、林に反響するのが後頭部に感じられるのです。

「おすえ」と私は振返って訊きました、「いま蟬が鳴いているだろう」

おすえは微笑しながら頷《うなず》き、手をあげてまわりの樹立《こだち》をぐるっと指さしましたが、それからふと驚いたように、自分の耳を摘《つま》んで、聞えるのか、というしぐさをしました。

「いや」と私は首を振りました、「聞えるんじゃない、感じるだけだよ」

ここでね、と云って頭のうしろを叩《たた》いたのです。おすえはいそいで顔をそむけ、前掛で眼を押えるのが見えました。

いまこの手記を書き続けながら、いつも石楠花が付いてまわることに気づいて、かなしいほどむなしい思いにとらわれました。年々咲く花は変らないが、――という古い詩の句などが頭にうかび、上町の屋敷の裏庭で、石楠花の下に立っておられたあなたの姿と、それから六年経《た》ったいまの状態とを比べて、人のめぐりあわせの頼みがたさ、というおもいで、ただ溜息《ためいき》をつくばかりです。

私が明神《みようじん》の滝へかよいだしたのは、去年の夏のはじめからのことでした。母がどこかで聞いて来て、霊験があるそうだからとすすめたのです。滝に打たれるなどということは、信仰心があってこそ効果も望めるでしょうが、私にはそんな気持もないし、むしろ神仏を憎んでさえいたときですから、母の言葉もそのままきながしていました。けれども心のどこかには、やはり治りたい、という思いがひそんでいたのでしょう。四月下旬になり、青葉が強い日光にきらめくさまや、夏草が風にそよぐけしきなどを見ると、気ばらしになるだけでもいいと思い、初めて明神の滝へでかけていったのです。

そこへは少年のころ、二度か三度いったことがあります。粟津《あわづ》明神の裏に立つと、谷間にかかる滝が眼の下に見え、秋になると紅葉が美しいので、城下から見物に来る者も少なくなかった。いまではそんな人も稀《まれ》なようで、滝も昔よりずっと水量が減っていました。

滝に打たれるといっても、ご存じのとおり細いものですから、釣瓶《つるべ》の水を浴びるくらいにしか感じません。けれども、人影もないあの狭い谷間で、ひとりきりままにすごす時間はたのしく、心ものびやかになるように思われるため、雨さえ降らなければ欠かさず打たれにいったものです。――このあいだにも、藩の情勢は複雑な変化を続けながら、尊王か佐幕か、いずれかに決定すべき時期が迫って来つつあり、杉永ははやり立つ同志をしずめるのに困っているようすでした。

あなたに会ったあの日、——まえの晩に杉永が来て、藩論を纏《まと》めるには、どうしても除かなければならぬ者がいると云って、真壁綱の名をあげました。真壁は故君の側《そば》用人《ようにん》で、仙台の強いうしろ盾があり、老臣の中でもっとも頑固に佐幕を主張している人間です。杉永がそう決心した気持はよくわかりますが、私は反対しました。水戸《みと》藩における天狗《てんぐ》党の騒動のように、一人の暗殺から、家中が血で血を洗うようなことになりかねない。どうしても他に手段がないとしても、いまはまだそのときではない、と私はきびしく云いなだめました。——そんなことのあったあとで、あの日は滝に打たれながら、いつものように気分がおちつかず、杉永が思い止《とど》まってくれたかどうか、杉永が思い止っても同志の者たちはどうか、承服しない者があって無謀なまねをやりはしないか、などと繰り返し考えていました。

滝をあがったのはいつもより早かったでしょう、着物を着、袴《はかま》をはき、両刀を差すと、急に胸騒ぎがするように感じました。たぶん同じ問題を考え続けていたため、気持が不吉なことのほうへ傾いたのでしょう。自分では否定しながら、なにか事が起こったような、不安な思いにかられて、ついいそぎ足になっていました。すると、ちょうど明神の下あたりへ来たとき、うしろへなにかが襲いかかるのを感じました。人の出て来る筈《はず》はないので、それはわかっていながら、そんな気分でいたからでしょう、われ知らず刀を抜いて、抜き打ちにうしろをひっ払い、大きく三歩とんで振返りました。

刀に軽い手ごたえがあったので、刀を構えながら振返ると、女持ちの扇が二つに切られて、ひらっと地面に落ちるところでした。人の姿はどこにもありません、気がついて崖《がけ》の上を見あげると、あなたがこちらを覗《のぞ》いておられたのです。

「失礼しました」と私は云いました、「いまそちらへまいります」

刀を鞘《さや》におさめて私は扇を拾いました。それは薄く墨でぼかした地に夕顔の花が描いてあり、三分の一のところで二つに切れ、要《かなめ》でつながっているだけでした。自慢の腕が臆病《おくびょう》の証《あか》しをしたか、私はそう思って苦笑しました。――それからあなたのところへいって、耳が聞えないために、狼藉《ろうぜき》をしたことを詫《わ》び、自分の名を名のって切れた扇を差出したのです。あなたは笑ってかぶりを振り、扇を受取ってからなにか云いたそうに、侍女の顔をごらんになった。それで私は矢立《やたて》と手帳をあなたに渡したのです。

「耳がだめになってから、いつも持って歩いているのです」と私は云いました、「よろしかったらどうぞそれへお書き下さい」

あなたは会釈《えしやく》をして、扇は落した自分が悪いこと、詫びは自分のほうで云うべきであると書いて、手帳を戻されました。私はそれを読み、紺野かず子という署名を見て、初めてあなただということに気づき、思わず声をあげてしまいました。

「これはこれは、ふしぎなところでおめにかかりますね」私はうきうきするような気分になって云《い》いました、「あなたはご存じないだろうが、私はあなたを知っているんですよ」

するとあなたはまた手帳を取って、杉永から聞いて自分もよく知っていると書かれ、また、耳のぐあいはどうかと書かれた。私はどうして失聴したかを話し、耳は一生治らないだろうこと、家督も弟に譲ったし、これからは耳なしでも生活できるような仕事を考えている、などということを話したと覚えています。——あなたは面変《おもがわ》りをして、たいそう美しくなっておられた。色も白く、のっぽでもなく、どちらかというとむしろ小柄なほうで、鼻筋へ皺《しわ》をよせる癖もなくなったようでした。

「杉永はなにを考えているんですか」と別れるまえに私は云いました、「あなたからもそう仰《おっ》しゃって、早く式をあげるほうがいいですよ」

あなたは唇に微笑をうかべたが、なにもお書きにはならず、矢立と手帳を返されたので、私は別れを告げて帰ったのです。

六

滝でおめにかかったのが八月。十二月には孝明天皇が崩御され、年があけると今《きん》上《じょう》の践祚《せんそ》された知らせがあり、二月には征長軍が解かれるなど、幕府の勢力の衰退と、王政復古の気運の増大とが、もはや避けがたい時の来たことを示すように、はっきりとかたちをあらわし始めました。

杉永からこれらの事情を聞くたびに、私はまた自分の耳を呪《のろ》いました。事を起こす時が迫っているのに、自分は脱落者として、ただ傍観していなければならない。前生にどんな罪があったのだろうか、などと思い、磯部の浜のときの、とびだしていった無分別さ、しかもそれが徒労だったことに、改めて自分を罵《ののし》り、救いようのない後悔に身をさいなまれる思いをしました。

三月下旬だったでしょうか、杉永が訪ねて来て、同志の者が七人、藩吏に捕われた、ということを告げました。田上安之助の組で、会合はいつもどおり極秘におこなわれた。その場所がどうして探知されたかわからない、七人は城中に監禁されているらしい、ということでした。

「明らかに真壁のしごとだ」と杉永は云いました、「形勢が悪転で真壁が動きだしたに相違ない、領境には仙台の兵が詰めかけて来たし、このままではわれわれは潰《つぶ》されてしまうぞ」

こう書いて示す文字も、いつになく筆が走っていて、ことの重大さをよくあらわしているようにみえました。

「やはり真壁は除かなければならない」と彼は続けました、「あのときやっておくべきだった、こんどこそやらなければならないと思う」

私は暫《しばら》く考えていました。

「真壁のうしろには仙台の力がある」と私は念を押しました、「ほかに手段がないとしても、真壁をやったばあい仙台がどう出るか、奥羽連合が黙っているかどうか、その点のみとおしはどうなんだ」

「わからない」杉永は答えました、「しかし近いうちに討幕の勅命が出るという噂《うわさ》もあり、奥羽連合の結束もぐらつきだしたようだ、真壁を失ったぐらいで、仙台が直接行動に出るとは思えない」

「それは確実なことか」

「こういう情勢の中では、確実だと云えることなどは一つもないだろう、いずれにせよ、ここはまず断行することが先だと思う」

私は立ちあがって縁側へ出ました。

——どうする。

心の中で私は自分に問いかけました。母屋《おもや》とその隠居所のあいだに槙《まき》の生垣があり、槙の枝には白っぽい黄色な若葉が、そろって活々《いきいき》と伸びている。また夏が来るな、ぼんやりそう思いながら、私は心をきめ、元の席へ戻って坐《すわ》りました。

「それはおれがやろう」と私は云いました、「真壁を斬《き》るのはおれの役だ」

「いや」と私は手をあげ、なにか書こうとする杉永を制しました、「真壁をやったら名のって出なければならない、私怨《しえん》だと云って自首して出れば、罪はその一人に限られるし、仙台も干渉することはできないだろう、おれはこんな不具になってほかの役には立たないが、この役なら間違いなくやってみせる、これはおれの役だ」

杉永は口笛でも吹くように、唇をまるくつぼめ、庭のほうを見たまま考えていました。癖というものは直らないものだな、私はそう思うと、緊張した気分のほぐれるのを感じました。

「考えることはない、もうきまったことだ」と私は云いました、「帰ったらみんなにそう伝えてくれ、但《ただ》し真壁の動静はおれだけではつかめない、みんなで手分けをして、いい機会があったら知らせてもらおう」

「みんなにも意見はあるだろう」と杉永がいいました、「相談したうえでもういちど来る」

杉永を送って出ながら、私は明神の滝であなたに会ったことを話しました。そのときまで、ふしぎに話す機会がなかったのです。彼はあなたから聞いて知っていたとみえ、頷きながら陰気に微笑しました。それとわかるほど、陰気な微笑だったのです。

「早く祝言《しゅうげん》をするほうがいいよ」と私は云いました、「もうあの人も二十になるんだろう、なにをぐずぐずしているんだ」

杉永は私の顔を見て、なにか云いたそうにしましたが、思い返したようすで、そのまま帰ってゆきました。

それから三日めの夕方です。母屋のほうの風呂《ふろ》へはいって戻ると、梓久也《あずさ》が訪ねて来ました。ちょうど妹が食事の膳立《ぜんだ》てをしているところでしたが、私は妹を去らせ、食膳を押しやって筆談の用意をすると、梓は「まず食事を済ませて下さい」と書いてみせました。それで私は膳に向ったのですが、梓の顔色で、これは真壁の件だな、と直感しました。食事をしているあいだ、梓はしきりになにか書いてい、私が膳を片づけてから、梓と自分に茶を淹《い》れて坐ると、書いたものを私に渡しました。思ったとおり真壁綱のことです。

「真壁はあなたに任せると、一同の意見がきまりました」とそれには書いてあった、「——彼は今夕六時から、西山の隈川別墅《くまがわべっしょ》で仙台藩の者と密会します、あまりに早急であなたには不都合かもしれません、しかし密会には供を伴《つ》れず、一人でゆくということですから、やるとすれば絶好の機会ですが、やるやらぬはもちろんあなたしだいです」

私は読み終ってから梓を見ました、「隈川さんは変節したのか」

隈川兵庫《ひょうご》は老臣の中でも、われわれが頼みにしていいと信じていた一人なので、私にはちょっと不審に思えたのです。

「そうではありません」と梓は書きました、「西山の別墅はずっと留守で、家僕《かぼく》のほかに人はいません、真壁はそこを覘《ねら》ったのでしょう、隈川別墅ならわれわれの監視もあるまい、そういう肚《はら》ではないかと思います」

「それはみんなの意見か」

「杉永さんもそう云われました」と梓は続けた、「どうなさいますか、私は見張り役で、これから西山へゆかなければなりません」

私は頷《うなず》きました、「やろう」

では打合せをしますと云って、梓は別墅付近の図を書きました。ご承知のように、西山は城下のほぼ西南に当り、重職がたの控家や別墅のある閑静なところです。町とのあいだに田畑や林などがひろがってい、道は一と筋、見とおしもよくききます。梓はその道の一点に印をつけて待伏せるところはここがいいと思うと云いました。そこからは隈川別墅の門が見えるので、合図をするにも都合がよく、また邪魔のはいるおそれもないだろう、というのです。

「いいだろう」と私は頷きました、「それで、合図はどういうふうにする」

「私が提灯《ちょうちん》で知らせます」と梓はいいました、「これから西山へいって、真壁が慥《たし》かに来るかどうかを見さだめ、来たら帰るまで見張っています、そして彼が帰るのを慥かめたら、提灯で円を三度かきましょう」

「円を三度だな」

「人の違うときは提灯を見せません、まるく三度振ったら真壁ですから——」そして梓は書き加えました、「できたら私も助勢するつもりです」

「そんな必要はない、おれ一人で充分だ」と私は首を振りました、「それより見張りに誤りのないようにしてくれ」

梓は筆を置いて、静かに低頭しました。

七

夜の十時を過ぎていたでしょうか、私は約束の場所にいて、提灯の光りがゆっくりと三度、円を描くのを認めました。

そこは西山から来る道が、細い流れに架けた土橋を渡り、城下のほうへと、やや北に曲っている角で、道傍《みちばた》には松が二三本と、灌木《かんぼく》の茂みがありました。私は八時ころそこへいったのですが、梓が待っていて、別墅のほうを指さしながら頷いてみせました、真壁が来ているのかと訊《き》きますと、もういちどはっきり頷き、火のついていない提灯を三度、まるく振ってみせました。

「わかった」と私は云いました、「あとは引受けたからいってくれ」

梓は会釈をして去りました。

それから約一刻、農家の若者が二た組ほど通ったほかには、人のけはいもしませんでした。月はなく、星空だが雲があるので、あたりは殆《ほと》んど闇《やみ》です。眼が馴《な》れてからも、乾いた道がほの白く、ぼんやりと見えるだけでした。——風が少し吹いていて、どこからか笛の音が聞えて来るようです。村ざとではおそらくもう祭の稽古《けいこ》を始めていることでしょう、暗い野づらの向うを見ていると、現実に笛の音が聞えて来るように思われました。

提灯の火は隈川別墅のあたりにあらわれ、打合せたとおり三度、ゆっくりと大きく円を描きました。私は深い呼吸をし、右手を眼の前へあげて、指をひらいたり拳《こぶし》を握ってみたり、それから空を見あげました。――提灯の合図を見てから、初めて気持がおちついたようで、全身にこころよい力の充実を感じました。

「おい、せくなよ」と私は呟《つぶや》きました、「一の太刀が大事だぞ」

下緒《さげお》を取って襷《たすき》に掛け、汗止めをし、袴《はかま》の股立《ももだち》をしぼりました。これらはできるだけ入念に、時間をかけてやり、それから灌木の茂みのうしろへ隠れました。――別墅との距離は五六町くらいでしょう、まもなく、道の向うに提灯が見え、小さく揺れながらこっちへ近づいて来ます。

「供がいっしょかな」

提灯は供が持っているのではないか、と思ったのですが、姿が見えるようになると、一人だということがわかりました。私は草履をぬいで足袋はだしになり、刀を抜いて二度、三度素振りをくれ、呼吸をととのえて待ちました。――真壁は足ばやに近づいて来、土橋を渡って、すぐ前を通り過ぎました。

二間ほどやりすごしておいて、私は道へ出、うしろからすばやくまを詰めながら叫びました。

「真壁どの御免」

そして振向くところを首の根へ一刀、返す二の太刀で存分に胴を払いました。相手は提灯をとり落し、なにか叫びながら、片手を振り、よろめいてがくっと膝《ひざ》を突きました。

「藩ぜんたいのためです」と私は云いました、「どうぞお覚悟を願います」

相手はなおなにか叫び、手を振り、そうして、その手で頭巾《ずきん》を剝《は》ぎ取りました。そのとき道の上で提灯が燃えあがり、頭巾をぬいだ相手の顔が見えました。そうです、それが杉永幹三郎だったのです。

「杉永、――」私は刀を投げだして駆け寄り、彼の肩をだき抱えました、「どうしておまえが、これはどうしたことだ、真壁綱ということだったぞ」

杉永はなにか云っています。私が斬りつけたときも、人違いだと叫んだのでしょう、おれだ、杉永だ、と叫んだ。なにか叫ぶのを私は見たのですから。もちろん彼には私がわかったでしょう、だからこそ抜き合せることもできず、おれだ、杉永だとけんめいに叫んだに違いありません。

「梓と打合せたんだ」と私は動顚《どうてん》しながら云いました、「真壁が密会するということで合図まできめてあった、いったいどうしてこんなことになったんだ」——杉永はなにか云《い》っています。だが私には聞えません、私は彼の肩を摑《つか》み、天を見あげながら叫びました。

「私の七生を賭《か》けます、もし神仏がおわすなら、一と言だけでいい、杉永の云うことを聞かせて下さい」

だが皮肉なことに私の刀はあやまたず、充分に深く急所に達してい、杉永はそのまま絶息しました。私は彼を抱きしめて泣き、謝罪をしました。少年時代からのたった一人の友、もっとも信じあった友を、こんなふうに自分の手で殺した。耳さえ不自由でなかったら、——この気持はあなたにもわかっていただけると思う、私はすっかりわれを失い、絶息した彼を抱いたまま泣き続けました。

しかし長い時間ではなかった。ふと気がついて振返ると、西山のほうから提灯が五つ六つ、こちらへ向って走って来るのが見えたのです。梓久也なら一人の筈《はず》ですが、提灯の数から察するとかなりな人数らしい。ここで捕えられてはならない、そう思ったので、杉永の死躰《したい》に別れを云い、刀を拾い草履を捜して、泣きながらそこを逃げ去りました。

——どういう手違いだろう。

闇の中を走りながら考えました。考えるまでもなく、梓久也の裏切りだということは、初めからのことを思い合せればすぐにわかる筈です。けれども逆上している私には、そんな明白なことさえ見当がつかず、ただ「家へは帰れない」ということと、「真壁を討つまで死ねない」と思うばかりでした。

どこをどう逃げまわったかは書きませんが、和田村の治兵衛のところへおちついたときにはようやく裏切りだということに気がついていました。

――田上ら七人を売ったのも彼だ。

それも疑う余地はないでしょう。私は皮を剝いだ梓久也の正体を前にして、改めて時勢の複雑さと、その複雑な渦中《かちゅう》に生きる人間の、それぞれの心のありかたを思って嘆息するばかりでした。

たぶんあなたは、私が梓に報復するだろうとお考えでしょう。私もいちじはそう思いました。こんな無慚《むざん》な裏切りはない、どれほど非情な人間にも、こういう酷薄なまねはできないだろう、杉永のためにも生かしてはおけない。そう思ったのですが、治兵衛の住居に移ってから、それは違うと考え直しました。

――方法こそ残酷きわまるものだが、梓も自分の利欲でやったことではない、彼は彼の立場で、もっとも効果のある手段をとっただけだ。

私たちが私たちの信念によって行動するように、彼もまた彼の信念にしたがったまでだ。憎むとすれば梓その者ではなく、梓を動かした「佐幕」という観念だ。梓などは問題ではない、藩の大勢を王政復古にもってゆくことが第一だ。杉永にとってもそれが本望に違いない、と思ったのです。——これで私の手記は終ります、ここにはあったことのすべてを、できる限りあったまま記しました。幸いにしてお手許《てもと》へ届いたとき、お読みになったあとでなお、私を杉永の仇《かたき》だと思われるかどうか、めめしいようだが、それをうかがえればと願わずにはいられません。

八

かれらの来たとき、おすえは煮物をしていた。油で菜をいため、干した河鯊《はぜ》をちぎって入れ、水と少量の砂糖と醤油《しようゆ》で味付けをしてから、鍋《なべ》に蓋《ふた》をし、焚木《たきぎ》のぐあいをみた。そこへ、あけてあった勝手口から、二人の侍がはいって来て、おすえを左右からはさんだ。

「騒ぐな」と侍の一人が云った、「黙っておれの云うとおりにしろ」

おすえはその侍を見た。

「おまえには関係のないことだ」とその若侍は云った、「なにもなかったつもりで煮物を続けろ、いいか、騒ぐんじゃないぞ」

おすえは口をあけ、なにか云おうとしたが、言葉にはならなかった。侍の一人は土間を表のほうへゆき、表の戸口からまた三人はいって来た。かれらは部屋へあがり、なにか捜しているようすだったが、一人が刀を持って土間へおりて来た。

「大丈夫ここにいる」と一人が云った、「この刀があるから慥《たし》かだ」

「まる腰ででかけたんだな」

「暢《のん》びりと山歩きか」とべつの一人が云った、「風雅なことです」

他の一人が戸口へゆき、手を振りながらなにか叫んだ。すると答える声がして、まもなく五人の若侍がはいって来、狭い土間はかれらでいっぱいになった。

「朝めしの支度をしているから、まもなく帰って来るだろう、どうする」

「刀を取りあげればこっちのものだ、ここでやるか」

「いや、大事をとるほうがいい、二人は中にいてその娘を動かすな、ほかの者は外に隠れて帰りを待とう」

「梓は用心ぶかいな」

「谷川主計《かずえ》には、どんなに用心してもしすぎるということはないんだ」

「梓は用心ぶかいよ」

そんな問答をしながら、二人をおすえの側に残して、他の八人は戸外へ出ていった。残った二人は土間の隅へさがり、一人は刀を抜いて、おすえに見せた。

「騒ぐとこれだぞ」とその若侍が云った、「いつものとおりやっていろ、谷川が帰って来てもへんなそぶりをするなよ」

そのとき戸外で叫び声がした。

「谷川だ」と一人が云った、「押えたぞ」

そして二人はとびだしていった。

この家の表に、三十坪ばかりの狭い空地がある。片側は低い赭土《あかつち》の崖《がけ》、片側は藪《やぶ》で、長いこと人が住んでいなかったのだろう、夏草の茂った中に、踏みつけ道が一と筋、赭土の崖のほうから空地へ通じている。谷川主計はその空地の中央で、かれらに取巻かれていた。

——まったく思いがけなかったらしい、主計は左の手を腰にやり、刀のないことに気づいて、かれらを見まわしながら右手をあげた。

「待て」と主計は云った、「おれはまる腰だ、そうでなくともこれだけの人数では遁《のが》れることはできない、みれんなまねはしないからおれの云うことを聞いてくれ」

「そんな必要はない」と梓と呼ばれた侍が叫んだ、「理非は明白だ、やれ」

「梓久也」と主計は手を伸ばして、まっすぐに相手を指さした、「いまおまえはなにか云った、おれの耳は聞えないが、なにを云ったかは察しがつく、おれに口をきかせるな、このまま斬《き》れと云ったろう、そうだろう梓」

「こいつにものを云わせるつもりか」と梓が叫んで刀を抜いた、「おれはやるぞ」

主計は両手をひろげて、かれらの中の一人に呼びかけた。

「吉川《きつかわ》十兵衛、おまえはこのままおれを斬らせていいのか、このままおれを斬って、それでなにか得るものがあるのか」

「こいつ」と梓久也が叫んだ。

「待て」と吉川十兵衛が手で制した、「もう逃がすおそれはない、聞くだけは聞こう」

「なんのために」と梓が叫んだ。

「吉川、みんなも聞いてくれ」と主計が云った、「みんなはおれが杉永を斬ったことでおれを斬ろうというのだろう、慥かに、おれは杉永を斬った、しかし、おれが杉永を斬ったということをどうして知った」

梓久也が踏み出そうとした。吉川十兵衛が「止めろ」と叫び、二人が左右から梓を押し止めた。

「おれが杉永を斬ったことは、たった一人しか知ってはいない」と主計は続けていった、「その男がおれを罠《わな》にかけて、おれの耳の不具を利用して杉永を斬らせた、真壁綱だと手引きをして、おれにとってはかけ替えのない友を斬らせた、梓久也がその男だ」

「こんなやつの云うことを聞くつもりか」と梓久也が叫んだ、「おれたちはこんなでたらめを聞くためにここへ来たのか」

「云え、云え」と主計はまた梓をまっすぐに指さした、「おれはきさまの罠にかかった、無二の友を手にかけたおれが、きさまを憎まなかったと思うか、梓久也、おれはきさまを斬りたかった、きさまの五躰《ごたい》を寸断してやりたかった、——だが思い直した、きさまがおれを罠にかけたのは利欲のためではない、佐幕という信念のためにやったことだ、梓久也その者の罪ではないと思ったからだ」

谷川主計はそこでかれらを見まわした、「これ以上くどいことは云わない、あとはみんなの判断に任せる、久也の眼とおれの眼を見比べてくれ、いま云ったおれの言葉に対して、久也がなんと云うか聞いてくれ、そしてもし彼の云うことが正しいと思ったらおれを斬るがいい、また、おれの云うことが信じられるなら刀を貸してくれ、おれはここで梓を斬る、——さあ、梓久也に云わせてくれ」

みんなは吉川十兵衛を見た。

「梓、——」と十兵衛が云った、「なにか云うことがあるか」

梓久也は刀を取直した。

「よし」と十兵衛が頷《うなず》いた、「谷川さんの刀を返せ」

一人が家の中へ走ってゆき、主計の刀を持って戻った。主計は十兵衛の顔をみつめ、受取った刀を腰に差してから静かにそれを抜いた。

——梓久也を残して、他の九人はずっとうしろへさがり、家の戸口にはおすえが怯《おび》えたような顔でこちらを見まもっていた。

（「別冊文藝春秋」昭和三十四年十月）

解説

木《き》村《むら》久《く》邇《に》典《のり》

「もし君があと数年たって、私の作品を読返してくれるならば、きっと現在読んで感じたのとは別な広がりを発見してくれるだろう。私の作品にはそれだけのものが含まれていると思うんだ」

つい先日、山本周五郎氏はそういう意味の言葉をかたりました。きわめて素朴かもしれませんが、文学作品のよしあしを区別する基準を、私は、最初よんでみて、もう一度繰返して読みたい意欲を起させるような作品、というところに置いています。何年かたって再読したとき、さらに三読したくなる作品なら、八割がた〝名作〟といって誤りではない。事実、十代の後半によんで、深い感動を覚えた作品を、四十代になって読みかえしたとき、どうしていったい自分はこんな底の浅い作品にあんなにも感激したのだろうかと、いぶかしく思ったり、かつては好きであったその作品に実はダマされていたような思いを味わわされることが少なくありません。おそらくだれもがそんな経験を持っていることだろうが、なかには三読四読に耐えるばかりか、ますます深く不思議な人生の新しい展望をあたえてくれる作品に接することもある。一人の読者に限っていえば、その読者にとっては、読返すごとにますます深い奥行きを内蔵している作品こそ〝古典〟と判断してもよいのではないでしょうか。この判断がすこし性急すぎるならば、〝古典〟の範疇《はんちゅう》に加えられる基本的な要素を多分に含んでいる作品と云《い》いかえてもよい。

この短篇集には、戦前、戦中、戦後にわたる山本周五郎氏の広範な作品活動を便宜的に類別して、それぞれの傾向をしめす代表的な短篇をあつめて一冊とし、氏の作品を理解するのにもっとも好個な作品集であるように編集してみました。そして、私は今さらのように、ここに編まれた短篇小説の一篇一篇が、数十年の年月をこえて、斬《ざん》新《しん》な生命をもちつづけていることに感動したのでした。そういう意味でも山本氏は、一作一作に心魂を傾けて〝古典〟を書きつづけてきたもっとも少数な作家の一人といえると思うのです。

たとえば橋本左内の最期《さいご》を書いた『城中の霜』は、昭和十五年、『現代』という雑誌に発表された太平洋戦争以前の作品であります。よろず形式的ないさぎよさが日本武士道の典型的な美しさであるとされた時代に、死に直面した左内が号泣するという

〝意外な〟態度を描いていますが、作者は作中の香苗に、そのときの左内の涙こそ、中道にして死ななければならなかった武士の、本当にいのちを惜しむ涙だったのではないか、と云わせて、低俗な日本武士道の解釈に抵抗を企てたのであります。いまわの際《きわ》まで人間として生あるかぎり忠実に生抜こうとする人生態度こそ、みてくれのいさぎよさよりもはるかにたっといのだと、作者は主張しているのであります。

戦後の作品『栄花物語』の田沼意次《たぬまおきつぐ》、『正雪記《しょうせつき》』の由井正雪、『樅《もみ》ノ木は残った』の原田甲斐《はらだかい》などの生き方の原形を『城中の霜』に見出《みいだ》すことは決して困難なことではありますまい。

『水戸梅譜』(芸能文化、昭和十七年十一月号)「少なくとも戦前の作品は、大部分は破棄してしまいたい」という作者が、『日本婦道記』とともに、これは例外的に残しておいてもよい、とする自信作です。本篇の主人公、五百旗五郎兵衛《いおきごろべえ》は、ただ生活の糊《のり》を得るだけの目的で光圀《みつくに》に仕官を願いでたのではなかった。その妻はもちろん息子まで、あげて水戸家のために尽すことをちかい、彼が水戸家の庭先で切腹したのちも、妻子は彼の誓言どおり、〝公認されない忠勤〟を身命をなげうってはげむ、という小説であります。この作品が、戦後二十年も経《た》ってなお、読者にふかい感銘を与えるのは、日本人の潜在意識として沁《し》みついているかもしれない忠君思想を感傷的に喚《よ》びおこすからではなくて、五百旗一家が人間としてのもっとも尊い無償の奉仕の美しさ、純粋な〝まごころ〟をもちつづけた素晴しさにほかならない。だからこそ、封建、軍国、民主などという国家のいろいろな体制をこえて、つねに生き生きとした生命をもって読者の胸をうつのではないでしょうか。

前二作が氏の〝武家もの〟に属する作品として類別すれば、『嘘《うそ》アつかねえ』（オール讀物、昭和二十五年十二月号）は、作者のひじょうに得意とする〝下町もの〟に数えられる小説であります。江戸の下町を背景や素材にして描かれた作品は数多くありますが、山本氏ほど下町の庶民を身近に描きだした作家はないといって過言ではありますまい。ここには〝庶民道理〟とでもいうべきものがいきいきと語られ、それが、どんな理屈っぽい読者をも納得させてしまう不思議な説得力をもっているのです。〝嘘アつかねえ〟と胸をはる〝松〟は、実際は深夜帰宅したとき、指の爪《つめ》のさきで「阿母《おっか》ア、けえッたぜ、あけて呉《く》んな」とトントンと軽く戸を叩《たた》く気弱な〝ちゃん〟なのである。われわれは微苦笑をもって〝松〟がまぎれもなくわれわれの親友であることを認めないわけにはいかないのであります。

『日日《にちにち》平安』（サンデー毎日、昭和二十九年涼風特別号）氏の〝武家もの〟の中でも、〝滑《こっ》稽《けい》もの〟に属する作品です。腹ぺこぺこの浪人菅田《すがた》平野《ひらの》が、一飯を乞《こ》うために通りすがりの侍に切腹のマネをしたことから、侍の藩の騒動にまきこまれ、手際《てぎわ》よく城代家老を、悪人一味から救出して家中をおさめるという物語ですが、陸田《くがた》城代一家のおっとりした〝日日平安〟ぶりが秀逸です。菅田の術策もさることながら、家老一家の悠《ゆう》容《よう》せまらない人柄が、この騒動の拡大を未然にふせいだのかも知れません。

『しじみ河岸』（オール読物、昭和二十九年十月号）花房律之助《はなぶさりつのすけ》は、南町奉行所の就任早々の吟味与力《よりき》でした。多くの調書を読んでゆくうちに卯之吉《うのきち》という働き者の若い左官が、幼馴染《おさななじみ》のお絹に殺されたという事件にぶつかります。律之助はお絹が初めから罪状をみとめて早く処刑してほしい、と申立てているのに却《かえ》って疑いを抱き、再吟味に乗出しました。長屋の人たちは申合わせたように、どうしても口を割って真実を告げてはくれません。結局、下手人は卯之吉に嫉妬《しっと》した相模屋《さがみや》という土地の金持の息子が、「あとに残った親子のめんどうはみてやる」という条件で、お絹に罪を負わせたことを律之助は解明するのですが、それというのも、お絹が「生きることに疲れた」ために身代りをひきうけたと知ってやりきれない思いにとらわれます。律之助の溜息《ためいき》は、また作者の溜息ではないでしょうか。この作品はある意味では一種の推理小説ということができましょう。山本氏が単なるエンターテインメントだけの作家でないことは勿論《もちろん》ですが、筋立ての面白さにも、きわめて非凡な作者であることを『しじみ河岸』は証明しているのであります。

『ほたる放生《ほうじょう》』（講談倶楽部《クラブ》、昭和三十年八月号）山本氏の〃岡場所《おかばしょ》もの〃と称される作品の一つであります。お秋が洲崎《すさき》の岡場所まで流れてきたのも、村次という性悪な男を情夫にもったためでした。藤吉という船宿の船頭は、真剣にお秋に結婚を申込んでいるのですが、お秋はどうしてもその気になれません。しかし、村次がお秋の店に若い女を入れ、お秋をこんどは潮来《いたこ》へ身売させることを企《たくら》んでいるのを知ったとき、お秋は本気で村次を殺す気になり沖の湿地へさそいだします。だが村次を殺したのは事情を知ってまちうけていた藤吉でした。

一行一行、まことに間然するところのない名作です。小説はいうまでもなく部分から成立つものです。文章は二の次、要はテーマが確実に把握されているか否《いな》かだ、などというムキもあるが、部分なくして全体の成立ちえよう筈《はず》はない。この小説はその典型をしめしているのであります。

『末っ子』（オール読物、昭和三十二年十月号）は〃武家もの〃に属すると同時に、山本氏の得意とするおおらかな、〃滑稽もの〃にあげられる作品です。末っ子はとかく甘やかされるというだけの世俗的な理由だけで、一家中からきびしく扱われて育った小出平五は、七ツのときから貯蓄を始め、ついには末っ子なりの端倪《たんげい》すべからざる生活態度を身につけてゆき、恋人を獲得していっぱしの骨董屋《こっとうや》になるという小説で、この作者の『ひやめし物語』『おしゃべり物語』などとともに、小説を読むたのしさを十分に堪能《たんのう》させてくれる作品です。

『屏風《びょうぶ》はたたまれた』(文藝春秋、昭和三十二年十月号)は一種の〝不思議小説〟である。藩公の血筋をひいている青年が、恋文をつけられ約束の家で女にあうこと七夜。八夜めにいってみると、家はそのままだが、女中も女将《おかみ》もかわっていて、〝全然知りません〟とそっけない応対です。それから一年たって、子宝に恵まれなかった藩主が、側室との間に男子をもうけたとき、〝さては〟と思い当った青年が、父に事情を打あけますと、「そんなことは忘れてしまえ」とドヤされ、それで青年の心は屏風がたたまれてゆくようにサバサバした感じになる——というのであります。『その木戸を通って』も同じ作者の〝不思議小説〟ですが、それがウエットなタッチであるのに対して、『屏風はたたまれた』がドライな手法であるところを注目したいと思います。

『橋の下』(小説新潮、昭和三十三年一月号)は、この作者の〝武家もの〟のなかでも高い頂点を示す小説であります。一人の女のために親友を切りころした(と思った)侍が、女をつれて浪々の旅に出ます。そして乞食《こじき》に身をやつし、〝橋の下〟で生活しなければならない境涯におちてしまっても、侍と女は、くされ縁のようにひとつ行路を共にしてゆくよりはない。「親友を失っても女を得ることは、それほど価値のあるものだったろうか」と侍は、血闘のために川原にやって来たらしい若い武士に語ってきかせ、若い武士もそこで思いとどまるのであります。ムダな人生を送ってしまった老人の詠嘆のなかに、ひとつの人生がまざまざと彫琢《ちょうたく》されており、若者に己れの轍《てつ》を踏ませまいという好意が、この作品の背骨となって、短篇小説としては殆《ほとん》ど完璧《かんぺき》な出来《でき》栄《ば》えであります。

『若き日の摂津守《せっつのかみ》』（小説新潮、昭和三十三年五月号）この作者の『大炊之介《おおいのすけ》始末』などとともに、主君の側の、人間としてのなやみを描いた作品です。〝暗愚〟であることが奸臣《かんしん》にかこまれた藩の中では唯一《ゆいいつ》の〝保身〟でもあった藩主が、必死の努力をつみ重ねて摂津守自身の〝人間〟を回復してゆくという力づよい小説であります。一歩、一歩、あせらず急がず、向上の努力を惜しまないという生き方は、この作者が好んで選ぶ基本的なテーマのひとつといってよいでしょう。

『失蝶記《しっちょうき》』（別冊文藝春秋、昭和三十四年十月）は、ほとんど〝語り〟で成立っており、手法的にもこの作者には珍しい小説であります。大砲の暴発で聴力を失った青年武士が仲間の裏切りのワナにひっかかって、暗夜、主義を同じくする盟友を斬《き》ってしまう悲劇で〝人違いだ〟と叫んだだろう盟友を、耳が聞えないばかりに犯した取返しのつかないあやまちをテーマとした作品です。幕末のあわただしい雲行きや、人間のもっとも深刻な懊悩《おうのう》が、行間からしみでてくるような出色の短篇小説です。

山本周五郎氏の今後に寄せられる大方の期待はまことにおおきなものがありますが、氏の小説を読んだ方々から寄せられた感想の中には、「登場人物たちの生き方と、おのれのそれとを比べてみると、自分の生き方が間違っていたのではないか、と反省させられた」とか「この作品を読んで本当によかった、今日まで生きてきた甲斐があった」というのや、「本当は単行本で買いたいのだが、私のサラリーではイタいので廉《れん》価《か》版の出るまで待ちます」といった素朴な声がひじょうに多い。このような反響こそ、物書きにとって、〝作者冥利《みょうり》〟ともいうべき報酬なのではないでしょうか。この作者が、小説ひとすじにすべてを注ぎこみ、一切の文学賞を固辞しつづけてきた理由の一半もここにあるのではないか、と思われるのであります。

（昭和四十年六月、文芸評論家）

日 日 平 安

表記について

新潮文庫の文字表記については、原文を尊重するという見地に立ち、次のように方針を定めました。

一、旧仮名づかいで書かれた口語文の作品は、新仮名づかいに改める。
二、文語文の作品は旧仮名づかいのままとする。
三、旧字体で書かれているものは、原則として新字体に改める。
四、難読と思われる語には振仮名をつける。

なお本作品集中には、今日の観点からみると差別的表現ととられかねない箇所が散見しますが、著者自身に差別的意図はなく、作品自体のもつ文学性ならびに芸術性、また著者がすでに故人であるという事情に鑑み、原文どおりとしました。

（新潮文庫編集部）

山本周五郎著

大炊介《おおいのすけ》始末

自分の出生の秘密を知った大炊介が、狂態を装って父に憎まれようとする姿を描く「大炊介始末」のほか、「よじょう」等、全10編を収録。

山本周五郎著

おさん

純真な心を持ちながら男から男へわたらずにはいられないおさん――可愛いおんなであるがゆえの宿命の哀しさを描く表題作など10編。

山本周五郎著

おごそかな渇き

〝現代の聖書〟として世に問うべき構想を練った絶筆「おごそかな渇き」など、人生の真実を求めてさすらう庶民の哀歓を謳った10編。

山本周五郎著

つゆのひぬま

娼家に働く女の一途なまごころに、虐げられた不信の心が打負かされる姿を感動的に描いた人間讃歌「つゆのひぬま」等9編を収める。

山本周五郎著

ひとごろし

藩一番の臆病者といわれた若侍が、奇想天外な方法で果した上意討ち！　他に〝無償の奉仕〟を描く「裏の木戸はあいている」等9編。

山本周五郎著

松風の門

幼い頃、剣術の仕合で誤って幼君の右眼を失明させてしまった家臣の峻烈な生きざまを描いた「松風の門」。ほかに「釣忍」など12編。

山本周五郎著

深川安楽亭

抜け荷の拠点、深川安楽亭に屯する無頼者たちが、恋人の身請金を盗み出した奉公人に示す命がけの善意——表題作など12編を収録。

山本周五郎著

ちいさこべ

江戸の大火ですべてを失いながら、みなしご達の面倒まで引き受けて再建に奮闘する大工の若棟梁の心意気を描いた表題作など4編。

山本周五郎著

あとのない仮名

江戸で五指に入る植木職でありながら、妻とのささいな感情の行き違いから、遊蕩にふける男の内面を描いた表題作など全8編収録。

山本周五郎著

四日のあやめ

武家の法度である喧嘩の助太刀のたのみを、夫にとりつがなかった妻の行為をめぐり、夫婦の絆とは何かを問いかける表題作など9編。

山本周五郎著

町奉行日記

一度も奉行所に出仕せずに、奇抜な方法で難事件を解決してゆく町奉行の活躍を描く表題作ほか、「寒橋」など傑作短編10編を収録する。

山本周五郎著

一人ならじ

合戦の最中、敵が壊そうとする橋を、自分の足を丸太代りに支えて片足を失った武士を描く表題作等、無名の武士の心ばえを捉えた14編。

山本周五郎著

人情裏長屋

居酒屋で、いつも黙って飲んでいる一人の浪人の胸のすく活躍と人情味あふれる子育ての物語「人情裏長屋」など、〝長屋もの〟11編。

山本周五郎著

花杖記

父を殿中で殺され、家禄削減を申し渡された加乗与四郎が、事件の真相をあばくまでの記録「花杖記」など、武家社会を描き出す傑作集。

山本周五郎著

扇野

なにげない会話や、ふとした独白のなかに男女のふれあいの機微と、人生の深い意味を伝える〝愛情もの〟の秀作9編を選りすぐった。

山本周五郎著

あんちゃん

妹に対して道ならぬ感情を持った兄の苦悶とその思いがけない結末を通して、人間関係の不思議さを凝視した表題作など8編を収める。

山本周五郎著

やぶからし

幸せな家庭や子供を捨ててまで、勘当された放蕩者の前夫にはしる女心のひだの裏側を抉った表題作ほか、「ばちあたり」など全12編。

山本周五郎著

花も刀も

剣ひと筋に励みながら努力が空回りし、ついには意味もなく人を斬るまでの、平手幹太郎（造酒）の失意の青春を描く表題作など8編。

日《にち》日《にち》平《へい》安《あん》

新潮文庫　や-2-9

昭和四十年六月十五日発行
平成十五年四月十五日六十三刷改版
平成十九年十月五日六十九刷

著者　山《やま》本《もと》周《しゅう》五《ご》郎《ろう》

発行者　佐藤隆信

発行所　株式会社 新潮社

郵便番号　一六二―八七一一
東京都新宿区矢来町七一
電話 編集部(〇三)三二六六―五四四〇
読者係(〇三)三二六六―五一一一
http://www.shinchosha.co.jp

価格はカバーに表示してあります。

乱丁・落丁本は、ご面倒ですが小社読者係宛ご送付ください。送料小社負担にてお取替えいたします。

印刷・錦明印刷株式会社　製本・錦明印刷株式会社

ISBN978-4-10-113409-3 C0193